D1432631

Avertissement

Les pages qui suivent sont la sténotypie des Instructions d'ethnographie descriptive, *données chaque année à l'Institut d'Ethnologie de l'Université de Paris, de 1926, date de la fondation de l'Institut, à 1939.*

Pendant de longues années, les «cours de Mauss» ont été suivis avec assiduité et avec passion à l'École pratique des Hautes Études, au Collège de France, à l'Institut d'ethnologie. L'influence de cet enseignement se fera sentir encore longtemps. Par l'originalité et par la diversité des vues, ces Instructions dépassent de loin le niveau du certificat de licence auxquelles elles correspondent. Elles n'ont jamais été rédigées malgré le désir qu'en exprimait souvent leur auteur, absorbé par la publication des travaux posthumes de ses amis, maîtres, collaborateurs, élèves. C'est à combler cette lacune que nous nous sommes efforcé ici en donnant la photographie du texte parlé. L'œuvre écrite eût été différente, certains chapitres ajoutés (sur l'éthologie, sur les contacts de civilisations…), d'autres certainement développés, notamment vers la fin, où les limites de l'année scolaire écourtaient toujours les leçons. Toutefois, à partir de 1935, prévoyant une publication sous cette forme, M. Mauss s'est, chaque année, étendu plus particulièrement sur un chapitre de son cours : technologie et esthétique (1935-1936); phénomènes juridiques (1936-1937); religion (1937-1938).

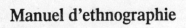

Manuel d'ethnographie

Du même auteur

Œuvres-Édition de Victor Karady :

1. *Les Fonctions sociales du sacré*, Éditions de Minuit, coll. « Le sens commun », 1968.

2. *Représentations collectives et diversité des civilisations*, Éditions de Minuit, coll. « Le sens commun », 1969.

3. *Cohésion sociale et divisions de la sociologie*, Éditions de Minuit, coll. « Le sens commun », 1969.

Essais de sociologie, Éditions du Seuil, 1971.

Sociologie et anthropologie, Introduction de Claude Lévi-Strauss, PUF, coll. « Quadrige », 1985 (9e édition).

Marcel Mauss

Manuel
d'ethnographie

Avertissement et préface
de Denise Paulme

Petite Bibliothèque Payot

Avertissement à la deuxième édition (1967)

DENISE PAULME*

Le *Manuel d'ethnographie* a paru en 1947. Très vite épuisé, sa réédition sera accueillie avec joie : l'enseignement de Marcel Mauss a marqué un moment décisif non seulement pour l'ethnographie, mais dans la croissance des sciences humaines en général. Depuis vingt ans, notre discipline s'est épanouie, en grande partie sous son impulsion, à laquelle nos collègues étrangers ne cessent de rendre hommage, traduisant l'un après l'autre ses ouvrages.

Le succès même des recherches auxquelles Marcel Mauss a préparé de nombreux spécialistes posait un problème : fallait-il mettre à jour une bibliographie déjà lourde ? Comment remanier celle-ci sans toucher au texte ? Pour ne prendre qu'un exemple, le chapitre sur l'organisation domestique se réfère encore aux principes élaborés par Durkheim sur la base des hypothèses de L. H. Morgan et de quelques autres. Les travaux réalisés depuis, au premier chef, ceux de Claude Lévi-Strauss, tout en se réclamant de la pensée de

---

* Directeur d'études à l'École pratique des Hautes Études en sciences sociales.

Mauss, la dépassent. Il en va de même pour la technologie, dont l'étude a été renouvelée par les recherches d'A. Leroi-Gourhan, lui-même élève de Mauss. Quel intérêt accorder à une bibliographie qui ne présenterait plus de rapports avec le texte ? La pensée de notre maître ignorait les cadres conventionnels et il ne cessait d'insister pour la nécessité, chez l'ethnographe de terrain, d'une insatiable curiosité dans tous les domaines, appelant une culture proprement encyclopédique. Telle était la sienne, sans doute aura-t-il été le dernier à couvrir un aussi vaste champ. Depuis, la spécialisation est devenue un impératif : nul ne saurait aujourd'hui pratiquer à la fois, comme il nous y exhortait, la préhistoire et la linguistique, la technologie et l'anthropologie sociale, connaître — outre les langues classiques et l'indispensable sanscrit — toute la littérature concernant aussi bien les sociétés africaines qu'américaines, océaniennes ou européennes.

La solution à laquelle nous nous sommes arrêté : reprendre sans les modifier texte et bibliographie — peut sembler de facilité. Au moins pensons-nous donner ainsi un reflet de l'état de nos connaissances en 1939. Peut-être la leçon ultime du *Manuel*, à travers un texte parlé, est-elle de nous restituer, mouvante, voilée comme une photo «bougée», l'image d'un maître dont la totale indépendance d'esprit n'avait d'égale que sa générosité : les élèves de Mauss ne lui doivent pas seulement leur formation professionnelle.

Préface à la troisième édition (1989)

DENISE PAULME

Mauss fut sans doute le dernier ethnologue complet. La confrontation des connaissances spécialisées de nos jours avec la science encyclopédique de ce maître nous a paru justifier cette nouvelle présentation.

L'avertissement à la première édition, parue en 1947, mentionne que ces pages sont la stricte transcription des « Instructions d'ethnographie descriptive à l'usage des voyageurs, administrateurs et missionnaires » données dans le cadre de l'Institut d'ethnologie que Marcel Mauss avait fondé en 1925 et qu'il dirigea jusqu'en 1940 avec Paul Rivet sous la présidence de Lucien Lévy-Bruhl. Recueil d'instructions pour l'enquête sur le terrain, ce *Manuel* est sec, dépourvu d'idées générales, précis, sans hésitation. Il accumule à plaisir les problèmes à résoudre. C'est un questionnaire, inspiré sans doute en partie des *Notes and Queries* du Royal Anthropological Institute de Londres (5e éd., 1929) et destiné à des gens sans aucune préparation mais à l'esprit ouvert et qui, expatriés, voulaient faire œuvre utile en orientant leurs recherches locales selon les meilleurs principes.

Mauss était un philosophe, un théoricien qui s'était

tourné vers le concret, à la différence de son oncle Émile Durkheim. Durkheim avait fourni un cadre théorique dont Mauss se plaisait à souligner la valeur aux fins de la recherche. Ce côté étant assuré, le souci premier du neveu, surtout dans ses *Instructions* d'ordre élémentaire, concernait les données. Fidèle à Durkheim en tant que son disciple et son héritier, il voulait davantage maintenir vivante leur inspiration commune qu'insister sur les désaccords de détail. Il est vrai qu'il ne construisait pas de système : telle n'était pas son intention et l'on aurait tort de le juger comme s'il l'avait voulu.

N'ayant jamais pratiqué l'observation ethnographique, Mauss n'en faisait pas moins souvent appel à des souvenirs personnels : son expérience comme interprète auprès d'un état-major britannique au cours de la guerre, un voyage de quinze jours dans le Sud marocain où l'imagination, à coup sûr, relayait la mémoire. Si Mauss «savait tout», comme nous nous plaisions à le dire, cela ne le conduisait pas à des explications compliquées. Sa connaissance était si réelle, si personnelle, si immédiate, qu'elle prenait souvent la forme de déclarations tombant sous le sens ; la suite — réfléchir et comprendre — revenait à l'auditeur, parfois déçu ou simplement interloqué.

Il paraît impossible de parler du savant sans évoquer, fût-ce en passant, l'homme. Il avait su garder une jeunesse d'esprit qui l'inclinait à rechercher la compagnie des étudiants ou de jeunes chercheurs plus que celle des hommes de son âge. C'était un extraordinaire éveilleur d'esprits auquel sa totale absence de préjugés permettait les rapprochements les plus inattendus, n'hésitant pas à citer longuement Tolstoï à propos des règles du mariage en Australie et se flattant de reconnaître un Anglais dans la rue à sa démarche (voir ses *Techniques du corps*). Avec Mauss l'étroite culture classique dans laquelle nous avions été élevés éclatait en un humanisme plus large que ses raccourcis fulgurants rendaient l'évidence même. On sortait de ses cours éblouis, quelque peu titubants. Encore le cours se poursuivait-il dans la rue : on s'arrêtait interminablement au coin d'un trottoir, enviant celui d'entre nous auquel, lorsqu'il fallait tout de même se séparer, notre maître proposait de le raccompagner jusqu'à la lointaine rue Bruller. Un trait qui à la réflexion me paraît typique est qu'après son élection au Collège de France il refusa de parler dans un amphithéâtre, exigeant une salle pourvue d'une grande table autour de laquelle ses auditeurs prendraient place.

Nommé en 1901 à l'École des Hautes Études pour y occuper la chaire d'«Histoire des religions des peuples non civilisés», Mauss, dans sa leçon inaugurale, indique ses principes de méthode. D'abord, à strictement parler, il n'y a pas de peuple non civilisé, il y a seulement des peuples de civilisations différentes. Une société australienne n'est ni simple ni primitive, elle a derrière elle une histoire aussi longue que la nôtre. Mais de même que parmi les animaux nous trouvons des espèces vivantes plus simples que les mammifères, et apparentées de plus près aux espèces maintenant éteintes des premiers âges géologiques, de même la société Arunta est plus proche que la nôtre des formes primitives de société : ainsi la naissance parmi eux n'est pas seulement un fait physiologique, mais aussi un événement magico-religieux. Toute idée évolutionniste n'est donc pas absente. Mais ce n'est pas la seule raison qui rende nécessaire une analyse soigneuse des données. Il y a des difficultés qui sont communes à toutes les observations de phénomènes sociaux. En premier lieu, toute information vient des intéressés eux-mêmes et rien n'est plus difficile, même pour nous, que de dire en quoi les institutions consistent réellement. Comme le dit un missionnaire de Corée : «Les coutumes sont, comme le langage, une propriété dont le propriétaire est inconscient. » C'est pourquoi l'ethnologue doit creuser sous la meilleure information indigène jusqu'aux « faits profonds, inconscients presque, parce qu'ils n'existent que dans la tradition collective. Ce sont des faits réels, ces *choses* que nous tâcherons d'atteindre à travers le document ».

Voilà ce que Mauss enseignait en 1901 et continuera de faire durant quarante ans. Il n'y a pas de théorie pour elle-même, l'analyse intellectuelle est nécessaire pour transformer les données en faits bien établis.

Au sujet de l'explication, Mauss ne varie pas non plus. Dans ses derniers exposés sur le péché et l'expiation, il répétait encore : « L'explication sociologique est terminée quand on a vu *qu'est-ce que* les gens croient et pensent, et *qui* sont les gens qui croient et pensent cela. »

Il faut ici rappeler, si l'on touche à ses publications, que Mauss n'a jamais écrit un livre, mais seulement des articles, quelquefois fort étendus, généralement intitulés *Essai* ou encore *Esquisse*. Presque tous ont été écrits en collaboration, que ce soit avec Henri Hubert (« Essai sur la nature et la fonction du sacrifice », « Esquisse d'une théorie générale de la magie », « Introduction à l'analyse de quelques phénomènes religieux ») mais aussi avec Durkheim, Beuchat (« Essai sur les variations saisonnières des sociétés eskimos ») ou Fauconnet avec qui il publia dans une encyclopédie un important article sur la sociologie en 1901. Certains ont voulu voir là une incapacité de publier par lui-même, oubliant ses comptes rendus dans *L'Année sociologique* qui sont une partie considérable de ses œuvres, où les théories sociologiques n'apparaissent comme autre chose que des outils, mais des outils indispensables pour la recherche. Les résultats, les problèmes de la discipline à l'époque sont magistralement résumés dans ces pages.

La guerre de 1914 frappa durement le groupe des

sociologues, lui ôtant ses meilleurs espoirs, notamment Robert Hertz, l'auteur de la *Prééminence de la main droite* et de la découverte de la coutume des doubles obsèques. Après la mort de Durkheim en 1917, Mauss se voua à la préparation des ouvrages des disparus (les *Mélanges* de Hertz, plus tard les deux volumes des *Celtes* de Hubert) et à la direction de *L'Année sociologique*. Durant cette période et à côté de nombreuses publications plus brèves, Mauss donne ce qui est peut-être son chef-d'œuvre, l'*Essai sur le don, forme archaïque de l'échange*[1], paru en 1925. Dans le don tel que le pratiquaient les sociétés du nord-ouest de l'Amérique, «prestations totales de type agonistique», il avait cru trouver ce qu'il appelait «le fait social total». L'un de ses thèmes favoris était en effet que le but de la recherche était d'étudier non pas des pièces et des morceaux, mais de restituer un ensemble où apparaisse la cohérence interne de la société observée. Celle-ci est si complexe que même en décrivant ces pièces détachées avec le plus de scrupule, on n'en donne jamais qu'une image aplatie, en deux dimensions. Heureusement, il y a des cas où la cohérence se rencontre dans des complexes moins étendus, des moments privilégiés où le tout peut être saisi dans un instantané. Le potlatch des Indiens d'Amérique comme le *kula* mélanésien étudié par Malinowski seraient l'un de ces cas privilégiés qui obligent l'observateur à transcender les catégories de la vie courante[2]. L'hypothèse centrale de l'étude est que la forme archaïque de l'échange, avec ses trois obligations : donner, recevoir et rendre, est un aspect

---

1. In *Sociologie et anthropologie*, Paris, P.U.F., coll. «Quadrige», 1985 (9ᵉ édition).

2. Sur les rapprochements possibles entre l'idée du «tout» selon Mauss, qu'il ne définit jamais clairement, et les développements structuraux de Lévi-Strauss, je renvoie à l'étude pénétrante de Louis Dumont, «Marcel Mauss : une science en devenir», in *Essais sur l'individualisme*, Paris, Éditions du Seuil, 1983.

de presque toutes les sociétés archaïques, qui maintient et renforce les liens sociaux. «C'est en considérant le tout ensemble que nous avons pu percevoir l'essentiel, le mouvement du tout, l'aspect vivant, l'instant fugitif où la société prend, où les hommes prennent conscience sentimentale d'eux-mêmes et de leur situation vis-à-vis d'autrui. Il y a dans cette observation concrète de la vie sociale le moyen de trouver des faits nouveaux que nous commençons seulement à entrevoir. Rien à notre avis n'est plus urgent ni fructueux que cette étude des faits sociaux totaux[1].» Le don apparaît comme relevant à la fois de la religion, du droit, de la morale, de l'économie, de l'esthétique, de la morphologie et de la mythologie. Les obligations qu'il entraîne s'expliquent symboliquement dans le mythe et prennent la forme d'un intérêt dans les objets échangés mais ceux-ci ne sont jamais complètement séparés des hommes qui les échangent; la communion et l'alliance qu'ils établissent sont pratiquement indissolubles. L'influence durable des objets échangés est une expression directe de la façon dont les sous-groupes à l'intérieur d'une société segmentaire de type archaïque sont constamment entrelacés et se sentent eux-mêmes en dette l'un envers l'autre. Outre un intérêt ethnographique considérable, le *Don*, étude systématique et comparative de l'échange, est la première élaboration du rapport entre les modes d'échange et la structure sociale. Ajoutons aussitôt que Mauss, dans ses cours, n'en insistait pas moins sur l'importance des différences, des séparations; les interdits de contact comme les refus d'emprunt, soulignait-il, sont aussi importants que ce que Lévy-Bruhl appelait participation.

S'il fallait résumer, nous dirions que la contribution théorique de Mauss vient d'avoir mis à l'œuvre la

---

1. *Essai sur le don, forme archaïque de l'échange, op. cit.*, p. 181.

sociologie de Durkheim en la nuançant, en minimisant ses traits les moins acceptables (le mysticisme latent du groupe, la psychologie des foules, l'identification entre origine historique et simplicité analytique) et en démontrant l'importance de son pouvoir explicatif.

Le champ d'action de notre maître s'élargit avec la création de l'Institut d'ethnologie, où il se fit un devoir de donner des *Instructions*, dont il attendait qu'elles rendent ses étudiants capables d'observer et d'enregistrer les faits correctement. Tel qu'on le trouve dans les pages qui suivent, cet enseignement paraîtra consister en un catalogue de faits, accru de conseils d'un caractère si général qu'ils ont souvent un air de tautologie ou de lieu commun. Leur auteur s'efforçait d'insister chaque année sur un sujet différent : technologie et esthétique (1935-1936), phénomènes juridiques (1936-1937), religion (1937-1938). Élu au Collège de France, il enseignera dans trois institutions pendant presque dix ans, tenant seul ou à peu près seul la place de l'équipe de savants avec qui il avait commencé le travail.

Mauss attachait beaucoup d'importance à ses *Instructions*, il y voyait le moyen du développement futur d'une discipline qui ne possédait pas encore ses professionnels : dans cette première génération, parmi ceux qu'il forma entre 1930 et 1940, et sans pouvoir les citer tous, comment ne pas s'étonner de voir rapprochés des noms aussi divers que ceux de Maurice Leenhardt (auquel il cédera son enseignement à l'École des Hautes Études), Alfred Métraux, Jacques Soustelle, Marcel Griaule, André Haudricourt, André Leroi-Gourhan et Louis Dumont...

L'*Essai sur le don* est l'ouvrage de Mauss le plus cité à l'étranger, le seul en fait qui soit connu aux États-Unis. Ses travaux sur la magie, le sacrifice, et aussi les classifications primitives ont eu une influence profonde, mais difficile à préciser car son travail dans ces

15

domaines est entré dans l'héritage commun, souvent au travers de collègues et de disciples. Il semble avoir particulièrement marqué des hommes comme A. Radcliffe Brown et B. Malinowski (qui chacun à sa façon déformèrent une pensée quelque peu différente de celle de Durkheim), E. Evans-Pritchard, R. Firth, M. J. Herskovits et R. Redfield entre autres. De façon plus générale, son influence est sensible dans les travaux anthropologiques réalisés à Oxford sous l'influence d'Evans-Pritchard, et à Leyde. Mais les suggestions qu'il formula n'ont sans doute pas épuisé toutes leurs possibilités d'exploitation.

Outre sa carrière académique, Mauss mena une vie politique. Comme Durkheim il soutint Dreyfus et Zola, mais à la différence de son oncle il joua un rôle actif. Il fut un des dirigeants du groupe (dreyfusard) des étudiants collectivistes et s'associa étroitement aux chefs socialistes, les aidant à fonder *L'Humanité* en 1904; il contribua au journal, prenant part aux grèves et soutenant des candidats socialistes lors des élections. Il joua aussi un rôle important dans la création des universités populaires et des mouvements coopératifs. Le côté évolutionniste, pluraliste et libéral de son socialisme, proche de celui de Jaurès, est sensible dans les pages finales de l'*Essai sur le don*, où il signale ce qui fut perdu en termes de qualité des rapports humains quand l'échange devint purement économique et insiste sur le besoin de restaurer «les thèmes anciens de la liberté et de l'obligation dans le don, de la libéralité et de l'intérêt qu'on a à donner[1]».

La Seconde Guerre mondiale allait répéter les épreuves de la Première avec une cruauté accrue. S'ajoutant à des soucis d'ordre privé, les horreurs, l'exécution par les Allemands en 1942 de deux de ses

---

1. *Essai sur le don [...], op. cit.*, p. 169.

élèves les plus chers, Boris Vildé et Anatole Levitzky, brisèrent l'une des plus belles intelligences de ce temps. La mémoire lui manquait de temps à autre et sa pensée l'avait abandonné lorsqu'il s'éteignit en 1950.

1. Remarques préliminaires

Le cours ici publié répond surtout à des questions pratiques, il doit apprendre à *observer* et à classer les phénomènes sociaux.

On pourrait ne voir dans ces leçons qu'un amas de détails inutiles. En fait, chacun des détails mentionnés suppose un monde d'études : ainsi, la biométrie, qui cherche à établir la courbe de répartition des âges, suppose la statistique et le calcul des probabilités ; l'étude des couleurs, avec des connaissances de physique, demande la pratique des échelles de Chevreul et de Broca. Ce qui peut sembler détails futiles est en réalité un condensé de principes.

Le champ de nos études est limité aux sociétés qui peuplent les colonies françaises et aux sociétés de même stade ; ce qui paraît éliminer toutes les sociétés dites *primitives* [1].

---

1. Seuls, les Australiens et les Fuégiens seraient de véritables primitifs. Les Noirs sont au stade où Tacite observa les Germains. Les habitants des forêts du Cameroun et du Congo possèdent un arc qu'on dit très primitif ; en fait, c'est une machine et non un outil, machine qui suppose un stade déjà très élevé. Les Moï de l'Annam

Dans ces limites, nous donnerons les instructions nécessaires pour constituer scientifiquement les archives de ces sociétés plus ou moins archaïques.

La science ethnologique a pour fin l'observation des sociétés, pour but la connaissance des faits sociaux. Elle enregistre ces faits, au besoin elle en établit la statistique; et publie des documents qui offrent le maximum de certitude. L'ethnographe doit avoir le souci d'être exact, complet; il doit avoir le sens des faits et de leurs rapports entre eux, le sens des proportions et des articulations.

L'intuition ne tient aucune place dans la science ethnologique, science de constatations et de statistique. La sociologie et l'ethnologie descriptive exigent qu'on soit à la fois chartiste, historien, statisticien... et aussi romancier capable d'évoquer la vie d'une société tout entière. Non que l'intuition d'une part, la théorie de l'autre, soient inutiles ici; mais leur emploi doit être limité, il faut en connaître la valeur et les dangers.

La théorie aura pour rôle véritable de pousser à la recherche dans un but de vérification. La science a ses modes qui changent, mais qui permettent de comprendre les faits. La théorie offre une valeur « heuristique », une valeur de découverte. Les *a priori* faux de l'école de Vienne nous ont valu une belle moisson de faits.

Le jeune ethnographe qui part sur le terrain doit savoir ce qu'il sait déjà, afin d'amener à la surface ce qu'on ne sait pas encore.

Les faits sociaux sont d'abord historiques, donc irréversibles et irrejetables — exemple : la fuite d'une armée (combien de soldats, qu'ont-ils fait, rôle des chefs, des hommes, etc.). Le phénomène social est en outre un phénomène à la fois de fait et d'idéal, de règle : à la manufacture de Sèvres, on rejette neuf

---

sont archaïques et protohistoriques. L'ensemble de l'Asie septentrionale possède une grande civilisation, eskimoïde et mongoloïde.

vases sur dix; ailleurs dix poteries sur dix sont gardées. Dans ce dernier cas, il n'y a plus de différence entre le fait et la norme.

La statistique permet d'atteindre une certitude qu'on n'a encore jamais connue en histoire. Nous ignorons le chiffre des esclaves à Rome, mais nous savons combien Tombouctou en possède.

Ajoutons que l'ethnographie n'est pas une science historique proprement dite, en ce sens que les faits ne s'y présentent pas dans l'ordre chronologique. L'ethnologie comprend néanmoins une partie historique, qui consistera à établir l'histoire du peuplement humain : races nègre, jaune, etc. Histoire que l'ethnologie n'est actuellement en mesure de retracer que dans des limites étroites; mais notre science n'a d'avenir qu'à la condition de garder une méthode sûre et prudente.

L'ethnographie comparée n'aura en effet de valeur que si elle se fonde sur des comparaisons de faits et non de cultures. Le critère du fait archéologique, inscrit dans les couches du sol, donnera seul une valeur aux critères culturel, linguistique, etc. Par exemple, l'existence de la flûte de Pan sur tout le pourtour du Pacifique (critère culturel) ne permet d'affirmer une communauté de civilisation que parce qu'il est corroboré par des découvertes de poteries (critère archéologique); dès lors, il devient légitime d'affirmer que tout le pourtour du Pacifique, comme tout le pourtour de la Méditerranée, a joui d'une civilisation commune.

Difficultés de l'enquête ethnographique

Difficultés *subjectives*. Danger de l'observation superficielle. Ne pas « croire ». Ne pas croire qu'on sait parce qu'on a vu; ne porter aucun jugement moral. Ne pas s'étonner. Ne pas s'emporter. Chercher à vivre dans et de la société indigène. Bien choisir les témoignages. Se méfier des langues franque, petit-nègre, anglais, pidgin, etc. (inconvénients de l'emploi de mots tels que fétiche, tam-tam, etc.). Beaucoup de termes spéciaux demeurent intraduisibles. Si l'on doit avoir recours à des interprètes, employer autant que possible la méthode philologique, en faisant écrire la phrase même, sans système convenu. Un bon exemple est celui des travaux de Callaway sur les Amazulu[1]. Cette méthode donne des documents à l'état brut susceptibles d'étude à loisir dans un cabinet.

Restent les difficultés *matérielles* qu'on surmontera :

1) en faisant appel à des informateurs conscients, ayant la mémoire des événements ; ils peuvent se rencontrer parmi les fonctionnaires juridiques ou religieux, prêtres, féticheurs, hérauts...

2) en collectionnant et en cataloguant les objets. L'objet est dans bien des cas la preuve du fait social : un catalogue de charmes est un des meilleurs moyens pour dresser un catalogue de rites.

Principes d'observation

L'objectivité sera recherchée dans l'exposé comme dans l'observation. Dire ce qu'on sait, tout ce qu'on sait, rien que ce qu'on sait. Éviter les hypothèses, historiques ou autres, qui sont inutiles et souvent dangereuses.

Une bonne méthode de travail sera la méthode philologique qui consistera à recueillir d'abord des contes, en faisant collection des variantes (exemple : la première édition des contes de Grimm) ; puis les traditions spéciales à chaque vinage, à chaque clan, à chaque famille. Travail souvent énorme, très complexe. Noter

---

1. CALLAWAY (H.), *The Religtous System of the Amaxulu*, Londres et Le Cap, 1870.

les recherches faites. celles qui demeurent inachevées, toutes les difficultés concernant les individus.

Exhaustivité. Ne négliger aucun détail (exemple : dans l'étude de la préparation d'un philtre, noter les conditions de cueillette de chaque herbe magique). Il faut non seulement décrire tout, mais procéder à une analyse en profondeur, où se marquera la valeur de l'observateur, son génie sociologique. Étudier la lexico-graphie, les rapports entre les classes nominales et les objets ; les phénomènes juridiques, les animaux héral-diques, etc. À l'énumération d'interdictions rituelles, joindre des exemples de décisions casuistiques concer-nant ces interdictions.

Dans l'exposé des faits observés, on recherchera la clarté et la sobriété. Des plans, des graphiques, des statistiques pourront remplacer avantageusement plusieurs pages de texte. Pour la parenté, donner des arbres généalogiques, avec nomenclature des paren-tés. En matière de preuves seulement, se montrer disert, multiplier les témoignages, ne pas craindre les anecdotes, ni les détails des peines prises pour l'obser-vation. Chaque fait cité sera toujours localisé (nom du village, de la famille, de l'individu observés) et daté ; donner toutes les circonstances de l'observation, sauf au cas d'un séjour prolongé de l'observateur dans la région.

BIBLIOGRAPHIE

Traités généraux

BASTIAN (A.), *Die Culturländer des alten Amerika*, Berlin, 1878-1889, 3 vol.

BOAS (F.), *Handbook of American Indian Languages...* Washington, 1911-1912 ; *The Mind of Primitive Man*, New York, 1911.

BUSCHAN (G.), *Illustrierte Völkerkunde...*, Stuttgart, 1922-1926. Vol. 1 : *Amerika, Afrika* ; vol. 2 : *Australien und Ozeanien* ; vol. 3 : *Europa*.

DENIKER (J.), *Les Races et les peuples de la terre*, Paris, 1926 (2e éd.). Garde sa valeur.

GOLDENWEISEP (A. A.), *Early Civilisation, an Introduction to Anthropology*, New York, 1922. Bon livre.

GRAERNER (F.), *Methode der Ethnologie*, Heidelberg, 1910 ; « Ethnologie », in *Anthropologie* de Schwalbe et Fischer, Leipzig, 1923.

HADDON (A. C.), *Les Races humaines et leur répartition géographique*, éd. revue et corrigée par l'auteur, trad. par A. van Gennep, Paris, 1927.

KROEBER (A. L.), *Anthropology*, New York et Londres, 1923.

LOWIE (R. H.), *Traité de sociologie primitive*, trad. de l'anglais, Paris, 1935 ; *Manuel d'anthropologie culturelle*, trad. de l'anglais, Paris, 1936.

MARETT (R. R.), *Anthropology*, Londres, 1914.

MONTANDON (G.), *L'Ologénèse culturelle*, Paris, 1928. Livre à utiliser avec précautions.

POWELL (J. W.), *Sociology, or the Science of Institutions*, American Anthropologist, n. s., I, juillet et octobre 1899, p. 475-509 ; p. 695-745.

PREUSS (K. T.), *Lehrbuch der Völkerkunde*, Stuttgart, 1937.

RATZEL (F.), *Völkerkunde*, Leipzig, 1885-1890. Livre « inimitable », mais sans références et avec peu d'indications de sources.

SCRURTZ (H.), *Voelkerkunde*, Leipzig-Vienne, 1903.

THURNWALD (R.), *Die menschliche Gesellschaft in ihren eihnosoziologischen Grundlagen*, 3 tomes, Berlin et Leipzig, 1931. Trois tomes assez précis, donnant un tableau pour chaque groupe d'une civilisation. Idées bonnes, allemand difficile.

TYLOR (E. B.), Article « Anthropology », in la 14e éd. de la *British Encyclopaedia*. A été édité séparément ; *Primitive Culture*, n. éd., Londres, 1921.

VIERKANDT (A.), *Handwörterbuch der Soziologie*, Stuttgart, 1931.

WAITZ (Th.), *Anthropologie der Naturvölker*.

WUNDT (W.), *Voelkerpsychologie*, Leipzig, 1900-1909.

WISSLER (Clark), *Man and Culture*, Londres et New York, 1923.

Questionnaires

FOUCART (G.), *Questionnaire préliminaire d'ethnologie africaine*, édité par la Société de géographie, Le Caire, 1919.

KELLER (A. G.), *Queries in Ethnography*, New York, Londres, Bombay, 1903.

LABOURET (H.), *Plan de monographie régionale*, outre-mer, Paris, 1er trimestre 1932, p. 52-89.

LUSCHAN (H. VON), *Anleitung für ethnographische Beobachtungen und Sammlungen in Afrika und Oceanien*, Berlin, 1904, 3e éd.

MAUSS (M.), «Fragment d'un plan de sociologie descriptive», Paris, *Annales de sociologie*, série A, fasc. I, p. 1-56.

Notes and Queries du Royal Anthropological Institute de Londres, 5e éd. 1929.

POWELL (J. W.), Washington, *Questionnaire*. 20th Annual Report of the Bureau of American Ethnology, 1898-1899.

Questionnaire de l'École française d'Extrême-Orient, composé par M. MAUSS et expliqué par le colonel BONIFACY.

READ (C. H.), *Questionnaire ethnographique pour le Congo*, Londres, British Museum, 1904.

2. Méthodes d'observation

La méthode d'enquête extensive consistant à voir le plus de gens possible dans une aire et dans un temps déterminés, a été largement pratiquée à une époque où il s'agissait exclusivement de récolter au plus vite la plus grande quantité possible d'objets qui pouvaient disparaître et de peupler les musées qui venaient de naître.

La méthode extensive permet dans un grand nombre de cas de repérer l'endroit où un travail plus intensif pourra ensuite s'opérer; des voyageurs qualifiés, au cours d'une enquête à grand rayon, peuvent décider du choix de certaines tribus chez lesquelles il faudra retourner. Le grand danger que présente cette méthode, c'est son caractère superficiel : l'ethnographe ne fait que passer, les objets souvent ont été rassemblés avant son arrivée. Un autre danger sera, par exemple, l'emploi de critères linguistiques insuffisants; l'établissement nécessaire d'une bonne carte linguistique est subordonné à l'accomplissement de progrès qui doivent être réalisés dans l'étude de chacune des langues extra-européennes.

Faire de l'ethnographie extensive, c'est nécessaire;

ne croyez pas que ce soit suffisant. L'ethnographe professionnel devra pratiquer de préférence la méthode intensive.

L'ethnographie *intensive* consiste dans l'observation approfondie d'une tribu, observation aussi complète, aussi poussée que possible, sans rien omettre. Un ethnographe professionnel, travaillant très bien, peut à lui seul, en l'espace de trois ou quatre années, procéder à l'étude presque exhaustive d'une tribu. L'étude des seuls Zuni, qui a coûté la vie à Cushing ainsi qu'aux Stevenson, comporte sept volumes in-quarto du Bureau of American Ethnology. Ce travail, extraordinairement condensé, reste insuffisant[1].

Les instructions publiées ici sont destinées à des administrateurs, à des colons dépourvus de formation professionnelle. Instructions de « débrouillage », elles permettront d'accomplir un travail intermédiaire entre une étude extensive et une étude intensive de la population envisagée, étude où les proportions des différents phénomènes sociaux seront respectées.

Les travaux ethnographiques offrent trop souvent l'aspect d'une caricature ; tel qui s'intéresse à la muséographie négligera, en effet, tout ce qui n'est pas culture matérielle ; tel autre, spécialisé dans l'étude des religions, ne verra que cultes, sanctuaires et magie ; un autre observera l'organisation sociale et ne parlera que clans et totems ; un autre encore ne cherchera que les phénomènes économiques.

---

1. CUSHING (F.H.), *Outlines of Zuñi Creation Myths*, US Bureau of American Ethnology, 13th Annual Report, p. 321-447 ; *A Study of Pueblo Pottery as Illustrative of Zuñi Culture Growth*, US Bureau of American Ethnology, 4th Annual Report, p. 467-521 ; *Zuñi Fetiches*, US Bureau of American Ethnology, 30th Annual Report. STEVENSON (M.C.), *Ethnobotany of the Zuñi Indians*, US Bureau of American Ethnology, 30th Annual Report ; *The Religious Life of the Zuñi Child* ; *The Sia*, US Bureau of American Ethnology, 11th Annual Report ; *The Zuñi Indians. Their Mythology, Fraternities and Ceremonies* ; US Bureau of American Ethnology, 23rd Annual Report.

L'observateur doit avant tout respecter les proportions des différents phénomènes sociaux[1].

Plan d'étude d'une société

I. Morphologie sociale ...	Démographie.
	Géographie humaine.
	Technomorphologie.
	Techniques.
	Esthétique.
II. Physiologie	Économique.
	Droit.
	Religion.
	Sciences.
	Langue.
	Phénomènes nationaux.
III. Phénomènes généraux ..	Phénomènes internationaux.
	Éthologie collective.

I. *Morphologie sociale*. Toute société se compose d'abord d'une masse. L'étude de cette société en tant que masse humaine et sur son terrain forme ce qu'on appelle la morphologie sociale, qui comprend la *démographie* et la *géographie humaine*, dont l'importance apparaît capitale. À la géographie humaine s'ajoute la *technomorphologie*.

----

1. *Cf.* Mauss (M.), «Divisions et proportions des divisions de la sociologie», *L'Année sociologique*, N. s., II, 1924-1925, p. 98-173 et *Fragment d'un plan de sociologie générale descriptive*, Classification et méthodes d'observation des phénomènes généraux de la vie sociale dans les sociétés de type archaïque (phénomènes généraux spécifiques de la vie intérieure de la société), *Annales sociologiques*, série A, Sociologie générale, fasc. 1, 1934. On pourra également consulter : Brown (A. R.), «The Methods of Ethnology and Social Anthropology», *South African Journal of Science*, XX, p. 124-247 ; et Thurnwald (R.), *Probleme der Völkerpsychologie und Soziologie*, Zeitschrift f. Völkerpsychologie und Soziologie, 1925, I, 1-20.

II. La *physiologie sociale* étudie les phénomènes en eux-mêmes et dans leurs mouvements, non plus dans la masse matérielle inscrite. J'y classe, selon leur degré de matérialité, les *techniques*, c'est-à-dire tous les arts et métiers de la production sans exception : la guerre est l'art de détruire, c'est une industrie, une technique. Les techniques ont pour maximum les *sciences* ; il n'y a pas de société dite primitive qui soit tout à fait dépourvue de sciences. *L'esthétique* demeure encore très matérielle, même quand elle paraît très idéale ; l'esthétique plastique se différencie peu de la technique. De moins en moins matérielle, mais dirigée par des représentations collectives, très nettes, l'*économique* offre, comme dégagement, la monnaie qu'on trouve dans toute l'Amérique et dans toute l'Afrique. Au-dessus de l'économique et la régissant, le *droit*, des phénomènes juridiques et moraux. Au-dessus encore, la *religion* et la *science* qu'on retrouve ici.

III. *Phénomènes généraux.* Après la *langue* viennent les phénomènes morphologiques, par exemple la société en général, les *phénomènes nationaux* (perméabilité de la tribu), puis les phénomènes *internationaux* : le nomadisme suppose qu'une société peut aller faire paître ses moutons sur un territoire qui ne lui appartient pas, ou à travers des tribus étrangères, ce qui implique une paix internationale souvent à distance. La civilisation est un phénomène international. L'étude des phénomènes de civilisation comporte l'étude de l'internationalisation de certaines coutumes, de certains outils. Enfin viennent les phénomènes proprement généraux, ou *éthologie collective*, l'étude du caractère, psychologie politique nationale et ses rapports avec les phénomènes psychologiques, les phénomènes biologiques (exemple : rapport entre la propreté et la mortalité — ou la non-mortalité).

On trouvera ici un certain nombre d'instructions muséographiques à propos de la morphologie sociale, d'une part, de la technique et de l'esthétique, d'autre part. L'inventaire des objets économiques, de droit et de religion complétera le plan d'une étude muséographique, que ces pages contiennent implicitement. La muséographie d'une société consiste à établir les archives matérielles de cette société, les musées sont des archives.

Méthodes d'observation

L'idéal serait qu'une mission ne parte pas sans son géologue, son botaniste et ses ethnographes. On réduirait ainsi les frais généraux ; d'autre part, un anthropologue peut se révéler sociologue et tout le monde peut être excellent muséographe. Donc *partir plusieurs* ensemble.

On trouvera souvent sur place des gens très informés de la société indigène : missionnaires, colons, sous-officiers, pas nécessairement français, vivant généralement beaucoup plus avec les indigènes que les Français de haute souche. Ainsi s'est formé l'Empire romain, grâce aux centurions vivant avec les Gaulois.

La première méthode de travail consistera à ouvrir un *journal de route*, où l'on notera chaque soir le travail accompli dans la journée : fiches remplies, objets récoltés, entreront dans ce journal qui constituera un répertoire facile à consulter.

L'enquêteur établira un *inventaire* au fur et à mesure qu'il recueillera ses objets de collection.

À tout objet recueilli correspondra en outre une *fiche descriptive* détaillée, établie en double.

Journal de route, inventaire et fiches constitueront un premier élément de travail.

Pour beaucoup de voyageurs, l'essentiel du travail ethnographique consistera dans le rassemblement et l'organisation de collections d'objets. C'est là une partie de la muséographie, qui comprend aussi les procédés de conservation et d'exposition de ces objets. Toutes les études de propagation vers des couches de civilisation sont encore classées habituellement dans la muséographie.

Branche de l'ethnographie descriptive, la muséographie enregistre les produits d'une civilisation, tous les produits, sous toutes leurs formes. L'établissement de collections d'objets présente une importance à la fois pratique et théorique. Importance pratique : les collections sont capitales pour connaître l'économie du pays ; la technologie peut mettre sur la voie des industries mieux qu'aucune recherche. Montrer l'ingéniosité dans l'invention, le genre d'ingéniosité observé. Importance théorique, par la présence d'instruments caractérisant un certain type de civilisation. Les collections de musée restent le seul moyen d'écrire l'histoire.

Le collecteur s'attachera à composer des séries logiques, en réunissant si possible tous les échantillons d'un même objet en dimensions, formes, etc., sans craindre les doubles et les triples. La localisation est absolument nécessaire ; sans elle, l'objet ne peut entrer dans aucun musée. Fixer l'aire d'extension où l'objet recueilli est en usage.

Chaque objet recevra un numéro porté à l'encre, renvoyant à un inventaire et à une fiche descriptive, donnant les renseignements sur l'usage et la fabrication de l'objet. La fiche descriptive sera accompagnée de plusieurs annexes, en particulier une annexe photographique et si possible une annexe cinématographique. Un dessin sera joint chaque fois qu'il faudra montrer le maniement de l'objet, un mouvement de la main ou du pied (exemple : pour l'arc et les flèches, il est important de fixer la méthode de lancement par la position des bras, des doigts aux divers moments ; le métier à tisser est incompréhensible sans documents montrant son fonctionnement). On notera encore très exactement les dates de l'emploi, certains objets ayant une existence saisonnière (on ne se sert pas d'un sécateur en hiver) ; un objet peut encore être employé seulement par les hommes, ou seulement par les femmes. On cherchera enfin à expliquer l'objet dont la valeur n'est pas seulement technique, mais religieuse ou magique ; telle décoration peut correspondre à une marque de propriété, ou à une marque de fabrique, etc.

L'établissement de cartes de répartition ne devra être entrepris qu'en fin d'enquête seulement, de préférence au retour, lorsqu'on aura le sentiment d'avoir tout vu. C'est l'aboutissement d'un travail et non une méthode en soi. Mais l'enquêteur peut se proposer un but semblable au cours de son travail, par exemple s'il visite successivement deux fractions d'un même groupe national[1]. Semblable résultat, pour être atteint, suppose l'observation de tous les objets de la tribu. Ainsi le professeur Maunier a pu établir par la statistique que le canon du toit kabyle est grec et non latin[2].

La méthode d'inventaire, employée pour la constitution des collections d'objets, n'est elle-même qu'un des moyens d'observation matérielle employés dans l'étude de la morphologie sociale.

Les méthodes d'observation se divisent en méthodes d'enregistrement et d'observation matérielles d'une part, méthodes d'observation et d'enregistrement morales d'autre part. Distinction assez arbitraire, la vie sociale ne comportant aucun élément purement matériel, aucun élément purement moral. La musique, art de l'idéal et de l'impalpable, agit aussi sur les hommes de la manière la plus physique.

Les méthodes d'observation matérielle comportent :

---

1. Exemple de ce travail dans SOUSTELLE (J.), « La culture matérielle des Lacandon », *Journal de la Société des américanistes*, 1937.
2. MAUNIER (R.), *La Construction collective de la maison en Kabylie*, Paris, Institut d'ethnologie, 1926.

1) *La méthode morphologique et cartographique.*
Le premier point, dans l'étude d'une société, consiste
à savoir de qui l'on parle. Pour cela, on établira la cartographie complète de la société observée, travail souvent difficile : une société occupe toujours un espace
déterminé, qui n'est pas celui de la société voisine. On
notera soigneusement tous les emplacements où l'on
aura constaté la présence d'individus appartenant au
groupe étudié, avec leur nombre, et le nombre de leurs
habitants, cela aux différents moments de l'année. Il
n'y a pas de bonne enquête sociologique qui puisse
porter sur moins d'une année. Cartographie de la
société, cartographie de son contenu : il ne suffit pas
de savoir de telle ou telle tribu qu'elle compte deux
ou trois mille membres, il faut situer chacun de ces
trois mille. On aura recours ici à la méthode de recen-
sement porté sur carte : inventaire des personnes de
chaque endroit, tant de maisons par villages, tant de
huttes et tant de greniers ; cartographie de ces greniers et de ces maisons. Une grande famille du Soudan est généralement une grande famille indivise,
répartie autour d'une cour ; un clan habitera un quartier. On voit ainsi apparaître tout de suite matériellement des structures sociales fort élevées. Employer si
possible les photographies prises d'avion.

La statistique géographique et démographique est
indispensable, elle est la base de tout travail.

Chaque établissement de grande famille, de chaque
clan composant la nation, se trouve ainsi isolé ; on
pourra à ce moment dresser l'inventaire de chaque maison, de chaque sanctuaire, depuis les fondations jusqu'au faîte : M. Leenhardt a ainsi découvert le totem
dans le faîte du toit de la hutte canaque.

L'inventaire doit être complet, avec localisation
exacte, par âge, par sexe, par classe. La méthode d'inventaire comporte une cartographie précise de chaque
endroit où sont rassemblés les objets : plans de maisons, plans d'étages s'il y a lieu.

L'enregistrement matériel ainsi obtenu constituera la base indispensable de tout travail.

Pour cet enregistrement matériel, on aura encore recours à la méthode photographique et à la méthode phonographique.

2) *Méthode photographique.* Tous les objets doivent être photographiés, de préférence sans pose. La téléphotographie permettra d'obtenir des ensembles considérables. Ne pas se servir des mêmes appareils en pays chauds et en pays froids, ni des mêmes films ; et, en principe, développer le plus vite possible.

On ne fera jamais trop de photos, à condition qu'elles soient toutes commentées et exactement situées : heure, place, distance. On portera ces indications à la fois sur le film et sur le journal.

Le cinéma permettra de photographier la vie. Ne pas oublier la stéréo. On a pu filmer des représentations dramatiques en Liberia, la transhumance de tribus entières dans l'Aurès algérien.

L'enregistrement phonographique, l'enregistrement sur films sonores nous permettent de constater l'entrée du monde moral dans le monde matériel pur. Passons donc au problème de l'enregistrement moral.

3) *Méthode phonographique.* Enregistrement phonographique et sur films sonores. On n'enregistrera pas seulement la voix humaine, mais toute la musique, en notant les battements de pieds et de mains. À chaque enregistrement, transcrire les textes et, si possible, donner la traduction avec commentaire. Il ne suffit pas d'enregistrer, il faut pouvoir répéter.

4) *Méthode philologique.* Elle suppose la connaissance de la langue indigène. On établira un recueil complet de tous les textes entendus, y compris des plus vulgaires, qui ne sont jamais les moins importants. Transcrire tous les mots indigènes dans la langue indigène, en coupant les mots, ce qui est très difficile. On

notera la musique ; s'il s'agit de langues à ton, noter à l'égal d'un signe phonétique quelconque.

On essaiera de trouver des recueils indigènes, et des informateurs capables de donner une tradition constante. Un bon moyen d'apprendre la langue du pays est d'avoir recours aux bibles déjà publiées en pays de missions. Pour chaque texte, donner tous les commentaires possibles indigènes — pas les vôtres. D'excellents exemples de publications sont ceux que donnent les livres de M. Leenhardt[1].

En principe, l'enregistrement philologique doit être fait mot pour mot, le mot français sous le mot indigène ; aucune violation de la syntaxe indigène, aucune fioriture dans votre traduction : le charabia le plus direct possible. À la traduction juxtalinéaire, on joindra un texte en français, qui donnera l'impression du texte indigène. Si l'on ajoute un mot, le mettre entre crochets ; marquer la ligne du texte indigène dans le texte français. Alinéation complète.

Noter des vers en indiquant les longues et les brèves, les temps forts et les temps faibles.

De très bons exemples de ces publications sont, outre les livres de M. Leenhardt, les travaux de Thalbitzer[2] sur le Groenland, et ceux de Malinowski sur les Trobriand[3].

---

1. LEENHARDT (M.), *Notes d'ethnologie néo-calédonienne*, Paris, Institut d'ethnologie, 1930 ; *Documents néo-calédoniens*, Paris, Institut d'ethnologie, 1932 ; *Vocabulaire et grammaire de la langue houailou*, Paris, Institut d'ethnologie, 1935 ; *Gens de la grande Terre*, Paris, Gallimard, 1935.
2. THALBITZER (W.), *Légendes et chants esquimaux du Groenland*, trad. du danois, Paris, Leroux, 1929 ; voir également *The Ammassalik Eskimo. Contributions to the Ethnology of the East Greenland Natives*, Copenhague, 1923. En deux parties ; 2e part., nos 1 et 2. THUREN (H.), *On the Eskimo Music*. THALBITZER (W.) et THUREN (H.), *Melodies from East Greenland*, no 3. THALBITZER (W.), *Langage and Folklore*.
3. MALINOWSKI (B.), voir notamment *Coral Gardens and their Magic*, Londres, 1935.

5) *Méthode sociologique*. Elle consistera avant tout dans l'histoire de la société. Un bon modèle de travail à suivre est le livre de M. Montagne sur les Berbères[1].

On pourra faire jusque dans le détail l'histoire d'une tribu en remontant au moins à trois ou quatre générations en arrière, c'est-à-dire à cent ou cent cinquante ans. Pour cela, interroger les vieux, dont la mémoire est généralement parfaitement exacte. On trouvera une extrême précision dans les localisations géographiques[2].

La société se compose toujours de sous-groupes : tribus, clans, phratries. Chacun de ces groupes doit former l'objet d'une étude ; l'organisation militaire ne sera pas oubliée. Tout cela est enregistré dans la mémoire des intéressés. On fera donc l'étude des histoires de famille. Une méthode supérieure est la méthode généalogique, qui consiste à dresser la généalogie de tous les individus recensés. Des noms de parents, des noms d'alliés apparaîtront immédiatement. Les histoires individuelles se recouperont ; on saura qu'à une époque déterminée et non à une autre, tel homme appelait tel autre son frère.

La méthode autobiographique, qui consiste à demander leur biographie à certains indigènes, maniée par Radin, a donné d'excellents résultats[3].

Les renseignements ainsi obtenus seront recoupés à l'aide des statistiques. C'est ainsi que les généalogies recueillies par Thurnwald aux îles Salomon font apparaître dans le chiffre des décès de plus 8 % de morts violentes[4].

---

1. MONTAGNE (R.), *Villages et kasbas berbères*, Paris, Alcan, 1930.
2. Étude de la constitution ashanti dans RATTRAY, *Ashanti Law and Constitution*, Oxford, 1929.
3. *Cf.* RADIN (P.), *The Winnebago Tribe*, 37th Annual Report of the Bureau of American Ethnology, Washington, 1923.
4. THURNWALD (R.), *Adventures of a Tribe in New Guinea* (The Tjimundo), Essays presented to C. G. Seligman, Londres, 1934.

Enfin, en dernière ligne seulement, on se servira de l'interrogatoire.

L'emploi simultané de ces différentes méthodes permettra d'aboutir non seulement à la fixation des masses, mais à la fixation des individus à l'intérieur de ces masses. Cette connaissance individuelle est d'une utilité considérable.

L'ethnographe qui travaille d'une manière extensive ne pourra guère employer ces méthodes. Tout au plus pourra-t-il s'entendre avec certains colons ou administrateurs, qui collaboreront avec lui à distance et repéreront des faits intéressants. L'avantage d'une mission comportant plusieurs membres apparaît ici de manière très nette. Le recoupement, toujours indispensable, pourra être facilement opéré par trois ou quatre collègues travaillant sur des moments différents de la vie tribale.

Pour être précise, une observation doit être complète : où, par qui, quand, comment, pourquoi se fait ou a été faite telle chose. Il s'agit de reproduire la vie indigène, non pas de procéder par des impressions ; de faire des séries, et non des panoplies.

BIBLIOGRAPHIE

BROWN (A. R.), *The Andaman Islanders*, Londres, 1922.
Census of India. Tableaux et rapports. Un volume par État. Un volume sur l'ensemble de l'Inde, 1903.
FIRTH (R. W.), *Primitive Economics of the New Zealand Maori*, Londres, 1929 ; *We, the Tikopia*, Londres, 1936.
HUNTER (M.), *Reaction to Conquest* (Afrique du sud), Oxford, 1936.
JUNOD (H. A.), *Mœurs et coutumes des Bantous*, Paris, 1936.
MALINOWSKI (B.), *Argonauts of the Western Pacific*, Londres, 1922 ; *La Vie sexuelle des sauvages du nord-ouest de la Mélanésie*, trad. de l'anglais, Paris, 1933.
MILLS (J. P.), *The Lhota Nagas*, Londres, 1922.
RIVERS (W. H. R.), *The Todas*, Londres, 1906.

Seligmann (C. G. et B. Z.), *The Veddas*, 1911.

Skeat (W. W.) et Blagden (E. O.), *Pagan Races of the Malay Peninsula*, Londres, 1906, 2 vol.

Voir également, sur l'Amérique du Nord, tous les rapports de la Smithsonian Institution de Washington : Reports of the Secretary ; Annual Reports of the Bureau of American Ethnology to the Secretary of the…, Bureau of American Ethnology et Bulletins.

3. Morphologie sociale

On appelle société un *groupe social, généralement nommé par lui-même et par les autres, plus ou moins grand, mais toujours assez grand pour contenir des groupes secondaires dont le minimum est de deux, vivant ordinairement à une place déterminée, ayant une langue, une constitution et souvent une tradition qui lui sont propres.*

La plus remarquable difficulté à trancher d'abord, à surmonter au cours de l'étude ensuite, c'est la détermination du groupe social étudié. On ne devra, en effet, pas se fier au nom que se donnent les indigènes, nom qui signifie le plus souvent : homme, noble, etc. ou est emprunté à une particularité linguistique ; alors que les noms donnés par les étrangers sont souvent des termes de mépris. Deux moyens existent pour déterminer le groupement : l'habitat, la langue.

1) *L'habitat.* Le territoire commun à un groupe d'hommes relativement considérable, réputé uni par des liens sociaux, est d'ordinaire significatif d'une société. Toutefois, ce critère est souvent insuffisant, des pays entiers comme le Soudan sont composés de

peuples amalgamés depuis le XIIe siècle ; au Dahomey, un pouvoir central royal a pu constituer par des obligations de tributs une unité seulement politique, laissant une autonomie presque complète aux tribus soumises. Ailleurs, la diminution des sociétés survivantes à l'intérieur est assez nette pour que le critère du territoire soit bon.

2) La *langue* est un excellent critère, mais très délicat ; il est très difficile de déterminer un dialecte ou une langue, sans posséder des aptitudes philologiques remarquables. En pays noir, l'existence de racines communes à l'origine de groupes très larges complique la recherche. Il sera donc prudent de recourir aux linguistes.

L'emploi de ces deux moyens peut fournir des déterminations suffisantes. On y joindra les indications tirées des phénomènes juridiques, de l'extension du pouvoir central, des cultes nationaux, des frontières et aussi des indications tirées de signes extérieurs : costume, chevelure, tatouages, etc. On fera figurer la description de tous ces signes en tête du travail.

La difficulté de déterminer le groupe social s'explique par l'inexistence de la nation dans les sociétés primitives. La nation n'existe que dans une partie de l'Europe moderne où la sociologie montre que même l'unification intérieure est relative. Pratiquement, l'ethnographe ne constate que des interférences entre groupes et des groupements temporaires variant de l'infini à zéro. Il ne faut donc pas se figurer une société soudanaise ou bantoue suivant un type européen et située dans le temps et dans l'espace, la paix et la guerre étant exclusives d'une parfaite intégrité.

Pratiquement, il est prudent de prendre un groupe de population à l'intérieur d'une société déterminée, et là un nombre limité de localités à organisation évidemment commune. L'observateur qui a le goût d'une étude d'ensemble joindra un catalogue strict, local, des faits étudiés.

Une fois dressée la *carte des frontières*, l'enquêteur s'efforcera d'établir une *carte statistique* par localité de la société qu'il étudie : sur un plan à grande échelle seront notés tous les emplacements, ou provisoires ou définitifs, des différents groupes locaux. Certaines sociétés possèdent en effet une double, ou une triple, morphologie. Sur la carte surgiront immédiatement villes, villages ; campements isolés, campements temporaires et même villages temporaires ; enfin les dispersions absolues, temporaires ou définitives. On sait la grande différence qui s'établit en France entre villages agglomérés et villages dispersés. De la même manière, tous les villages kabyles sont des villages agglomérés, de véritables petites villes. Les villages arabes, au contraire, sont souvent dispersés. On trouvera encore des gens qui peuvent être alternativement groupés et dispersés (phénomènes de double morphologie) ; et des tribus entières qui peuvent être constamment errantes : c'est le cas des Dioula en Afrique occidentale, et un peu aussi des Mauritaniens. Enfin, les peuples pasteurs effectuent des déplacements à grande amplitude, au fur et à mesure de l'épuisement des pâturages. Le nomadisme peut s'observer sur place.

À la notion d'instabilité, on substituera, dans beaucoup de cas, la notion de parcours : les Tziganes eux-mêmes ont leurs itinéraires. Il faudra donc noter pour chaque groupe non pas simplement son emplacement momentané, mais toute son aire de parcours souvent à longue distance. Les Peul en Afrique occidentale, les Masaï en Afrique orientale et, d'une manière générale, tous les peuples pasteurs vivant aux côtés de peuples non pasteurs, seront ici serfs et paysans, ailleurs ils formeront la classe dominante.

À la carte de chaque village seront jointes :
une carte des terrains agricoles de pâturage et de

transhumance. On y marquera tout ce qui concerne la faune, la flore, la minéralogie et, d'une façon générale, tout ce qui conditionne la vie sociale, sans omettre les choses humaines : cultures, pâtures, chasses, points de passage du gibier, lieux de pêche ; on notera les saisons de chasse, de pêche, de cueillette, la variation des emplacements selon les saisons ;

une carte géologique qui permettra de déterminer le nombre de kilomètres carrés habitables pour une population déterminée ;

une carte des habitations : huttes, tentes, cavernes, bateaux...

L'étude par maison donne la démographie de la société observée : de grands fragments de structure sociale apparaissent aussitôt.

L'étude d'un groupe de tentes donnera toujours des résultats intéressants au point de vue de l'étude de la famille. Le plan s'accompagnera d'une statistique par maison, ou par canot (par exemple, chez les Maori).

Aussitôt entreprise, cette étude n'apparaît donc plus simplement cartographique, mais déjà détaillée.

Vient ensuite l'étude de la technomorphologie, c'est-à-dire de l'ensemble des rapports entre la technique et le sol, entre le sol et les techniques. On observera en fonction des techniques la base géographique de la vie sociale : mer, montagne, fleuve, lagune...

Est-ce parce que l'homme éprouve des besoins spéciaux qu'il s'adapte de telle façon à tel sol, et très souvent qu'il le recherche ; est-ce au contraire parce qu'ils se trouvent sur un certain sol que les hommes s'y sont adaptés, les deux questions se posent ensemble. Il me paraît certain que le facteur population et le facteur technique d'une population déterminée conditionnent tout, *le sol étant donné*. Le sol étant donné, un changement dans les techniques peut modifier complètement l'adaptation au sol : exemple l'industrie minière du fer en Lorraine, qu'a rendue possible non la présence de pyrite de fer, mais la découverte des procédés permettant l'exploitation de ce minerai. Pendant des siècles, le charbon de bois a servi à la préparation du fer, parce qu'on ignorait la technique des hauts-fourneaux permettant d'employer du coke comme combustible. Ailleurs, les trajets à longue distance des Eskimo seraient impossibles sans l'*umiak*, le grand bateau pourvu d'avirons.

Tout ceci commande, sans qu'on puisse le prévoir à l'avance, des morphologies doubles et triples : les Eskimo connaissent une double morphologie[1]. Les habitants du val du Rhin, en Suisse, ont une triple morphologie : vignes et champs dans la vallée, champs à flanc de montagne, grands alpages sur les sommets font d'eux à la fois des horticulteurs et des pasteurs, avec déplacement complet de tout le village, en été, et, pendant toute l'année, déplacements incomplets des hommes allant soigner leurs vignes.

Une fois définies les agglomérations, leur densité, leurs relations au sol, on étudiera les relations entre agglomérations. Relations inscrites sur le sol, qui dépendent immédiatement des techniques. Ce sont d'abord les voies de communication (cartes et photos en avion) sur lesquelles on mesurera l'intensité du trafic et aussi la longueur des voyages. Un fleuve peut être un obstacle absolu en temps de crue, être au contraire une voie commerciale excellente et supérieure à toute voie terrestre, en temps d'étiage bas. La mer n'est pas un obstacle : tout ce qui est liquide est une voie portante, ceci depuis les temps les plus reculés.

On notera l'emplacement des différentes agglomérations qui se sont succédé dans la région depuis l'âge des métaux, notamment les stations néolithiques témoignent d'un outillage perfectionné : essarter avec la hache de pierre et autrement que par le feu pose un

---

1. Mauss (M.), «Essai sur les variations saisonnières des sociétés eskimos», *L'Année sociologique*, 1904-1905.

grand problème pour l'établissement des voies de communication.

Voilà donc terminée l'étude cartographique de la société, étude à la fois statique et dynamique, humaine et non humaine.

Restent les variations dans le temps : une société vit et meurt, son âge peut être fixé — grand principe, que Durkheim a énoncé le premier et qui reste encore trop ignoré. Une société peut mourir de la mort de tous ses membres (exemple : les Tasmaniens) ; elle peut encore être pulvérisée à un moment donné (exemple : les Lobi d'Afrique occidentale) et se reconstituer sur des bases différentes ; ou s'agglomérer à d'autres sociétés pour former un cinécisme : Rome est un cinécisme de plusieurs villes : alpine, latine, étrusque et grecque. Jérusalem, cité de la pureté sémite, abritait d'anciens Chananéens, des Israélites, et des Hittites. La description de Carthage, dans *Salammbô*, est insuffisante sur ce point.

Les mouvements de la population devront être étudiés dans l'histoire : histoire des migrations, qui sont souvent à grande amplitude (exemple : les migrations polynésiennes). La recherche d'un monde meilleur, en certains cas, poussera une population entière à émigrer.

Étudier en détail les procédés d'émigration et d'immigration, ce filtrage d'une société vers une autre. C'est tout le grand problème colonial qui se pose ici, le problème également de la main-d'œuvre.

Voilà pour les mouvements à la surface du sol : ils sont commandés par la guerre, par la paix, par le peuplement, par la technomorphologie, par les phénomènes naturels, en particulier biosociologiques. Ce qui domine l'histoire du peuplement de l'Afrique, c'est la présence de la mouche tsé-tsé et l'arrivée des pachydermes qui amènent cette mouche.

Les équilibres naturels végétaux et animaux, les épidémies, les épizooties sont en relation avec les dernières questions à poser sur ce sujet.

Enfin une enquête statistique et démographique proprement dite complétera l'étude de la morphologie sociale.

Il faudra dresser une statistique par maison, dans le temps, cette fois ; par famille (noter les absences), par clan, par tribu (lorsque la société comprend plusieurs tribus). On mesurera ainsi la fécondité, la natalité par sexe, la morbidité, la mortalité, en distinguant soigneusement la mortalité par accident ou par mort violente de la mortalité naturelle.

Pour tout ce qui concerne la morphologie, l'adaptation au sol, on prendra comme base la carte géologique du pays, qui tranchera aussitôt le problème de l'eau. Il est d'usage de dire que la présence d'un point d'eau est indispensable à une agglomération. Mais qu'est-ce qu'un point d'eau ? Un point où l'eau affleure naturellement ? Pas nécessairement : les meilleurs puisatiers du monde sont ceux du Sud algérien et du Sud tunisien qui aménagent de véritables citernes souterraines, alimentées par des conduits également souterrains. De la même façon, les techniques de l'agriculture en terrasses, et surtout de l'irrigation, peuvent singulièrement améliorer les plantations ; les Pygmées, ces «primitifs», ont des cultures en terrasses aux Philippines. Cette question de l'adaptation du sol et de la vie d'une société sur un sol, de cette vie mouvementée, offre un intérêt capital. Toute société vit dans un milieu plus vaste qu'elle-même et certains éléments fondamentaux de la vie sociale s'expliquent normalement par la présence, aux frontières de la société étudiée, d'une autre société. Même chez les Australiens, même chez les Tasmaniens, il y a «nous» et les autres. Donc, éviter les explications individuelles : l'observateur étranger ne saura jamais quelle est la cause d'un phénomène ; sa tâche se bornera à l'enregistrement de ce phénomène.

Dans tout ceci, les relations entre les phénomènes les plus matériels et les phénomènes les plus spirituels interviennent à chaque instant : exemple le beau travail de M. Hoernlé sur la catégorie de l'eau chez les Nama Hottentots boschimanisés[1].

On ne sait jamais où aboutit un phénomène social : une société pliera bagage et s'en ira tout entière parce qu'elle a entendu parler d'un monde meilleur.

Donc, ne jamais oublier le moral en étudiant les phénomènes matériels et *vice versa*.

BIBLIOGRAPHIE

Géographie universelle, publiée sous la direction de P. Vidal de La Blache et L. Gallois, Paris, 15 tomes.

Gourou (P.), *L'Homme et la Terre en Extrême-Orient*, Paris, 1940.

Mauss (M.), *Les Civilisations. Éléments et formes*, Centre international de synthèse, première semaine..., 2ᵉ fasc., Paris, 1930, p. 81-106.

Ratzel (F.), *Politische Geographie*, Munich et Leipzig, 1897, Analyse par P. Vidal de La Blache ; *La Géographie politique*, Annales de géographie, 1898, p. 97-111 ; *Raum und Zeit in Geographie und Geologie*, Leipzig, 1907 ; *Anthropogeographie*, I. Stuttgart, 1899 ; «Le Sol, la Société et l'État», *L'Année sociologique*, III, 1898-1899, p. 1-14.

Simmel (G.), *Ueber rämliche Projectionen soziales Formen*, Zeitschrift f. Sozialwissenschaft, 1903.

Sion (J.), «Note sur la notion de civilisation agraire», *Annales sociologiques*, série E, fasc. 2, 1937, p. 71-78.

Vidal de La Blache (P.), «Tableau de la géographie de la France», in *Histoire de la France depuis les origines jusqu'à la Révolution*, par E. Lavisse, t. I, 1ʳᵉ partie, Paris, 1903.

Toutes les études de A. Demangeon parues dans les *Annales de géographie* et les ouvrages parus dans la collection «Le Paysan et la Terre» (Gallimard).

---

1. Hoernlé (Mrs. R. F. A.), «The Expression of the Social Value of Water among the Nama of South West Africa», *South African Journal of Science*, 1923, p. 514-526.

4. Technologie

L'histoire de la technologie est une histoire récente, les études entreprises par les encyclopédistes ayant été abandonnées après eux. Le Pitt Rivers Museum à Oxford, le Horniman Museum dans la banlieue de Londres, le musée de Cologne offrent d'excellents exemples d'histoire des techniques.

Les techniques se définiront comme des *actes traditionnels groupés en vue d'un effet mécanique, physique ou chimique, actes connus comme tels*.

Il sera parfois difficile de distinguer les techniques :

1) des arts et beaux-arts, l'activité esthétique étant créatrice au même titre que l'activité technique. Dans les arts plastiques, il est impossible d'établir aucune distinction autre que celle qui existe dans la mentalité de l'auteur.

2) de l'efficacité religieuse. Toute la différence est dans la manière dont l'indigène conçoit l'efficacité. Il faut donc doser les proportions respectives de la technique et de l'efficacité magique dans l'esprit de l'indigène (exemple : les flèches empoisonnées).

L'ensemble des techniques forme des industries

et des métiers. L'ensemble : techniques, industries et métiers, forme le système technique d'une société, essentiel à cette société. Une observation correcte de ce système devra en respecter les différentes proportions.

Une *précision absolue* est indispensable dans l'observation des techniques. Le moindre outil sera nommé et localisé : par qui est-il manié, où l'a-t-on trouvé, comment s'en sert-on, à quoi sert-il, son usage est-il général ou spécial (exemple : l'emploi d'un couteau) ; il sera photographié en position d'emploi, ainsi que l'objet auquel il s'applique, ou que son produit ; photographies montrant les différents états de la fabrication. On notera dans quel système d'industrie l'objet prend place ; l'étude d'un seul outil suppose normalement l'étude du métier tout entier.

Enfin, la position des métiers les uns par rapport aux autres conditionne l'état social. L'erreur de Karl Marx est d'avoir cru que l'économie conditionnait la technique — alors que c'est l'inverse.

L'enquête et la collection marcheront toujours de pair. La présence de doubles est indispensable, un même tissu par exemple devant être étudié au point de vue du tissage, du filage, des broderies, du décor, etc.

Enquête et classement peuvent se faire selon différents angles ; partant du point de vue logique on aboutira à la constitution de séries, à l'étude du type, à l'étude du style. Le point de vue technologique conduira par exemple à l'étude de la hache, mais non à l'étude de toutes les armes sans distinction.

Enfin, le point de vue de l'industrie et du métier permettra une description vivante de la société : la description d'un service de table comportera l'histoire de sa fabrication et de ses conditions d'emploi.

Techniques du corps[1]

Certaines techniques ne supposent que la présence du seul corps humain, les actes dont elles comportent l'accomplissement n'en sont pas moins des actes traditionnels, expérimentés. L'ensemble des habitus du corps est une technique qui s'enseigne et dont l'évolution n'est pas finie. La technique de la nage se perfectionne chaque jour.

Les techniques du corps seront étudiées à l'aide de la photographie et si possible du cinéma au ralenti.

On divisera l'étude des techniques du corps, suivant l'âge, en techniques concernant :

l'*accouchement* (position de l'accouchée, réception de l'enfant, sectionnement du cordon, soins donnés à la mère, etc.) ;

l'*allaitement* (attitude de la nourrice, mode de portage de l'enfant).

Le sevrage est un moment important, qui souvent marque la séparation physique définitive entre la mère et l'enfant.

L'étude des *techniques chez l'enfant* comportera l'étude du berceau, puis celle de toute la vie enfantine ; éducation de la vue, de l'oreille, élimination de certaines postures, imposition (ou non-imposition) de l'ambidextrie, étude de l'usage de la main gauche ; enfin, les déformations que subira l'enfant (déformation crânienne, scarifications, extraction des dents, circoncision ou excision, etc.).

Chez l'adulte, on étudiera successivement les techniques :

du *repos durant la veille* : repos debout, sur une jambe, couché, sur un banc devant une table...

du *repos durant le sommeil* : debout, couché sur un

---

1. Voir sur cette question MAUSS (M.), «Les Techniques du corps», *Journal de psychologie*, 1935, p. 271-293.

banc usage de l'oreiller; de l'appuie-tête (qui se localiserait entre 15° et 30° de latitude); du hamac.

L'étude des *mouvements du corps* comprendra celle des *mouvements du corps entier* : rampe-t-on? marche-t-on à quatre pattes? La marche variera suivant que les vêtements sont cousus ou drapés.

Le souffle, la *respiration* diffèrent dans la course, la danse, la magie; on notera le rythme de la respiration, les mouvements d'extension des bras et des jambes qui l'accompagnent.

La *course* permettra d'étudier les mouvements des pieds, des bras, l'endurance des coureurs. Étude de la *danse*. Étude du *saut* : en longueur, en hauteur, à la perche, etc. comment prend-on le départ. Comment grimpe-t-on : à la ceinture, au crampon, en rampant?...

La *nage* est entièrement traditionnelle. Comment prend-on le départ, comment plonge-t-on; nage-t-on avec une planche, avec une poutre? Les courses à la nage sur le dos des tortues existent dans tout le Pacifique.

Comment s'effectuent les *mouvements de force*? Comment pousse-t-on, tire-t-on, lève-t-on, lance-t-on?

On notera l'*usage des doigts*, de main et de pied; les tours de prestidigitation et passe-passe (par l'aisselle, par la joue…).

La *gymnastique* et l'*acrobatie* pourront faire l'objet d'une enquête détaillée.

À propos des soins du corps, on notera si le lavage s'effectue avec ou sans savon (composition du savon); les procédés d'excrétion (comment crache-t-on, urine-t-on, défèque-t-on). L'étude des parfums et des cosmétiques, avec recueil d'échantillons catalogués, ne sera pas omise.

La répartition de la vie suivant l'*horaire* observé par les indigènes donnera des résultats intéressants : certaines sociétés veillent, d'autres ne veillent pas. Les nuits de pleine lune sont presque toujours des nuits de fête.

On étudiera enfin les *méthodes de reproduction*, avec les complications causées par les déformations artificielles[1]; en notant la présence, ou l'absence, de sodomie, lesbianisme, bestialité...

Techniques générales à usages généraux

Les techniques proprement dites se marquent généralement par la présence d'un instrument. L'instrument comprend toutes les catégories d'instruments. La division fondamentale, en cette matière, reste celle de Reuleau[2], qui divise les instruments en :

Outils. L'outil, que l'on confond généralement avec l'instrument, est toujours simple, composé d'une seule pièce (exemple d'outils : le ciseau à froid, un coin, un levier).

Instruments. Un instrument est un composé d'outils. Exemple : une hache qui, outre le fer, comprend un manche formant levier ; un couteau emmanché est un instrument, à la différence d'un ciseau ; une flèche est un instrument.

Machines. Une machine est un composé d'instruments. Exemple : l'arc qui comporte le bois de l'arc, la corde et la flèche.

L'humanité, dès l'époque paléolithique, se divise aisément selon ces différents âges. Ainsi, les Tasmaniens ignoraient la hache, que possèdent les Australiens. Les Tasmaniens n'en étaient pas pour cela entièrement restés au chelléen : ce sont des aurigna-

---

1. VILLENEUVE (A. de), «Étude sur une coutume somalie : les femmes cousues», *Journal de la Société des africanistes*, VII, fasc. 1, 1937, p. 15-32.

2. REULEAU (F.), voir notamment *Theoret Kivrematik*, Berlin, 1875 ; *Der Konstrukteur*, Berlin, 1895.

ciens, mais qui ne connaissaient pas la hache ; leur coup de poing était tenu à la main[1].

Au passage de l'outil à l'instrument, au passage du paléolithique inférieur (époques chelléenne et acheuléenne) aux époques suivantes, correspond une des secousses les plus considérables qui aient agité l'humanité.

La troisième ère de l'humanité est l'ère de la machine, composé d'instruments. Un arc, un piège, un bateau pourvu d'avirons tel que l'*umiak* des Eskimo, sont des machines. Le paléolithique supérieur est l'âge du grand développement de la machine.

Enfin, l'ensemble de techniques que suppose l'emploi de machines différentes, concourant à un même but, donne une industrie ou un métier : la chasse suppose l'arc, les pièges, les filets ; la pêche suppose le bateau et les engins de pêche.

Certaines industries peuvent atteindre un degré de complication extraordinaire, par exemple la pharmacopée ou certaines techniques agricoles : l'emploi du poison est un signe de perfectionnement des techniques, alors que la préparation du manioc suppose plusieurs procédés de désintoxication.

Techniques mécaniques

Principes généraux d'observation. Tout objet doit être étudié : en lui-même ; par rapport aux gens qui s'en servent ; par rapport à la totalité du système observé. Le mode de fabrication donnera lieu à une enquête approfondie : le matériau est-il local ou non ? Certaines calcites ont pu être transportées à des dis-

---

1. Mac Gee, constatant l'absence de couteaux chez les Indiens Seri, conclut au caractère « primitif » de la société étudiée. (*The Seri Indians*, Bureau of American Ethnology, 17th Annual Report, 1895-1896), observation insuffisante.

RÉPARTITION DES TECHNIQUES

Techniques générales à usages généraux .....
— Physico-chimiques (le feu).
— Mécaniques ‖ Outil.
  Instrument.
  Machine.

Techniques spéciales à usages généraux
ou
Industries générales à usages spéciaux[1] ....
— Vannerie.
— Poterie.
— Corderie et sparterie.
— Colles et résines.
— Teintures et apprêts.

Industries spécialisées à usages spéciaux[2] .....
— Consommation (cuisine, boissons).
— Acquisition simple (cueillette, chasse, pêche).
— Production ‖ Élevage.
  Agriculture.
  Industries minérales.
— Production et confort ‖ Habitation.
  Vêtement.
— Transports et navigation.
— Techniques pures. Science (médecine).

---

1. Il s'agit de métiers nombreux, mais bien définis, dont les procédés et les formes sont commandés par la tradition.
2. Toutes les industries impliquent une division du travail ; dans le temps d'abord, si les besognes sont accomplies par un même individu ; plus tard, entre les hommes dont chacun s'adonne à une spécialité.

tances considérables ; la recherche des gisements de silex est caractéristique de toute l'ère paléolithique et néolithique ; plusieurs tribus australiennes vont chercher l'ocre à six cents kilomètres de leur point de départ. L'objet est-il en bois tendre, ou en bois dur, la même enquête s'impose. Parfois encore, l'outil est emprunté tout fabriqué. Étude des différents moments de la fabrication, depuis le matériau grossier jusqu'à l'objet fini. On étudiera ensuite de la même façon le mode d'emploi et la production de chaque outil.

OUTILS. On ne connaît pas, dans l'histoire des débuts de l'humanité, d'exemples d'hommes dépourvus d'outils. *Sinanthropus* lui-même se trouve associé à un certain faciès d'outillage prémoustérien, lié à un chelléen et à du préchelléen. L'homme entre équipé dans l'histoire ; dès qu'il y a homme, il y a outil.

Les outils principaux se classent en :

Outils de poids et de choc. Exemple : une masse (alors que le bâton à pierre étoilée caractéristique de la Polynésie est un instrument ; et que la lance australienne, lancée à l'aide d'un propulseur, est une machine). Un coup de poing chelléen est parfois un outil de poids et de choc, parfois, une pointe.

Outils de frottement : grattoir, râpe.

Outils pour trouer : couteau, vilebrequin, etc.

INSTRUMENTS. Le marteau est un instrument ; la hache est un instrument. Un instrument étant un composé de deux ou plusieurs éléments, il faudra étudier chaque élément séparément, puis les rapports des différents éléments entre eux.

On peut distinguer les instruments en composés solides (exemple : un couteau emmanché) et composés séparables (exemple : le mortier et le pilon). Une meule comprend en réalité deux meules ; une enclume isolée est une moitié d'instrument. Il faut donc isoler les éléments pour les rapprocher ensuite. Un clou, un tenon, une mortaise, une cheville, sont des outils mais qui font partie d'instruments.

Lorsque les parties ne sont pas séparées, la question fondamentale est celle des ajustages : c'est là qu'il faut le maximum de résistance et c'est là qu'il y en a le moins. Certains assemblages peuvent être faits entièrement de cordes et de lianes : c'est le cas de l'ajustage malais en matière de charpente ; de même nos échafaudages provisoires de charpentiers sont seulement cordés. Colles et résines sont un mode d'ajustage important : tout le centre australien colle. L'ensemble marocain est très pauvre en matière d'ajustages : les seuls procédés connus sont la colle et l'empois, aucun bel assemblage de menuiserie ; il existe au Maroc quelques mauvais araires qui possèdent une cheville et c'est tout. Pareilles observations de détail peuvent caractériser toute une civilisation.

La classification des instruments reproduit à peu près celle des outils, puisque la partie utile de l'instrument est un outil.

Instruments de poids et contondants. Exemple : la hache (manche, fer et emmanchure). Les modes d'emmanchure d'une hache sont multiples ; le principal consiste en un manche recourbé, fortement cordé, mais d'autres formes sont beaucoup plus compliquées : emmanchures à fente, emmanchures élastiques. L'herminette est beaucoup plus représentée dans l'humanité que la hache proprement dite : tout le Pacifique ne connaît que l'herminette. Un maximum paraît atteint avec la hache de l'Inde, qu'on retrouvera exactement, faite d'une pièce, dans le haut Dahomey (observation de Graebner).

Ciseaux et pinces. L'histoire des ciseaux est figurée au Deutsches Museum de Nuremberg.

Instruments de résistance. Enclume, mortier et pilon, chevilles et tenons. Colles et résines (voir plus loin).

La râpe peut être un simple outil ; elle peut aussi

être un instrument aux formes compliquées ; la râpe fonctionne normalement sur une autre râpe.

MACHINES. Une des machines les plus primitives, s'il est possible de s'exprimer ainsi, avec le propulseur, serait le piège[1]. Les pièges à éléphants de l'Inde défient toute imagination ; les pièges eskimo, dans lesquels la fourrure ne doit pas être abîmée, sont extraordinaires. L'emploi des pièges, avec les jeux de ressorts, de rappels, de masses et d'équilibre suppose la connaissance d'une partie de la mécanique ; connaissance informulée, mais qui n'en existe pas moins.

L'arc serait sans doute plus ancien que le piège. Les modes d'assemblages du bois et de la corde dans l'arc sont multiples ; ils peuvent servir de base à une classification.

La forme la plus simple de la fronde, qui est la bola, est en elle-même déjà très compliquée.

Un ensemble donné de machines peut encore former à lui seul l'objet d'une industrie ; par exemple : la navigation. Le canot, pourvu d'avirons ou de pagaies, maniés par l'homme, est une machine. De la même façon, toutes les charpentes sont des machineries. Une question importante est ici celle des appareils de levage. Dans la charpente une fois mise en place, la mécanique, de dynamique, devient statique.

C'est parfois dans le travail de détail que se sont développées des machines très compliquées ; le facteur Temps n'intervient pas dans la confection de ces machines, qui étaient nécessaires à l'exécution d'un

---

1. Sur les pièges en général, MÉRITE (E.), *Les Pièges*, Paris, Payot, 1942. Bonne étude de pièges, avec description en langue indigène de chaque type, dans BOAS (F.), *Ethnology of the Kwakiutl*, United States Bureau of Ethnology, 35th Annual Report, 1913-1914 ; et *The Kwakiutl of Vancouver Island*, Memoirs of the American Museum of Natural History, The Jesup North Pacific Expedition, vol. V, 2, 1909, p. 301-522.

travail d'ajustage ou d'enfilage très fin (exemple le travail du vilebrequin pour faire des monnaies; le foret à pompe, *pump drill*, dans tout le Pacifique et surtout chez les Maori).

Il faut enfin étudier toutes les industries générales à usages généraux par matériau : techniques de la pierre, du bois (y compris le papier), du cuir, de l'os, de la corne... en observant les proportions des différentes techniques à l'intérieur de la vie sociale; en tenant compte non seulement des concordances, mais aussi des absences : on trouvera rarement dans la campagne française, un paysan sachant réparer un chaudron; les habitants du village attendent le passage des Bohémiens. L'étude des aires de civilisation, faite exclusivement à partir de choix arbitraires et qui n'explique pas en même temps les absences et les présences, est une étude incomplète et mauvaise.

Le feu[1]

Le feu est un instrument considérable de protection; non seulement il dégage de la chaleur, mais il écarte les bêtes. Pendant très longtemps, le feu a dû être surtout conservé. On étudiera donc avant tout les *procédés de conservation* du feu : brandons, torches, couvre-feu. Les pêcheurs de Concarneau transportent encore leur corne à feu, corne de bœuf, fermée à une extrémité et contenant de la fougère ou de la sciure de bois qui couve sous la cendre; le pêcheur souffle sur la cendre pour allumer sa pipe.

Emplacement du feu. Le foyer est situé tantôt à la

1. CLINE (W.), *Mining and Metallurgy in Negro Africa*, American Anthropologist, General Series of Anthropology, n° 5, 1937. HOUGH (W.), *Fire as an Agent in Human Culture*, Smithsonian Institution, US National Museum, Bull. 39, Washington, 1926. LEROI-GOURHAN (A.), *L'Homme et la matière*, Paris, 1943, p. 202-213.

porte de l'habitation, tantôt au centre ; les Fuégiens groupent leurs huttes autour d'un feu commun. La cheminée n'apparaît que très tard, la fumée n'étant généralement pas ressentie comme désagréable.

L'étude des *procédés d'obtention* du feu présente un intérêt considérable, puisque la découverte de ces procédés correspond à l'apparition des premières machines. Le feu s'obtient par friction, par compression ou par percussion :

par friction, en frottant systématiquement une pièce de bois dur (mâle) dans la rainure d'une autre pièce de bois tendre (femelle). La friction s'effectue selon différents modes : *forage* (*drilling*), *sciage* (*sawing*), *labourage* (*ploughing*). Le *forage* peut être simple, à deux bâtons cylindriques, parfois maniés par deux hommes. Les Indiens obtiennent le feu par ce procédé en moins de vingt secondes. Le forage était le procédé employé dans l'Inde par les brahmines pour ranimer le feu sacré ; à Rome, le feu des vestales ne pouvait être allumé que par ce seul moyen. Un perfectionnement du forage à deux bâtons est le forage *à corde* (une corde est alternativement enroulée et déroulée autour du bois mâle), pratiqué à Madagascar et chez les Eskimo ; dans le foret à arc des Eskimo, la corde d'un arc s'enroule autour du bois mâle ; l'opérateur imprime à l'arc un mouvement d'avant en arrière sur un plan horizontal, en maintenant le bois mâle à l'aide d'un capuchon en os qu'il tient entre ses dents. Enfin, le foret à pompe est connu des Indiens d'Amérique. Dans le *sciage*, procédé caractéristique de la Malaisie, les deux pièces, mâle et femelle, se trouvent placées dans des plans perpendiculaires ; la scie rigide est souvent un demi-bambou ; la scie flexible, une liane. Enfin, dans le *labourage*, seul procédé connu des Polynésiens, la pièce mâle est frottée d'avant en arrière, le long d'une rainure pratiquée dans la pièce femelle.

Le feu peut encore s'obtenir par *compression*, selon

le système du briquet pneumatique, où un piston muni d'amadou est enfoncé violemment dans un cylindre, d'où on le retire aussitôt enflammé. Le briquet pneumatique, découvert en Europe au début du XIXᵉ siècle, était pratiqué bien avant dans l'Indochine et en Indonésie. Enfin, la *percussion* est connue de peuples aussi misérables que les Ona d'Amérique du Sud, qui frappent l'un contre l'autre deux morceaux de pyrite de fer. Rappelons que les allumettes sont d'un usage tout récent.

À l'étude des procédés d'obtention du feu s'ajoutera l'étude des différentes sortes d'amadou (chaton de saule, mousse de bouleau, bourre de coton, etc.).

On observera ensuite les différents *usages* du feu. *Procédés de chauffage* : pierres chauffées au rouge jetées dans un récipient d'eau froide ; chauffage sur tessons ; fours (différentes formes du four ; le four est général dans l'humanité, au moins sous la forme d'un four de campagne). *Procédés d'éclairage* : brasier, torches, lampes (en pierre, en coquillage, en poterie, en fer…). Le feu peut encore servir pour l'éclatement de la pierre ; pour assouplir le bois ou pour le durcir. Il entrera enfin dans les techniques de la poterie et de la métallurgie.

Mythes sur l'origine du feu[1]. Le forgeron dans de nombreuses sociétés, joue le rôle du héros civilisateur. *Forge et forgeron*. Les forgerons, les hommes qui possèdent avec le secret du feu celui de la transmutation des métaux, sont très souvent sorciers et magiciens ; ils occupent de ce fait une position à part dans la société. Dans toute l'Afrique noire, le forgeron, casté et méprisé, n'en joue pas moins le rôle de pacificateur.

À une collection des différents outils du forgeron (creuset, soufflets, tuyères, etc.), on joindra des échantillons de minerai brut, conservés dans du papier gras

---

1. FRAZER (Sir J. G.), *Mythes sur l'origine du feu*, trad. fr., Paris, Payot, 1931.

et localisés avec précision ; des lingots aux différents moments de la fonte ; enfin des produits de la forge (outils agricoles, armes, bijoux, etc.).

Les différentes opérations du modelage, du tréfilage, du battage, de la trempe, de la soudure, de la patine, du polissage, du damasquinage et de la niellure pourront chacun former l'objet d'une enquête approfondie. On distinguera s'il y a lieu entre bronzes, cuivres, laitons, étains et zincs. On étudiera la technique des métaux précieux : selon Elliot Smith et Perry, partout où il y a trace d'une industrie mégalithique, on trouve de l'or.

L'enquêteur recueillera soigneusement tous les mythes concernant les différents métaux et leurs alliages (influence sur l'alchimie et sur la métaphysique), ainsi que les recettes traditionnelles des forgerons.

Enfin, l'étude de la métallurgie entraînera l'étude des industries succédanées : industrie du bois et du papier, de la pierre, de la poterie, techniques de l'os, de la corne...

La perfection de l'instrument peut aller très loin. Parmi les meilleurs forgerons du monde figurent les Gold et autres tribus sibériennes. La métallurgie germanique était bien supérieure à la métallurgie romaine.

Techniques spéciales à usages généraux
  ou
Industries générales à usages spéciaux

Ici commence à apparaître, avec la notion de division du travail, celle de métier : le paysan français bricole, mais les métiers existent.

Dès qu'il y a technique générale à usages spéciaux, il y a division du travail : la mise en marche de l'instrument demande une technique qui n'est pas nécessairement répandue au même degré dans toute la société.

Généralement, la division du travail se fait par sexe ou par âge. Elle se fait aussi naturellement par localités, suivant la présence des matériaux : un village de potiers s'établira normalement près d'un dépôt argileux[1].

Toutes les techniques ne sont pas également répandues dans l'humanité : les plus belles vanneries sont celles de l'Extrême-Orient et de l'Amérique ; la meilleure boissellerie se trouve chez les Annamites. Il faut donc étudier chacun des arts en lui-même, sans considérer s'il est primitif ou non primitif ; les résultats ne sont pas nécessairement proportionnels à la qualité des machines : ainsi les gazes du Maroc sont faites sur des métiers primitifs.

Quelle que soit la technique étudiée, on collectionnera *tous* les produits fabriqués ; on étudiera *tous* les moments de la fabrication de la machine.

Vannerie[2]

Les *maxima* de vannerie ne sont pas réalisés par l'Europe, ni surtout par la France, où les meilleurs

---

1. De l'absence de poterie dans une bonne partie du Pacifique, certains ont conclu au caractère primitif de la civilisation étudiée, sans faire entrer en ligne de compte l'absence d'argile dans la région en question.

2. Bobart (H.), *Basket Work through the Ages*, Londres, 1936. Graebner (F.), *Gewirkte Tascher und Spiralwulstkörbe in der Südsee*, Ethnologica, II, i. Haeberlin (H. K.), Teit (J.) et Roberts (H. H.) sous la direction de F. Boas, *Coiled Basketry in British Columbia and Surrounding Region*, Smithsonian Institution Bureau of Amer. Ethnology, 41ᵗ Annual Report, 1919-1924, p. 119-484. Kroeber (A.), *Basket Designs of the Indians of North West California*, Berkeley, 1905. James (G. W.), *Indian Basketry*, 2ⁿᵈ ed., Pasadena, 1902. Leroi-Gourhan (A.), *L'Homme et la matière*, Paris, 1934, p. 284-289. Mason (O. T.), *Aboriginal American Basketry...*, US National Museum Report, 1901-1902 (1904), p. 171-548.

vanniers sont des Gitans. On trouve les plus belles vanneries du monde en Extrême-Orient et en Amérique centrale, tout spécialement chez les Pueblo. Les fouilles pratiquées chez les *cliff dwellers*, les habitants des falaises, de l'Amérique centrale, ont donné de curieux résultats : la plus belle vannerie du monde est celle que l'on trouve dans les couches archéologiques les plus profondes.

Dans toute vannerie, on étudiera d'abord la matière (nom indigène, nom scientifique), toutes les formes de cette matière, avec le passage d'une forme à l'autre. Recueillir des échantillons aux différents états.

Pour les principes de la description, on se servira des instructions données dans le *Handbook of American Indians*[1]. Bonne classification dans les *Notes and Queries on Anthropology*, p. 245 et suivantes.

La vannerie se compose de deux séries d'éléments se joignant régulièrement. Dans la vannerie *tissée*, les deux éléments s'entrecroisent ainsi que sur le métier à tisser ; mais les éléments du vannier sont une matière relativement rigide et large, par exemple des feuilles de cocotier ou de pandanus, des baguettes d'osier ou d'acacia. Un second type, la vannerie *spiralée* est en fait cousue : sur une armature de baguettes ou d'herbes correspondant à la chaîne, l'artisan fait des points à l'aide d'une alêne en os ou en métal. La vannerie spiralée dépourvue d'armature ne se distingue pas du filet.

Chacun de ces types principaux se subdivise en nombreuses catégories ; nous n'énumérerons que quelques formes seulement de la vannerie tissée. Lorsque chaque élément de la trame se croise régulièrement avec ceux de la chaîne, il en résulte un *damier* (*check work*) ; une fois l'objet terminé, il est impossible de distinguer la trame de la chaîne. Si les

---

1. *Handbook of American Indians...*, édité par Frederick Webb Hodge, Smithsonian Institution, Bureau of American Ethnology, bulletin 30.

éléments de la trame enjambent régulièrement plus d'un élément de la chaîne, la technique est dite en *marqueterie* (*twilled work*) ; elle se prête à des combinaisons décoratives. Le *clayonnage* (*wickerwork*) diffère du damier en ce que sa chaîne est rigide. Enfin la vannerie *torsadée* (*twined work*) présente deux ou plusieurs éléments de trame qui s'entrelacent autour de la chaîne rigide.

La fabrication se fait généralement entièrement à la main, presque sans instruments ; elle demande une adresse considérable. Il faudra décrire ces jeux de main, photographier et cinématographier, mais avant tout prendre des croquis. On collectionnera des modèles de chacune des vanneries aux trois ou quatre moments essentiels de la fabrication.

Toutes les formes sont des dérivés de formes élémentaires. La forme primitive du filet est le fil ; viennent ensuite les formes de la tresse ; le nattage à trois ou quatre fils est une forme supérieure de la tresse.

Le fond du panier est souvent la partie la plus difficile. Le panier est-il conique ou offre-t-il une base ? La fondation peut être simple, double ou triple. Des vanneries rondes présentent souvent un fond carré formé de quatre triangles affrontés. Rapport des formes géométriques entre elles. Un bon nombre des théorèmes de la géométrie plane et de la géométrie dans l'espace ont été résolus sans avoir besoin d'être formulés consciemment, par les vannières (la fabrication des vanneries est souvent un travail de femmes) de toutes les Antiquités.

Après le fond, on étudiera le montage des côtés : comment les montants s'emmanchent-ils dans la fondation ? La fermeture, et, s'il y a lieu, le couvercle.

Donner à chaque moment l'idéologie de tout cela : description en termes indigènes avec, s'il y a lieu, la symbolistique et la mythologie de chaque moment.

Enfin, étude du décor. Le décor est fourni par la présence d'éléments de couleurs différentes ; les effets obtenus peuvent être considérables.

On classera ensuite les différents types de vannerie. *Panier* : toutes les variétés de panier, pour tous les usages : panier simple ou double ; panier à anse ; supporté ou non par des cordes. Le bord du panier doit être étudié soigneusement. *Van.* La *natte* joue un rôle important dans certaines civilisations : tout le Pacifique a des nattes, tout le monde de l'Orient a des tapis ; le conte du tapis volant existe partout où la natte est connue. Enfin les vanneries *imperméabilisées*, où l'on conserve des liquides, servent de transition avec les poteries.

La vannerie peut encore servir à différents usages : fourreaux de sabre et même cuirasses, en Micronésie, dans une partie du nord de l'Asie et dans l'Amérique du Nord-Ouest. Les emmanchements des grandes haches de pierre micronésiennes sont en vannerie. La vannerie servira en outre à confectionner des tresses de tête, des bandeaux, des bracelets, des bagues ; et aussi des cordages.

Rapports de la vannerie avec les autres arts, en particulier avec la poterie.

Vient ensuite la question des *tissus de fibres*. On peut considérer que les toits de chaume, les toits de palmes tressées et autres sont à quelque degré de la vannerie. Les observations de Cushing, dans un court travail intitulé *Manual Concepts*, observations qui portent avant tout sur la vannerie, fondement de la géométrie, ont été décisives à cet égard.

Poterie[1]

La poterie apparaît moins primitive que la vannerie, dont elle dériverait partiellement : dans un grand

---

1. DECHELETTE (J.), *Manuel d'archéologie préhistorique, celtique et gallo-romaine*, Paris, 1924-1929. FRANCHET (L.), *Céramique primitive*, Paris, 1911. HODGE (F. W), *Handbook of American Indians*,

nombre de cas, le moule du pot est une vannerie sur laquelle, pour la rendre imperméable, on aura plaqué de la glaise mouillée qu'on laisse sécher au soleil. La poterie a dû, à l'origine, être un substitut d'une part de la vannerie, d'autre part de récipients en pierre, ces derniers étant forcément très lourds.

Archéologiquement, la poterie est le signe du néolithique, ou au moins d'un paléolithique déjà très supérieur. Absente complètement de l'Australie et de la Terre de Feu, elle demeure très pauvre dans tous les pays Pygmées. L'ensemble polynésien proprement dit ne possède pas actuellement de poterie ; mais on trouve dans la région des traces de l'existence antérieure de cette technique : elle aurait été abandonnée en partie sous l'influence de la cuisson au four, ce mode de préparation des aliments ne demandant pas de récipient à l'épreuve du feu. Un des principaux buts de la poterie est en effet de former des récipients pour la cuisson des aliments ; la vannerie imperméabilisée en certains cas, en d'autres cas la boissellerie, peuvent remplacer la poterie en une région dépourvue de terre argileuse, ceci chez des populations aux industries par ailleurs développées. On peut encore trouver des population très primitives possédant d'admirables poteries, exemple les énormes amphores des Pima d'Amérique du Sud[1]. L'une des plus belles poteries connues est celle des Toukala au Maroc, faite sur un tour identique au tour de Djerba, en Tunisie, qui est l'un des plus primitifs connus.

Une poterie s'éprouve au son.

Smithsonian Institution, Bureau of Amer. Ethnology, bull. 30. HOLMES (W. H.), *Aboriginal Pottery of the Eastern United States*, 20th Annual Report of the Bureau American Ethnology, 1898-1899, Washington, 1903. LEROI-GOURHAN (A.), *L'Homme et la matière*, Paris, 1942, p. 218-235. LOWIE (R. H.), *Manuel d'anthropologie culturelle*, éd. française, Paris, Payot, 1936, p. 147-156.

1. MAC GEE, *The Seri Indians*, Bureau of American Ethnology, 17th Annual Report, 1895-1896.

L'extension de la poterie s'explique aisément par la présence de dépôts argileux. Le commerce des poteries se fait presque partout, et à d'assez longues distances.

On commencera l'enquête sur la poterie par un inventaire des objets domestiques et religieux. Une promenade sur le marché pourra donner des résultats inattendus. D'où vient le pot ? Qui l'a fabriqué ? le mari peut-il vendre le vase fabriqué par sa femme ? Description de marchés de poteries aux Trobriand par Malinowski[1].

Fabrication. Qui fait les pots ? En général, il y a spécialisation locale et par sexe. Très souvent, la potière est femme (exemple la potière kabyle).

Recueillir des échantillons de terre ; pour que l'argile reste humide, l'envelopper de chiffons humides et de taffetas gommé. Nom indigène, nom scientifique de la terre ; point d'extraction ; préparation, mélanges. Il y a des mines d'argile. Toute l'Amérique du Sud possède un mythe du kaolin.

Dans l'étude des différentes sortes de poterie, on fera d'abord entrer les pièces simplement séchées au soleil. Le pisé est de la poterie ; l'ensemble des fortifications de Marrakech ne forme qu'une immense poterie séchée au soleil. Cette extension de la brique crue dans toute l'humanité est considérable. Des greniers entiers peuvent n'être que de simples poteries. Toutes les maisons en terrasse d'Afrique, du Pérou, du Mexique, sont de la poterie.

Vient ensuite la poterie cuite, en plein vent ou dans un four.

La poterie faite à la main sera selon les cas obtenue par les procédés du *moulage*, du *modelage* ou du *montage*. Dans chaque cas, la grosse difficulté consiste à passer du fond au bord, surtout lorsque la poterie offre un pied de forme particulière.

---

1. MALINOWSKI (B.), *Argonauts of the Western Pacific*, Londres, 1922.

Dans le *moulage*, l'artisan se sert d'un objet tel que vannerie ou gourde, qu'il revêt d'argile, intérieurement ou extérieurement ; le moule peut être fait exprès ou non ; peut périr à la cuisson ou être récupérable.

L'artiste qui *modèle* son pot part d'une masse de terre unique à laquelle il imprime la forme voulue, sans aucun instrument, ou en s'aidant d'outils généralement peu nombreux et assez simples (battoir en bois, couteau en bambou, coquille ou fragment de calebasse servant de lissoir, etc.).

Enfin, le *montage* est le procédé le plus répandu : l'artisan prépare des lambeaux d'argile, ou des boudins, qu'il courbe, puis assemble par pression. Parfois, un seul long boudin spiralé fournira la matière de tout le pot. Les traces de l'assemblage sont effacées avant la cuisson.

Très souvent, on trouvera moulage, modelage et montage employés successivement pour la fabrication d'une même poterie.

Le *tour* du potier aura été à l'origine un support fixe pour la masse d'argile que l'artisan malaxait en la faisant tourner entre ses doigts ; ce support (coupe de bois très évasée, aux bords pourvus de crans), devenu tournant, a été fixé sur un pivot (il forme alors la « tournette »), avant qu'on arrive au tour véritable, simple ou double, mû à la main ou au pied, par le potier ou par un assistant.

Au cours de tout le travail, que l'artisan s'aide ou non d'un tour, on étudiera le travail des doigts, et, dans le cas du tour, le travail des pieds ; noter les rappels de ficelle.

Le *séchage* peut avoir lieu à l'air libre ou à l'intérieur de l'habitation, au soleil ou à l'ombre. La *cuisson* se fera sur un feu en plein vent, dans un trou creusé à cet effet dans le sol, ou dans un four véritable. Noter la nature et la disposition du combustible, les moyens employés pour augmenter ou diminuer la quantité d'air qui accède au feu ou aux poteries, pour modifier l'état hygrométrique, etc.

La *décoration* se fait avant ou après la cuisson, ou avant et après la cuisson. Elle peut dépendre uniquement du choix de la matière première et des conditions de la cuisson (par exemple addition de charbon pulvérisé) ; résulter du lissage, à l'aide d'un lissoir en bois, en corne, en os ou en coquille, ou du lustrage ; de l'impression, au moyen du doigt ou de l'ongle, d'une corde (le moule de vannerie explique la fréquence des décors de natte ou en entrelacs), d'un morceau de tissu ou d'un autre objet, ou d'une estampille préparée à l'avance ; d'une incision ou d'une excision. Le décor imprimé ou gravé est parfois rehaussé au moyen de terres blanches ou de couleur, avant ou après la cuisson. La poterie peut encore être décorée par entaille ; par application d'ornements à la surface ; par application d'une engobe, fine couche d'argile blanche ou de couleur, ou d'un enduit tel que hématite, ocre, graphite ; par vernissage à l'aide d'une résine ou d'une gomme, après cuisson ; par application d'une glaçure minérale ou d'un émail opaque, colorés ou non ; par peinture aux argiles de couleur ou à l'aide d'autres colorants...

Se servir de la méthode philologique, en se faisant décrire toute la fabrication, même les tours de main, toute la décoration, dans les termes indigènes.

Collection. La classification des poteries est une des plus difficiles qui soient.

On pourra grouper les vases en s'aidant de l'inventaire fait sur place, par rapport à leur usage. Une seconde classification pourra distinguer selon les formes, les dimensions et le décor. Ici intervient la notion de typologie que nous retrouverons en matière d'art. Certaines formes se rencontrent très rarement, les plus difficiles à réaliser sont naturellement les poteries cubiques. À propos de chaque forme, de chaque motif du décor, noter le mythe et l'idéologie. On peut encore classer par les caractères techniques : toute une partie de la première couche celtique possède des vases à bec ; présence ou absence d'anses, de pieds. Une étude du décor pourra encore servir de base à une classification.

Une collection complète comprendra toutes les séries, avec, dans chaque série, tous les échantillons de variations d'un même type. Mentionner les dimensions entre lesquelles évolue ce type.

Pour les hauts reliefs, se servir de l'estampage.

Symbolistique de la décoration ; rapports avec la sculpture et le modelage. La sculpture, c'est le modelage d'un volume.

Étudier enfin les rapports de la poterie avec les autres arts.

Rien n'est plus inégal que la poterie, même en France ; et rien, ou presque, n'est plus fugitif. Les *maxima* de la poterie sont représentés par l'ensemble Amérique centrale, Pérou et Amérique du Nord-Ouest, où une vaisselle en bois vient en confluent d'une vaisselle de vannerie et d'une vaisselle de poterie. En Afrique, certaines populations possèdent une technique très savante de la poterie et sculptent des terres cuites ; d'autres ne connaissent que des poteries vulgaires, à peine cuites. Rien n'est plus traditionnel que la poterie, à la fois art et industrie, sentie comme un des arts les plus éminemment plastiques.

La poterie au tour n'est pas nécessairement supérieure à une poterie faite sans tour, cela dépend entièrement de l'artiste. Et la perfection du tour n'est pas nécessairement en proportion directe de la perfection de la poterie.

La poterie a normalement une idéologie. La question des trépieds, pour ne prendre qu'un exemple, peut être très compliquée. Presque tous les pots offrent une valeur symbolique ; même dans nos cafés, un verre à porto n'a pas la même forme qu'un demi de bière.

Très souvent, le pot a une âme, le pot est une personne. Les pots sont conservés dans un endroit déterminé et peuvent correspondre souvent à un élément religieux considérable. Les *reku* du Japon varient selon les saisons. Les jarres servant de cercueils se rencontrent aux Indes, en Afrique, en Amérique du Sud.

On étudiera enfin dans chaque pot sa destinée. Que fait-on des tessons ?

Sparterie et corderie

La différence entre vannerie et corderie, entre vannerie et sparterie est assez faible. Dans le cas de la sparterie, le travail est fait avec le roseau tout entier ou avec la feuille tout entière (il en est ainsi en Papouasie et en Mélanésie), mais l'art de tresser demeure le même.

À la base de tout tissu, on trouve la notion du filet et de la tresse : un tissu est un filet qui a lui-même été mis en filet.

La *sparterie* consistera par exemple dans le travail de la chaussure en osier ; dans la fabrication d'un tissu en feuilles séchées. On obtiendra en sparterie à peu près les mêmes objets qu'en vannerie. Exemple : un fourreau de sabre.

Pour tout ce qui est tressé, on étudiera toujours la fibre ; le toron, c'est-à-dire un composé de fibres ; et le fil, qui peut être composé de plusieurs torons. Pour décomposer, se servir de l'instrument en usage dans la draperie, le compte-fils, et compter les fils au décimètre ou au décimètre carré. Après l'étude de la fibre et du fil viendra l'étude des procédés de nattage, d'armure, de tissage.

La *corderie* se distingue de la vannerie en ce qu'elle ne comprend que la fabrication du fil, de la corde. Question de la torsion de la corde, de sa résistance à la torsion ; arrêts au départ et à l'arrivée. L'essentiel, dans la corderie, est représenté par les *nœuds*. On décomposera les entrelacs des différents brins, en notant les jeux de doigts et de main qui permettent ces entrelacs. L'importance du nœud est considérable : les Français savent à peine faire cent nœuds, un Eskimo en connaît normalement au moins deux cents.

Colles et résines

Colles et résines peuvent être étudiées ici aussi bien qu'avec les outils et les instruments (voir plus haut). Colles, résines, cires, vernis sont des instruments de résistance.

Aucun travail d'ensemble n'existe sur ce sujet. Colles et résines sont très employées en Australie. La présence d'enduits de cet ordre permet de comprendre par hypothèse l'emploi d'un certain nombre d'outils préhistoriques, dont nous ne nous expliquerions pas autrement le mode d'usage.

L'une des colles les plus actives, c'est le sang. Parmi les colles, on n'oubliera pas les *cires* (d'abeilles et autres). Différents emplois des cires.

Composition et mode de conservation des *vernis* employés dans la vannerie, dans la poterie, etc.

Les armes [1]

Les armes peuvent s'étudier comme formant une industrie générale à usages spéciaux — un même couteau s'emploiera pour la chasse, pour la guerre, pour la boucherie ; ou suivant l'usage auquel elles s'appliquent : armes de guerre, de pêche, de chasse. On peut encore distinguer les armes de jet des armes de

---

1. HARRISON (H. S.), *Handbook of the Horniman Museum. War and the Chase*, Londres, 1924. LEROI-GOURHAN (A.), *Milieu et techniques*, Paris, 1945, p. 13-68. LOWIE (R. H.), *Manuel d'anthropologie culturelle*, trad. fr., Paris, 1936, p. 232-242. MONTANDON (G.), *L'Ologénèse culturelle. Traité d'ethnologie culturelle*, Paris, 1934, p. 368-495 (à n'utiliser qu'avec précaution).

choc; et parmi celles-ci, les armes de masse des armes tranchantes, de taille et de pointe.

Quelle que soit l'arme étudiée, l'enquête portera successivement sur son nom; sur sa matière première et les différents moments de sa fabrication; sur son emploi, la façon dont elle est maniée, son mode d'action, sa portée, son efficacité; qui a le droit de s'en servir (homme ou femme, ou les deux; est-ce une arme strictement individuelle ou peut-elle être prêtée, et à qui, etc.); enfin sur son idéologie, ses rapports avec la religion et la magie.

L'inventaire des armes du village, fait par maison et en notant le nom du possesseur de chaque arme, montrera le plan de l'armement de la localité.

Armes de poids	Massue (en bois, en pierre, en fer).
	Casse-tête.
	Marteau.
	Coup-de-poing.
	Épieu.
	Houe.

Armes contondantes ..	Hache.
	Couteau et dague.
	Épée (cimeterre, yatagan, kriss).
	Poignard.

Armes de jet	Javelot, javeline.
	Fronde.
	Bola.
	Lasso.
	Arc et flèches.
	Sarbacane.

Armes de protection ..	Bouclier.
	Casque.
	Armure.

Armes de parade.
Armes à feu.

Armes de poids et armes contondantes

On notera pour chacune :

Son nom, nom général et nom individuel s'il y a lieu ; ce dernier peut être assez fréquent ; il est important de savoir que l'épée de Roland se nommait Durandal.

Son mythe.

Sa matière : une hache est en fer, en pierre, en jade, en obsidienne.

Sa forme : est-ce une hache proprement dite, une herminette ou un pic ?

La lance, tenue à la main, est une arme de poids ; jetée, elle devient un javelot ; la pointe détachable en fait un harpon, qui est lancé ou tenu à la main et filé (chasse aux cétacés dans le détroit de Torrès).

Armes contondantes

Dans une épée, dans un poignard, dans un couteau, on étudiera le manche, la garde, le fourreau, au même titre que l'arme elle-même. Les glaives romains étaient en fait des glaives celtiques : les meilleurs forgerons de Rome étaient des Celtes.

Armes de jet

L'étude de l'*arc* comprendra plusieurs moments :

1) L'arc lui-même, sa composition et sa préparation. L'arc composite[1] est général depuis le monde mongol jusqu'au Centre Amérique ; or, un arc composite peut être fait de trois à sept bois. Section de l'arc : en ellipsoïde, en lentille. Les Pygmées des Philippines ont un énorme arc à double section. L'arc peut offrir plusieurs sections sur sa longueur.

---

1. BALFOUR (H.), « On the Structure and Affinities of the Composite Bow », *Anthropological Institute Journal*, 1900.

2) La corde et son mode d'attache à l'arc, fixe ou mobile. Dans le cas d'un arc très fort, il faut un cran d'arrêt auquel s'accroche la corde en position de repos. Étudier et le cran d'arrêt et le nœud qui le fixe.

3) La flèche (tige, pointe, empennage, encoche); est-elle empoisonnée (composition du poison, fabrication, effets, etc.)?

4) Comment tire-t-on? Position du tireur, position des doigts sur la corde.

Une des formes primitives de la propulsion pour les armes de jet est celle fournie par le propulseur, encore en usage dans une partie de l'Afrique, dans une partie de l'Amérique et surtout dans toute l'Australie. Le propulseur est un bâtonnet, long d'environ 0 m 50 et muni d'un crochet; suivant les cas, le crochet s'introduit dans une cavité située à la base de la lance (propulseur « mâle »); ou le bâton cannelé se termine par un talon creux sur lequel s'appuie le bas de la lance (propulseur « femelle »); une lance qui, projetée à la main, a un rayon d'action de 20 ou 30 m, maniée à l'aide du propulseur, atteindra 50 ou 70 m. Le propulseur est fréquent dans les stations préhistoriques.

Une autre forme primitive de lancer grâce à une corde est le lancer à la *fronde*.

La *sarbacane* paraît liée à la grande forêt équatoriale, son extension est à peu près celle de la civilisation du 5e degré au 15e degré de latitude, Pacifique et Amérique. Le tube, suivant les cas, est simple, double (chasse à l'éléphant chez les Sakai de Malacca, où l'animal doit être touché à l'œil), ou à plusieurs segments calibrés; l'intérieur est uni ou offre des rainures; les traits sont presque toujours empoisonnés.

Armes de protection

Les armes de protection : cuirasse, casque, gantelets, ongliers, cnémides, sont souvent aussi des armes de parade.

L'histoire du *bouclier* est considérable. Le premier bouclier aura été un simple bâton permettant de parer les coups de l'adversaire. L'Australie ne connaît de boucliers qu'en bois, souvent fort étroits. Les Zoulou d'Afrique du Sud ont un bouclier en cuir, oblong, dont la poignée est faite d'une baguette verticale ; la plaque en cuir du bouclier, mobile sur l'axe de la baguette, tourne au moindre choc et fait ainsi dévier la flèche de sa trajectoire. Histoire de la poignée du bouclier.

Le bouclier peut être en bois, en peau, en cuir, en métal, en vannerie. Il sera, selon les cas, circulaire, oblong, ovale, rectangulaire, ou bouclier d'épaule.

Le bouclier est en général une arme personnelle, qui ne peut être prêtée. Son décor, dans une société tant soit peu guerrière, peut indiquer le rang exact qu'occupe son possesseur. La décoration du bouclier correspond normalement au blason. Les grands boucliers de cuivre Kwakiutl, de l'Amérique du Nord-Ouest, sont de véritables écus.

Toute l'Amérique du Nord ancienne possédait des *gorgerins*, parfois en bronze.

Beaucoup plus rare que le bouclier, le *casque* est vraisemblablement d'origine orientale ; il est en cuir, en vannerie, en métal.

L'armure complète existe en Micronésie (en vannerie), en Afrique (vannerie, cuir, cottes de maille du Tchad ; armures de parade, en coton rembourré sous lesquelles disparaissent cheval et cavalier, du Niger).

Armes de parade

Les plus belles armes sont des armes de parade, d'ostentation. Exemple : la hache de jade de Nouvelle-Calédonie.

Dans certains cas, l'arme de parade est une monnaie, monnaie si précieuse qu'elle ne sert que dans des occasions d'échanges solennels. Exemple : les boucliers du Nord-Ouest américain.

Nous connaissons deux sociétés pour qui la lance est l'objet d'un véritable culte : Rome et l'Afrique noire.

Industries spécialisées
à usages spéciaux

Les industries étudiées jusqu'ici : feu, vannerie, poterie, etc. donnent la notion d'une série de techniques, c'est-à-dire de travaux et d'outils concordant à un métier.

Une technologie pure, comme celle de Reuleau, a tous les droits de s'arrêter à l'étude des techniques mécaniques — toutes les autres divisions ne font en effet que regrouper les éléments donnés dans les techniques mécaniques : un tissu n'est pas autre chose qu'un système de résistances ; la cuisson d'un très bel émail rentre dans les phénomènes physico-chimiques. Technologie d'ingénieurs.

Il en existe une autre, qui est la technologie de l'historien de la civilisation. Nous n'avons pas classé les choses seulement par rapport à la logique interne de la mécanique, de la physique ou de la chimie ; nous les avons aussi groupées selon les ensembles sociaux auxquels elles correspondent.

De ce point de vue, une industrie se définit comme un *ensemble de techniques concourant à la satisfaction d'un besoin* — ou plus exactement à la satisfaction d'une consommation. Le besoin est élastique dans l'homme, mais c'est la notion de consommation qui permet de déterminer les industries, systèmes de techniques appropriées à des fins, agencement d'industries : ainsi la chasse, la pêche, forment chacune un système de techniques générales à usage général, de techniques générales à usages spéciaux et de techniques spéciales à usages spéciaux.

Nous allons maintenant étudier les techniques en les classant à partir de l'usage qu'elles remplissent. Désormais, les moments techniques ne sont plus les seuls moments importants, car le but poursuivi commande jusqu'aux aspects de la technique : les armes de pêche ne sont pas les mêmes que les armes de chasse ; et dans la pêche même, la pêche à la truite diffère de la pêche au goujon.

On entre ici dans un domaine qui n'est pas seulement celui de la science, mais aussi où intervient la pratique consciente. L'inventeur a sa logique théorique, qui lui est propre ; mais c'est cette notion de la solution pratique du problème qui est la notion dite de technicien.

On confond trop souvent sous le mot : administration, l'économique et la technique. Sans doute, pour que plusieurs techniques concourent à un même but, il faut que tout soit adapté ; il existe donc une catégorie d'administration des mouvements, une coordonnée d'administration des mouvements ; il y a une administration de l'ensemble des techniques d'un même individu les unes par rapport aux autres. Mais un homme n'est pas seulement économique, *homo economicus*, il est aussi technicien. Une grande partie du temps des paysans français est consacrée au bricolage, c'est-à-dire à la technique. Certaines populations font montre d'une industriosité étonnante, totalement absente chez leurs proches voisins, que distinguera une complète paresse d'esprit ; ces derniers ne pourront même pas adopter des instruments qui fonctionnent tout de suite ; ils n'emprunteront rien, ne copieront rien, par maladresse ou par simple insouciance.

L'étude des techniques telle que nous l'abordons pose aussitôt plusieurs problèmes : division du travail, suivant les temps, les lieux, les peuples, les sexes… ; problème de la consommation et de ses rapports avec la production ; enfin, rapports des techniques avec la technomorphologie, c'est-à-dire problème de l'emplacement des industries, et problème du commerce, souvent à longue distance.

C'est dans cette catégorie que les Allemands appellent la *wirtschaftliche Dimension* que tout l'ensemble des phénomènes économiques vient se loger, mais comme superstructure seulement, non comme infrastructure[1].

Nous classerons les industries spéciales à usages spéciaux en partant de ce qui est le plus matériel et le plus près du corps humain :

Industrie de la consommation ;

industrie de l'acquisition ;

industrie de la production ;

industrie de la protection et du confort ;

industrie du transport.

La consommation

L'étude de la consommation alimentaire est trop souvent négligée par les enquêteurs[2]. Un travail de ce genre demande une attention soutenue, il doit en effet porter sur une année au moins : la base de la nourriture, absorbée en quantités normales à certains mois de l'année, peut se réduire à des rations de famine pendant l'époque, par exemple, de la soudure en pays agricole. L'enquêteur, ici encore, aura recours à la méthode de l'inventaire. Il notera, dans plusieurs familles types de la société étudiée (familles riche,

---

1. Sur cette question, voir LILIENFELD (P. VON), *Gedanken über die Sozial Wissenschaft der Zukunft*, Mitan, 1873-1881.
2. Voir les travaux entrepris sous la direction de Malinowski, notamment : FORTES (H. et S.), *Food in the Domestic Economy of the Tallensi* (Gold Coast), Africa, IX, 1936, p. 237-276. HUNTER (M.). *Reaction to Conquest*, Oxford, 1936. RICHARDS (A. S.), *Hunger and Work in a Savage Tribe*, Londres, 1932 ; *Land, Labour and Diet in Northern Rhodesia*, Oxford, 1940.

moyenne, pauvre), la nourriture absorbée, par exemple pendant la dernière semaine de chaque mois : quantité et mode de préparation ; qui a mangé quoi ? Rapports entre le cycle de consommation et le cycle de production[1].

La consommation est presque toujours domestique, c'est-à-dire familiale. Même chez les Papous, où les repas se prennent en commun, ce sont les femmes qui préparent les mets et qui les apportent ; si le repas est mangé en commun, la cuisine reste donc familiale.

Repas

On étudiera chaque repas, en dressant l'inventaire complet, boissons comprises. Qui mange ? avec qui ? Il est exceptionnel que les hommes et les femmes mangent ensemble. Où mange-t-on ? Heures des repas.

Nature des mets. Les matières et leur collection. Les aliments consommés peuvent provenir de régions lointaines et donner lieu à un commerce considérable : le sel en Afrique ; les épices ; dans le centre australien, certaines tribus envoient des expéditions militaires chercher un condiment, le pituri, à plusieurs centaines de lieues ; commerce du maté ; extension du peyotl dans tout le centre de l'Amérique. Sur la géophagie, voir le très beau travail de Laufer[2]. Pour le cannibalisme, on distinguera entre endocannibalisme et exocannibalisme : il y a des sociétés (Australie) où l'usage est de manger ses parents morts[3] ; ailleurs, une tribu conquérante prendra parmi les populations qu'elle a soumises des esclaves qui seront consommés lors de

---

1. Pour un plan d'enquête, Voir FIRTH (R.), « The Sociological Study of Native Diet », *Africa*, VII, 1934, p. 401-414.

2. LAUFER (B.), *Geophagy*, Field Museum of Natural History, Anthrop. ser., vol. 18, n° 2, Chicago, 1930.

3. STEINMETZ (S. R.), « Endokannibalismus », in *Gesammelte kleinere Schriften zur Ethnologie und Soziologie*, t. I, p. 132-260, Groningen, 1928. KERN (H.), *Menschenfleisch als Arznei*, Ethnogra-

fêtes solennelles : c'est encore la règle chez les Babinga du Congo.

Ordre des mets. À noter soigneusement. Tel morceau sera normalement réservé à tel membre du groupe.

Instruments de consommation. L'instrument fondamental demeure la main ; mais quelle main ? et quel doigt ? on reconnaît un musulman à table à ce qu'il ne se sert rigoureusement que de sa main droite, l'usage de sa main gauche pour manger lui est interdit. Les fourchettes sont plus rares que les couteaux ; la première fourchette aura vraisemblablement été une fourchette de cannibale ; les fourchettes d'anthropophages sont souvent de véritables œuvres d'art (fourchettes de Nouvelle-Guinée). L'usage de la cuiller est plus fréquent sans être très répandu. Tout le Nord-Ouest américain possède une vaisselle en bois. Usage de la natte et usage de la table, ce dernier apparaît très rare.

Cuisine

Pour chaque viande, on étudiera sa préparation depuis le moment où la bête est tuée jusqu'à celui où la viande est mangée ; on procédera de même pour chaque élément du repas : poissons, farineux, légumes verts, etc.

Préparation des aliments. Étude du mortier, de la meule, du moulin, des procédés de désintoxication, par exemple du manioc. Aliments qu'on mange crus, fumés, séchés. Pour les aliments cuits, on distinguera entre ceux qui sont bouillis (procédé habituel de la cuisine chinoise avec la friture), rôtis (le four est

phische Beiträge, Festgruss 3. Feier des 70ten. Gebursts A. Bastian (suppl. Int. Archiv f. Ethn. p. 37-40). Koch (Th.), *Die Anthropophagie der Süd-Amerikanischen Indianer*, Int. Archiv f. Ethn., 1899, XII, 2-3, p. 78-111. Volhard (E.), *Kannibalismus*. Stuttgart, 1939.

beaucoup plus répandu que la broche), ou frits. Matériel de la cuisson.

Conservation des aliments. Les indigènes sont en général beaucoup plus prévoyants qu'on ne le dit : les Eskimo savent très bien passer d'une saison à l'autre. Étude des greniers ; des réserves enfouies dans le sol. Les Klamath de l'Oregon enfouissent leurs graines dans le sol en y joignant quelques feuilles d'une plante dont l'odeur éloignera les ours. Pemmican. Poisson fumé, séché, salé. Aux Marquises, le fruit de l'arbre à pain était conservé dans des puits profonds de 10 m sur 5 m de diamètre, tapissés de feuilles de bananier et de cocotier ; une telle réserve pouvait se garder cinquante ans. Toutes les « choucroutes » polaires.

Idéologie de la nourriture

Rapports de chaque mets avec la religion et avec la magie. Liaison avec le totémisme, l'âge, le sexe ; rapports avec les morts, avec les vivants.

Les interdits peuvent être saisonniers : un juif ne peut pas manger de pain à levain pendant la Pâque. Interdits qui frappent une expédition guerrière. Mentionner les tabous de nourriture et les préjugés, en prenant soin de ne pas confondre les interdits religieux avec de simples règles de prudence. Surtout, ne jamais oublier que les besoins à satisfaire sont sociaux au premier chef (les interdits alimentaires auxquels le non-initié doit se soumettre en Australie ne lui laissent qu'un régime de famine).

Condiments

Étude particulièrement importante. Tout le commerce du sel (en Afrique), du poivre, des épices. Les différentes huiles, graisses. Beurre animal, beurre végétal (beurre de karité). Les sociétés se divisent aisément en gens qui mangent le beurre frais et gens qui le préfèrent rance ; ces derniers sont beaucoup plus nombreux. Étude des levains, des ferments, des sauces. Les aliments qu'on laisse pourrir.

Boissons

L'étude entreprise sur les aliments sera répétée à propos des boissons. Où, qui, quand, pour qui, pour quoi ? Méthodes pour boire : avec la main, avec une feuille, avec un pipeau. Idéologie de chaque boisson, et notamment des boissons fermentées[1]. Question de l'épuration, du mode de transport et de conservation du liquide. Dans toute l'Australie, de grands plats en bois forment le seul mode connu pour transporter l'eau. Le transport est facilité par la présence de la gourde, de la calebasse, de la noix de coco. Une partie de l'Australie vit en coupant les troncs des gommiers.

L'étude des *boissons fermentées* mène tout droit dans la religion. La question de l'étiquette est ici très importante : quand boit-on, qui boit, etc. Bière de mil. Vin de palme. Alcools de riz, maté, chicha. La vigne serait d'origine indochinoise.

Enfin, étude des *narcotiques* et des *intoxicants*. Toutes les choses que l'on mastique : tabac, bétel, chewing-gum. Le chanvre dont on fait une boisson dans le nord-ouest de l'Amérique et qui ravage le monde arabe. L'opium. Le tabac n'a-t-il pas été précédé par autre chose en Amérique ? On recueillera

---

1. FELICE (Ph. de), *Poisons sacrés, ivresses divines*, Paris, 1936. LUMHOLTZ (C.), *The Symbolism of the Huichol Indians*, Memoirs of the American Museum of Natural History, v. III, Anthrop. II., The Jesup North Pacific Expedition, 1898 ; *Unknown Mexico*, Londres, 1903. ROUHIER (A.), *Le Peyotl*, Paris, 1927. WATERMANN (T. T.), *The Religious Practices of the Dieguero Indians*, University of California, publ. in American Archaeology and Ethnology, 1910, VIII, 6, p. 271-358. Pour le monde indo-européen : DUMÉZIL (G.), *Le Festin d'immortalité*, Annales du musée Guimet, Bibl. Et., t. XXXIV, Paris, 1934.

enfin les mythes des boissons fermentées, les mythes de tous les aliments intoxicants.

Industries d'acquisition

L'acquisition simple (cueillette, chasse, pêche) se distingue de la production (élevage, agriculture) en ce qu'elle consiste dans la récolte d'objets matériels qui pourront être employés tels quels, sans autre préparation. À vrai dire, la distinction entre acquisition et production est une question secondaire : le producteur n'est jamais un créateur, mais seulement un administrateur ; il n'y a pas production de l'homme, mais simple aménagement de la production : faire un couteau n'est pas créer le fer, mais le transformer par des perfectionnements successifs. Les Allemands distinguent plus justement entre *Sammler* et *Produzenter*.

Par ailleurs, nous avons l'habitude de distinguer trois âges de l'humanité : d'abord chasseur et pêcheur, l'homme serait devenu éleveur avant d'atteindre l'état sédentaire avec le stade de l'agriculture. Les hommes du paléolithique inférieur auraient été exclusivement des collecteurs, des chasseurs, des pêcheurs, c'est-à-dire des exploiteurs directs. Je n'en suis pas tout à fait sûr. Il semble que des débuts d'agriculture soient apparus très tôt.

Enfin, il faut doser tout ceci : chasse et pêche se rencontrent souvent avec un début d'agriculture ou avec une agriculture occasionnelle. Il n'y a pas opposition entre le pasteur et l'agriculteur mais plus souvent échange de produits : le Peul, en Afrique occidentale, peut n'être que pasteur parce qu'il achète les grains de ses voisins noirs agriculteurs.

LA CUEILLETTE

La collecte simple, ou cueillette (animale, végétale), s'étudiera en faisant collection de toutes les choses que recueillent les indigènes, en dressant l'inventaire complet de tout ce qu'on rassemble et de tout ce dont on se sert. Une erreur grave consiste à ne pas attacher assez d'importance à la production naturelle, sur laquelle s'édifie la production humaine.

Les indigènes savent très bien ce qui se mange, ce qui se boit, ce qui est utile. Ils connaissent les mœurs des insectes et des animaux. Une bonne étude de la cueillette ira de front avec une enquête sur l'ethnobotanique et sur l'ethnozoologie.

Cueillette animale. Elle est plus répandue qu'on ne le croit : quadrupèdes morts, vers, chenilles, limaçons, rats, chauves-souris, lézards, poux, termites. Les pluies de sauterelles. Les gâteaux de moucherons, en Afrique orientale.

Cueillette végétale. Les inventions de l'Europe en cette matière sont maigres, en comparaison de celles de l'Amérique ou de l'Asie : 45 % des espèces cultivées en Afrique sont américaines[1]. Les Australiens connaissent trois cents plantes dont ils mangent les fruits, les racines ou les tubercules.

On étudiera d'abord l'exploitation de la forêt : comment grimpe-t-on ? Comment traverse-t-on les fourrés ? Comment fouille-t-on la terre pour déterrer les tubercules ? Dès l'Australie, les femmes creusent la terre à l'aide d'un épieu pour déterrer les ignames sauvages. Les Pygmées Babinga, du Congo, déterrent les ignames sauvages à l'aide d'une sonde très longue, pourvue à une extrémité de palettes en bois fixées par une liane ; après avoir ameubli la terre avec l'autre bout, on enfonce le cône, où la terre se tasse, qu'on retire ensuite à l'aide d'une baguette[2]. La cueillette

---

1. Cf. CANDOLLE (A. de), *L'Origine des plantes cultivées*, Paris, 1883. HAUDRICOURT (A. G.) et HÉDIN (L.), *L'Homme et les plantes cultivées*, Paris, 1943. GEORGE (P.), *Géographie agricole du monde*, Paris, 1946.

2. BRUEL (G.), «Les Babinga», *Revue d'ethnographie et de sociologie*, 1910, p. 111-125.

est développée chez les Indiens d'Amérique, qui y trouveront une base essentielle à leur alimentation. Les Indiens de Californie ramassent tout : noix, baies, graminées, racines, bulbes et surtout glands qu'ils mangent bouillis ou rôtis ; à l'est des sierras, la pomme de pin remplace le gland ; chaque tribu possède sa zone de pins dont elle ne doit pas franchir les limites. Les Indiens déterrent encore tubercules et racines ; la farine est mangée en soupe, en bouillie ou en galettes cuites sous la cendre ; excellents vanniers, ils ignorent la poterie. Sur la cueillette du riz sauvage dans la région des Grands Lacs, voir le travail de Jenks[1]. Les Indiens Klamath de l'Oregon cueillent le fruit d'une nymphéa, la woka, sur les marais, de la mi-août à la fin septembre ; la récolte est faite en pirogue par les femmes.

En Indochine, la chasse au camphre entraîne l'emploi d'un langage spécial.

Chasse aux essences rares, aux gommes rares.

Apiculture. L'une des plus perfectionnées était celle de l'ancien Mexique. Qui s'en occupe ?

Puis viennent les fruits de la mer et les coquillages de la côte. Études des amas coquilliers, kjoekennmödding, qui forment l'un des éléments les plus importants pour l'étude du paléolithique européen.

Le matériel de la cueillette comportera des bâtons pour fouiller le sol, des gaules pour frapper les fruits mûrs, des sacs à récolte, des hottes en vannerie, etc.

LA CHASSE[2]

La chasse trouve son point de départ dans la cueillette : un groupe social déterminé possède son terrain

---

1. JENKS (A. E.), *The Wild Rice Gatherers of the Upper Lakes*, 19th Annual Report of the Bureau of American Ethnology, 1897-1898, II, p. 1019-1137.
2. LEROI-GOURHAN (A.), *Milieu et techniques*, Paris, 1945, p. 69-95 (chasse et pêche). LINDNER (K.), *La Chasse préhistorique*,

de chasse dont, même nomade, il ne franchira pas les limites. L'indigène connaît son terrain : points d'eau, plantes, nature, nombre et habitudes des animaux ; sorti de là, très souvent, il se sentira perdu. La chasse se distinguera en petite chasse ou chasse individuelle et grande chasse ou chasse collective (chasse au bison, à l'éléphant ; chasse à courre en Europe ; chasse au feu en Afrique).

La chasse peut s'étudier de deux manières principales : selon l'arme employée, selon le gibier poursuivi (armes, technique, moment de l'année, etc.). L'individu ne va pas « à la chasse », il va à la chasse au lièvre ; et non pas à la chasse au lièvre mais à la chasse de tel lièvre, qu'il connaît bien. Il faut donc classer par gens qui chassent, gibier chassé et instrument avec lequel il est chassé.

La chasse aux *pièges* est dite chasse passive, parce que l'homme est passif une fois le piège posé ; mais le piège est une mécanique qui fonctionne en tant que telle. Toutes les populations savent creuser des trous où faire culbuter le gibier ; les Pygmées ne connaîtraient pas de piège plus savant ; les Australiens n'ont que des nasses ou des barrages pour le poisson, l'emploi de pièges pour le gros gibier demande des notions mécaniques qui dépassent leur pensée. Certaines palissades asiatiques pour la chasse à l'éléphant, qu'elles dirigent sur une fosse, atteignent d'énormes dimensions. Les grandes chicanes des Iroquois pour la chasse au caribou s'étendent sur plusieurs dizaines de kilomètres. Les grands filets en poils de roussette de Nouvelle-Calédonie. Les pièges peuvent se distinguer en :

Pièges où l'animal peut entrer sans se blesser mais dont il ne peut plus sortir (exemple : filets tendus

trad. fr., Paris, Payot, 1941. LOWIE (R. H.), *Manuel d'anthropologie culturelle*, trad. fr., Paris, 1936, p. 232-254. MASON (O. T.), *Traps of the American Indians*, Smithsonian Institution Report 1901 Washington, 1902. MÉRITE (E.), *Les Pièges, op. cit.*

horizontalement ou verticalement; casier à homard; nasse);

piège où l'animal se blesse et est pris; ils comportent souvent un appât qui amènera la bête à déclencher le mécanisme du piège (exemple : piège à souris, piège à éléphant);

pièges à ressort, le ressort pouvant jouer sous l'effet d'une traction (pièges à oiseaux en Indochine) ou d'une pression (pièges au cerf à Sumatra); le piège à ressort peut encore être disposé à l'instar d'une arbalète (piège à rats de Madagascar);

pièges à glu, employés à Hawaï pour prendre les plumes d'un oiseau qui est aussitôt relâché;

pièges à nœud coulant (chasse au perroquet chez les Maori; à l'écureuil en Alaska; à l'alouette dans nos campagnes; pièges à pointes radiées pour l'antilope en Afrique).

Les *appeaux* permettent au chasseur d'appeler le gibier; leur emploi se double souvent d'un *déguisement* grâce auquel le chasseur approchera sa proie à portée utile. Les Eskimo se déguisent pour la chasse au renne; les Bushmen pour la chasse à l'autruche (le chasseur tient une tête d'autruche au-dessus de sa tête et contrefait la démarche de l'oiseau), les Soudanais pour la chasse à la grue. Les Indiens de Californie, pour la chasse au daim, revêtent des peaux de daim et se coiffent d'andouillers en avançant à quatre pattes au vent du gibier et en faisant mine de brouter; les Tartares mandchous agissent de même à l'époque du rut, où les cerfs se cherchent pour se livrer combat; le chasseur imite le cri du gibier à l'aide d'un appeau, le cerf se précipite, présentant sa poitrine où le chasseur enfonce sa lance ou son épée.

Le *droit de chasse* peut varier avec les gibiers, avec le sol, avec les saisons.

Emploi du *chien* dans la chasse. Le chien d'arrêt demeure un auxiliaire secondaire, seul le chien courant peut rendre d'utiles services.

Idéologie de la chasse, du chasseur et du gibier. Le chasseur doit connaître le nom des divinités de la chasse, de la forêt, il doit pouvoir incanter le gibier, connaître la signification des présages. Toute l'Amérique du Nord vit dans une mythologie du daim. Un chasseur australien ne partirait pas pour la chasse sans tenir un morceau de quartz dans sa bouche.

La *consommation* du gibier est généralement rituelle et saisonnière.

Conservation du gibier, crâne et ossements. Doit-on casser les os, manger la moelle ? Quelles parties peut-on rôtir ? Utilisation des restes : fourrure, peau, boyaux…

Avec les *animaux à demi chassés, à demi élevés* (exemple : les faisans) on entre dans la voie de la domestication et de l'élevage. Le porc est demi-sauvage dans l'Indochine, en Mélanésie, en Papouasie et en Polynésie. Les parcs à bétail. La chèvre a été domestiquée dans des parcs.

LA PÊCHE[1]

Chasse et pêche hantent les esprits ; elles tiennent une grande place dans les préoccupations des indigènes : le mythe du chasseur, le mythe du pêcheur, sont parmi les plus importants. Une partie des usages et des croyances que l'on associe au totémisme sont en réalité des histoires de chasse ou de pêche. Toute l'Afrique noire vit du chasseur, toute la Mélanésie conçoit ses dieux sous la forme de requins.

D'autre part, la pêche se développe plus tôt que la chasse ; elle est attestée dans toute l'Australie du Sud-Est par la présence de grands travaux : des rivières entières ont été mises en chicanes.

---

1. Sur la pêche, voir BEST (E.), *The Maori*, Wellington, 1924, 2 vol. ROTH (H. L.), *The Natives of Sarawak and British North Borneo*, 1896, 2 vol. MONOD (Th.), *L'Industrie des pêches au Cameroun*, Paris, 1929. MASON (O. T.), *Aboriginal American Harpoons*, Smithsonian Institution Report 1900, Washington, 1902.

La pêche s'étudiera comme la chasse, suivant les armes employées, suivant les espèces pourchassées. Ainsi le trident, d'un emploi très général, est cependant adapté à chaque poisson pêché. Filets, nasses sont calculés par rapport à un poisson déterminé.

La *pêche à la main nue* est pratiquée par les femmes fuégiennes à l'aide d'une tige de goémon lestée d'une pierre ; la femme, accroupie dans sa pirogue, amorce avec la chair d'un coquillage, laisse tomber sa ligne et capture à la main le poisson qui vient mordre à l'appât. La pêche à la main nue est encore pratiquée en Afrique occidentale à l'époque des basses eaux, dans les marigots voisins des fleuves et coupés à cette époque de toute communication ; le village tout entier se livre alors à une véritable pêche miraculeuse.

La *pêche au filet* est en général mal étudiée. Il faut noter pour chaque filet sa fabrication (fil, mode de tissage, dimensions de la maille, mode d'emploi de la navette), son mode d'emploi, sa mise en place. Le filet peut être dormant, à main, à poids, à flotteurs, constituer une senne, un carrelet, un épervier, un tramail, etc.

La *pêche à la ligne* se pratique à la main ou avec une canne. Étudier tous les éléments de la ligne : le fil (il faut une soie différente pour chaque poisson) ; le hameçon, qui peut être composite (les hameçons polynésiens comptent parmi les plus beaux) ; l'amorce et son attache ; flotteurs et plombs s'il y a lieu ; parfois aussi, appeau.

La pêche à la ligne, la pêche au filet sont relativement rares. La *pêche à la lance* apparaît beaucoup plus fréquente. Elle se pratique à l'aide d'un arc et de flèches, d'une gaffe ou d'un harpon. Le harpon surgit très nettement avec le paléolithique supérieur. Certaines populations ignorent encore cette arme. Comment file-t-on le harpon ? La pêche à la lance se pratique généralement à partir d'une plate-forme de pêche : placé sur une espèce de mirador, le pêcheur transperce les grosses pièces d'assez haut. La plate-forme de pêche est la même dans une partie de l'Indochine, en Polynésie, en Papouasie et dans toute l'Amérique du Sud.

La *pêche aux pièges* est importante par la variété et le grand nombre de pièges observés : barrages (simple, à cratère, en chevron), digues, grandes chicanes ; toutes les variétés de nasses, souvent d'énormes dimensions ; pièges dormants, avec ou sans appâts ; pièges mécaniques, etc.

Enfin, la *pêche par empoisonnement de l'eau*, pratiquée dans de nombreux cours d'eau africains, suppose un procédé ultérieur pour désintoxiquer le poisson.

On ne saurait exagérer l'importance des pêcheries de perles et des pêcheries de trépang dans l'histoire des rapports de l'Orient indien et de l'Orient chinois avec l'ensemble de l'Insulinde et même la Polynésie.

Lorsqu'elle a lieu en bateau et non plus du rivage, l'étude de la pêche implique naturellement l'étude du bateau de pêche ; rapports avec la navigation.

Étude des réserves et des barrages. Étude du droit de pêche[1].

Le *rituel* de pêche peut être très important. L'Australie connaît des rituels très compliqués, notamment pour évoquer les baleines que les indigènes prétendent arriver à faire échouer.

Rapports de la pêche avec l'organisation sociale. Généralement les tribus se divisent entre elles en phratrie de pêcheurs et phratrie de non-pêcheurs, les pêcheurs habitant la côte et pratiquant des échanges avec les non-pêcheurs qui vivent plus à l'intérieur. Certains villages ne sont ainsi habités que par des pêcheurs, c'est une des premières formes de la division du travail. La pêche comporte un élément de

---

1. Sur le droit de pêche : RATTRAY (R. S.), *Ashanti*, Oxford, 1923.

régularité qui la rend très vite susceptible d'exploitation réfléchie.

La pêche peut encore être saisonnière et dépendre des migrations de poissons. C'est le cas de la pêche au saumon, qui occupe une grande partie de l'existence des habitants du Nord-Ouest américain. Les migrations des poissons entraînent alors chez les pêcheurs des phénomènes de double morphologie qui portent sur l'ensemble de la population. En ce cas, les villages de pêcheurs, construits pour quelques mois de l'année, comporteront néanmoins une installation de viviers, séchoirs, et magasins pour traiter le poisson.

Les villages permanents de pêcheurs sont souvent bâtis sur pilotis, pour résister aux crues ou aux tempêtes. Réciproquement, la construction sur pilotis a pu être pratiquée d'abord dans un but de défense ; mais elle aura entraîné les habitants à pratiquer la pêche (les habitations lacustres de Suisse).

Préparation et conservation du poisson. On le mangera frais, sec, faisandé, pourri, fumé.

Utilisation des produits annexes. Huile, œufs, condiment de poisson pourri et pilé, vessies...

Industries de production

Nous avons déjà vu qu'il n'y a jamais en réalité production par l'homme, mais simple administration de la nature, économie de la nature : on élève un cochon, on ne le crée pas.

L'homme est un animal qui vit en symbiose avec certaines espèces animales et végétales. Il doit suivre ses plantes et ses animaux. Ainsi s'explique l'étendue des migrations de certains peuples tels que les Huns ou les Peuls.

Toutefois, alors que les industries d'acquisition : cueillette, chasse et pêche, correspondent à une exploitation directe, les industries que nous allons étudier comportent une altération de la nature, différence qu'il importe de souligner.

L'étude d'une société déterminée comprend obligatoirement l'étude des animaux et des plantes de cette société : l'éléphant africain, à demi sauvage, a été domestiqué dans l'Antiquité ; on ne connaît pas le Dahomey si l'on ignore ses serpents auxquels il rend un culte. L'étrier a été introduit en Europe au XIᵉ siècle par les invasions des peuples pasteurs venus d'Orient ; auparavant, l'arme du cavalier était forcément la javeline, arme de jet, et non la lance, arme de poids. Toute l'histoire des migrations polynésiennes est liée à l'histoire des plantes et des animaux avec lesquels hommes et femmes sont partis en bateau et auxquels ils ont rendu un culte par la suite.

D'autre part, chaque animal, chaque plante, a été extraordinairement travaillé. Voir la démonstration dans Vavilov de l'origine purement américaine des deux espèces du maïs. Nous ne sommes qu'au début des créations.

L'indigène possède la sensation aiguë de l'individuation de chaque bête, de chaque plante : un Maori connaît chaque patate douce de son champ et la distingue de toutes les autres, de même qu'un jardinier français connaît individuellement chacun de ses rosiers. Il importe que l'observateur acquière cette notion de l'individuation de chaque bête, de chaque plante[1].

L'ÉLEVAGE[2]

L'élevage n'apparaît guère qu'avec le maglemosien, c'est-à-dire les dernières formes du paléolithique. Il

---

1. *Cf.* LEENHARDT (M.), *Gens de la Grande Terre*, Paris, 1937.
2. ANTONIUS (O.), *Grundzüge einer Stammgeschichte der Haustiere*, Iéna, 1922. GEOFFROY SAINT-HILAIRE (I.), *Domestication et naturalisation des animaux utiles*, rapport général à M. le ministre de l'Agriculture, Paris, 1834. HAHN (E.), *Die Haustiere...*, Leipzig,

surgit nettement avec la poterie et avec les brachycéphales. Les brachycéphales ont apporté en Europe la poterie, l'élevage, l'agriculture.

La domestication serait apparue d'abord sur les versants de l'Himalaya. Tous les animaux domestiques, ou presque, viennent de cette région.

La définition de l'animal domestique est une définition anthropomorphique : l'homme a domestiqué le chien, mais c'est le chat qui a domestiqué l'homme. D'autre part, certains animaux sont apprivoisés sans nécessité, par jeu (exemple : les grillons en Chine).

La question importante dans la domestication est celle de la reproduction : certaines espèces, ne pouvant se reproduire en captivité, restent à demi sauvages (exemple : l'éléphant, le faisan, le cochon mélanésien).

Une enquête sur l'élevage se fera par l'étude individuelle de chaque animal domestique, pris individuellement : âge, sexe, nom, photographie, histoire de l'animal, nom des parties du corps.

L'*ethnozoologie* de chaque espèce comprendra l'étude de l'habitat de cette espèce, de son origine (théorie des âmes des animaux reproducteurs) et de la sélection. Nous connaissons un manuel d'hippologie d'un prince hittite qui date du XVIIe siècle avant notre ère. Une tribu arabe possède les pedigree de ses chevaux, dont elle se montre aussi fière que de sa propre généalogie. Les recherches d'hybrides sont souvent très remarquables. Toute la cour de Chine, la cour de Pharaon, la cour du Grand Mogol faisaient des hybrides.

Comment nourrit-on les animaux ? Fourrages, pâtures et migrations qu'entraîne l'épuisement de ces pâtures. Transhumances. Abreuvoirs.

1896. LAUFER (B.), *Sino-iranica…*, Chicago, 1919. LEROI-GOURHAN (A.), *Milieu et techniques*, *op. cit.*, p. 83-119. RIDGEWAY (W.), *The Origine and Influence of the Thoroughbred Horse*, Cambridge, 1905.

Comment les garde-t-on ? Étude du parquage. Le kraal, cercle formé par les habitations, avec un espace libre au milieu où l'on fait rentrer les bêtes le soir, est caractéristique de tout le monde bantou. Étude du berger, de ses rapports avec les animaux. Le cri du berger. Ses attitudes. Dans toute l'Afrique orientale, le berger se repose sur un pied, dans une attitude d'échassier. A-t-il donné un nom individuel à chacun de ses animaux ? Présence ou absence (plus fréquente) d'étables.

L'élevage. Castration. Gésine. Accouchement. Quelles connaissances les indigènes possèdent-ils de la sélection ? Comment traite-t-on chaque animal suivant son âge ?

Utilisation de l'animal. Comme moyen de transport (voir plus loin). Le mange-t-on ? Si oui, en quelles conditions, quelles parties et qui y a droit ? La mise à mort est presque toujours sacrificielle chez les peuples pasteurs de l'Afrique orientale : les animaux sont tués à la lance ou par une flèche tirée à bout portant. Utilisation du sang. La consommation du sang chaud est souvent rituelle. Les os sont-ils brisés ou non ? qu'en fait-on (rapports avec l'idéologie) ? Mange-t-on la moelle ? Que fait-on des boyaux ? des peaux ? Le travail de la peau est une des plus anciennes industries connues, comme en témoignent les grands grattoirs chelléens. Recettes culinaires. Fait-on du beurre, et comment, des fromages, et comment ?

L'*art du vétérinaire* est poussé très loin chez les Sakalaves. Notions pathologiques sur la naissance des maladies chez les animaux. Thérapeutique. Chirurgie. Obstétrique. Étude de la magie du vétérinaire.

Décoration et déformation des animaux. Exemple : les défenses de cochon enroulées en spirale dans la Mélanésie, la Papouasie et toute l'Indonésie. Travail de la corne à Madagascar et dans tout l'océan Indien. Les marques de propriété sur les animaux : qui possède la marque, mythe de la marque[1]. Prendre l'empreinte de toutes les déformations, de toutes les marques; en classant ces empreintes selon leurs propriétaires, on voit souvent apparaître des familles ou des clans.

Idéologie. Étudier toutes les cérémonies liées au culte des animaux. Notions mythologiques et scientifiques sur l'origine des animaux, théories des âmes des animaux reproducteurs, trophées d'animaux sacrifiés. Un village malgache est un ossuaire de bucranes.

Droit et économie. Les animaux sont une monnaie dans tout l'Est africain; ils constituèrent jadis la première monnaie du monde indo-européen (*pecunia* vient de *pecus*). D'autre part, le déboisement de l'Afrique du Nord, avec toutes les modifications économiques qu'il entraîne, coïncide avec l'introduction dans la région du mouton.

L'AGRICULTURE[2]

L'agriculture est un cas de l'ethnobotanique, comme l'élevage est un cas de l'ethnozoologie.

Tout le monde néolithique connaît l'agriculture. On trouve cette technique dans toutes les colonies

---

1. Sur la marque de propriété du bétail comme origine possible de l'écriture, voir : VAN GENNEP (A.), *De l'héraldisation de la marque de propriété et des origines du blason*, Paris, 1906.
2. Sur l'agriculture et les différentes techniques agricoles, voir : BEST (E.), *The Maori*, Wellington, 1924, 2 vol. CROZET, *Nouveau voyage à la mer du Sud...*, Paris, 1783. HAHN (E.), *Die Enstehung der Pfulgskultur*, Heidelberg, 1909. LEENHARDT (M.), *Gens de la Grande Terre*, Paris, 1937. LEROI-GOURHAN (A.), *Milieu et techniques*, Paris, 1945, p. 120-137. MASON (O. T.), *Woman's Share in Primitive Culture*, 1895. ROBEQUAIN (Ch.), *Le Than Hoa*, Paris, Bruxelles, 1929. VAVILOV (N. J.), «Sur l'origine de l'agriculture mondiale d'après des recherches récentes», *Revue botanique appliquée et agriculture coloniale*, Paris, 1932. La même revue a publié en 1936 sous le titre : «Les bases botaniques et géographiques de la sélection», un exposé plus étendu des idées de Vavilov, traduction de A. HAUDRICOURT.

françaises. L'agriculture existe, à son début, dans les tribus du centre-nord de l'Australie ; elle est connue d'un bon nombre de Pygmées, notamment ceux des Philippines, et ne serait ignorée aujourd'hui que des Fuégiens et des peuples arctiques — le climat de ces régions en interdit la pratique.

La théorie selon laquelle les femmes auraient été les inventrices exclusives de l'agriculture apparaît excessive. Il est d'autre part inutile de chercher à savoir si l'agriculture marque ou non un stade de civilisation supérieur à celui que figure l'élevage ; certaines civilisations purement pastorales ont été de grandes civilisations (exemple : l'Empire mongol au XIIe siècle) ; mais il importe de savoir si chaque éleveur, chaque agriculteur est supérieur ou non à son état, à l'intérieur de sa technique.

Les *instruments* de culture dérivent des instruments de cueillette et notamment du bâton à creuser, qui, de simple épieu, devient une bêche ou une houe. La culture peut assez bien se diviser en culture à la houe, culture à la bêche et culture à l'aide de formes primitives ou évoluées de la charrue. Mais charrue (et herse) supposent l'emploi d'animaux domestiques, donc la connaissance de l'élevage. En beaucoup de régions, la charrue est restée très primitive, simple houe traînée. Chose remarquable, le semoir, assez répandu dans l'humanité, n'a été redécouvert en Europe que tout récemment. Certains instruments de pierre préhistoriques seraient nettement des socs de charrue primitifs.

L'observateur devra distinguer autant d'agricultures qu'il y a d'espèces cultivées.

Pour chaque plante, il étudiera, en notant les termes indigènes, la plante dans toutes ses parties et dans tous ses âges, depuis la semence jusqu'au fruit. Les produits de chaque plante peuvent être fort nombreux et très différents ; certains de ces produits comptent parmi les plus importants que nous utilisons aujourd'hui; le beurre de karité, l'huile de palme... ne sont pas des inventions européennes.

L'enquêteur devra encore faire l'idéologie de chaque plante, partie importante de son étude : naissance, vie, mort de la plante ; ses rapports avec la végétation, avec la Terre-mère, avec le ciel, avec la pluie.

Il étudiera ensuite l'écologie et l'économie de la plante : comment on aménage le terrain, comment on l'expose (technique de la haie, de la terrasse...). Certains grands défrichements et sarclages n'ont été possibles que par l'intervention d'outils en métal. Le grand obstacle de l'humanité, à l'époque de la pierre, était la forêt, que l'homme ne pouvait vaincre que par le feu; encore les grosses racines restaient-elles en place. Une fois le terrain préparé, il faut l'utiliser : semailles, semis, repiquages, plantation définitive, entretien. Comment irrigue-t-on le terrain (canaux, puits, écope à balancier, noria, etc.)? La fumure est assez générale. Lutte contre les parasites. Puis vient la moisson, le battage, l'engrangement; il est souvent interdit de serrer dans un même grenier deux plantes d'espèces différentes.

L'étude des *cultes agraires* ne devra pas être négligée. L'histoire de l'âme du riz dans les pays de rizières est fondamentale par rapport à la culture du riz, et non inversement.

Pour l'étude des techniques en elles-mêmes, il pourra être utile de distinguer : l'*agriculture*; l'*horticulture* (le jardin correspond très généralement à une propriété individuelle par opposition au champ, propriété collective); la *sylviculture* (par exemple du caoutchouc, plante sauvage entretenue et cultivée dans la forêt par son propriétaire) et l'*arboriculture* (exemple le cocotier, l'olivier). Un bon nombre des habitants de nos colonies sont des horticulteurs plus encore que des cultivateurs.

Étude de la division sexuelle du travail, des marques de propriété, des tabous.

La notion du surplus de la production a été très bien développée par Malinowski[1].

On observera encore les rapports entre culture individuelle et culture collective, un même terrain pouvant être cultivé collectivement comme champ, individuellement comme jardin, selon les moments de l'année ; et l'influence de ces modes de culture sur les rapports sociaux des individus entre eux, de l'individu avec l'ensemble du clan.

Rapports entre agriculture et élevage, entre agriculteurs et éleveurs, entre agriculteurs et chasse, entre agriculteurs et chasseurs, s'il y a lieu.

Enfin certaines régions demanderont une étude de la production quasi industrielle : le chef polynésien était une espèce d'entrepreneur général de travaux agricoles.

Industries de la protection et du confort

Beaucoup plus que comme des besoins naturels, protection et confort s'analyseraient comme des nécessités d'habitude. Toutes les notions que nous nous formons depuis Adam Smith de production d'un bien, de mise en circulation de cette production pour aboutir à une consommation, sont des abstractions. La notion de production est particulièrement vague en ce qui concerne des industries types comme celles de la protection et du confort : vague non par rapport à la notion de marché, mais par rapport à l'idée de création.

L'élasticité des besoins humains est absolue : à la rigueur, nous pourrions vivre en chartreux. Il n'y a pas d'autre échelle des valeurs, en matière de protection et de confort, que l'arbitraire social.

---

1. MALINOWSKI (B.), *Argonauts of [...]*, *op. cit.* ; *Coral Gardens*. Sur le surplus de la production, voir encore HERSKOVITS (M. J.), *The Economic Life of Primitive Peoples*, *op. cit.*

Or, sorti des limites de notre civilisation, on se trouve aussitôt en présence d'hommes qui possèdent une échelle des valeurs, une raison — *ratio* —, une façon de calculer, différentes des nôtres. Ce que nous appelons production à Paris n'est pas nécessairement une production en Afrique ou chez les Polynésiens.

Il est absurde que, sous l'Équateur, un musulman noir se couvre d'autant de robes qu'il le peut; mais l'accumulation de vêtements est l'insigne de sa richesse. Le vêtement est une chose esthétique autant qu'un moyen de protection.

Le caractère arbitraire de tout ce qui touche à la protection et au confort est très remarquable : non seulement arbitraire «économique» mais arbitraire presque exclusivement social par certains côtés. Il peut y avoir des *maxima* d'adaptation et des *minima* d'adaptation : ainsi les Eskimo sont parfaitement organisés pour la lutte contre le froid, comme pour la lutte contre le chaud, leur vêtement est le signe d'une très vieille civilisation néo-paléolithique; tout le monde arctique est, lui aussi, très bien pourvu. Mais les Fuégiens ne sont pas plus armés pour cette lutte que ne l'étaient les Tasmaniens, aujourd'hui disparus : les uns comme les autres passaient des hivers extrêmement durs avec, pour seul vêtement, une pauvre toge de fourrure flottante.

Il est donc essentiel de ne jamais rien déduire *a priori* : observer, ne rien conclure. Si nous voulons pouvoir apprécier, il faut d'abord apprendre à nous méfier du bon sens, car il n'y a rien là de naturel. L'homme est un animal qui fait des choses raisonnables à partir de principes déraisonnables et qui part de principes sensés pour accomplir des choses absurdes. Et cependant ces principes absurdes, cette conduite déraisonnable, sont probablement le point de départ de grandes institutions. Ce n'est pas dans la production proprement dite que la société a trouvé son élan; mais le vêtement est déjà un luxe, et le luxe est le grand promoteur de la civilisation, La civilisation vient toujours de l'extérieur. D'immenses efforts ont été accomplis du côté des techniques de la production et du confort : toute l'industrie textile sort du vêtement, et c'est de l'industrie textile que dérive une grande partie de la division du travail.

LE VÊTEMENT

Objet de consommation très lente, le vêtement représente un véritable capital. Il servira de protection dans la marche, la course, l'attaque ; il défendra contre la brousse, contre la pluie… On distinguera les vêtements portés le jour, des vêtements de nuit ; les vêtements de travail, des habits de cérémonie, souvent plus nombreux. La matière première sera déterminée par le milieu, le climat, etc.

Organe de protection, le vêtement peut s'étudier suivant la partie du corps qu'il recouvre.

La *chaussure* est assez rare dans l'humanité. Une grande partie du monde est sans chaussures ; une autre partie est très bien chaussée. Les débuts de la chaussure apparaissent surtout magiques (elle évite de mettre le pied en contact direct avec le sol et les émanations qui s'en dégagent) et militaires : la *sandale* australienne permet d'effacer les traces de l'expédition d'attaque. On étudiera toutes les formes de la sandale : comment tient-elle au pied ? formes primitives de boutonnières. La sandale est une chaussure imparfaite, très inférieure au mocassin d'où dérive notre soulier et qui, très proche de la chaussure chinoise, caractérise toute la civilisation de l'Asie arctique et de l'Amérique nord centrale. La corporation des cordonniers se serait constituée l'une des premières. On sait le rôle important qu'elle joue dans toute l'Afrique.

La *jambière* offre souvent des formes militaires (cnémide).

Dans les pays avec palmes, le tronc est protégé par des *manteaux de pluie*. Le manteau de pluie est à peu près le même depuis le centre asiatique jusqu'en Amérique du Sud et une partie de l'Amérique du Nord. L'étude des sarongs, des pagnes, est difficile, mais très utile. Comment drape-t-on la ceinture ? La manière de porter un pagne, de saluer avec un pagne en se découvrant le torse, peut, à elle seule, constituer un véritable langage. D'autre part, le caractère guerrier d'une société l'amènera à développer l'appareil de protection du tronc : cuirasses en coton, en vannerie et surtout en cuir, cottes de mailles…

La *chemise* aux côtés cousus serait de date assez récente.

Le *chapeau*, assez fréquent, est très inégalement réparti. Les Germains portaient une petite calotte en vannerie, alors qu'il ne semble pas que les Gaulois se couvraient la tête ; seuls, les militaires portaient le casque. Étudier toutes les formes de calottes, turbans, casques, chapeaux à larges bords, etc. Le port du chapeau est souvent l'insigne du commandement.

On protégera encore particulièrement certaines parties du corps, telles que le pénis (étuis péniens, infibulation) et les ouvertures du corps, ceci pour des raisons magiques[1].

Au point de vue de la forme, on distinguera les *vêtements drapés* des *vêtements cousus*. Nos boutons n'ont rien à voir avec l'Antiquité, alors qu'on les retrouve chez les Eskimo et probablement dans tout le monde arctique ; les boutonnières sont certainement d'origine asiatique chez nous. Avant leur introduction, on ne connaissait que la fibule, c'est-à-dire l'épingle de sûreté. Mais le vêtement cousu suppose l'emploi de patrons, c'est-à-dire la connaissance confuse d'une espèce de géométrie descriptive.

---

1. Cf. MURAZ (G.), «Les cache-sexes du Centre africain», *Journal de la Société des africanistes*, 1932, p. 103-112.

Décoration du vêtement

Teinture et décoration ont joué un grand rôle dans le développement du costume par la recherche de matières premières qu'elles ont suscitée. Il a fallu adapter les matières premières aux teintures désirées. L'influence de la mode en matière de vêtements apparaît immense. Les vêtements sont l'une des caractéristiques classificatoires les plus sûres : ainsi le vêtement iroquois est pratiquement identique au vêtement chinois. Ici joueront encore les influences de l'âge, du sexe, de l'époque, etc.

Les vêtements pourront se distinguer, selon leur matière première en :

Vêtements de peau, où le minimum est représenté par l'enveloppement dans une seule peau flottante, tel que le connaissent les Fuégiens ; alors que le vêtement arctique est, lui aussi, un vêtement de peau, mais entièrement cousu. L'industrie des tanneurs est très développée dans tout le monde arctique ; très développée aussi au Soudan ; et cette énorme quantité de grattoirs qu'on trouve dès l'époque chelléenne correspond vraisemblablement au travail de la peau. Étudier toutes les façons de travailler le cuir, y compris les sacs de cuir, les récipients, etc.

Les *vêtements de feuilles* se rencontrent dans toute la Polynésie et dans toute l'Indonésie ; les Papous Kiwaï et les Marind Anim connaissent le manteau de pluie en palmes.

L'*écorce* de figuier *battue*, tapa, est employée en Océanie et aussi en Afrique noire. Certains fakirs de l'Inde sont encore exclusivement vêtus de vêtements en racines de banian.

Les *vêtements de paille* se distinguent mal des vêtements de palmes. Presque tous les vêtements de mascarades en Mélanésie et en Afrique sont faits ainsi.

Vêtements de sparterie, de nattes, de fibres, voilà

les formes primitives du tissu, et comme matières, et comme utilisation.

Du tissu proprement dit, on distinguera le *feutre*, où les fibres, qui s'entrecroisent dans le tissu, sont simplement pressées, foulées et collées. Le feutrage est connu dans toute l'Asie du Nord et dans toute l'Amérique du Nord. Il n'aboutit pas à des résultats très remarquables, sauf en Chine et au Tibet. Normalement, le feutre n'est pas très résistant, il se déchire et boit l'eau.

Tissus

Le tissage est une invention importante de l'humanité. La première étoffe tissée a marqué le début d'une ère nouvelle.

L'étude de n'importe quel tissu suppose l'étude de sa *matière première*. Les textiles animaux sont en laine (tenue pour impure chez les Égyptiens) ; en poils de chèvre ou de chameau ; le crin des chevaux a donné haires et crinolines ; l'élevage des vers à soie remonterait en Chine au IIIe millénaire av. J.-C., mais la soie n'a été introduite en Grèce que par Alexandre le Grand, à Rome que par César. Parmi les textiles végétaux, on compte le lin, qu'appréciaient beaucoup les Celtes et les Germains, mais dont la production en Europe s'est trouvée entravée pendant tout le Moyen Âge par la culture des céréales — le goût des toiles de lin ne s'est développé dans nos régions qu'à partir du XVe siècle ; le chanvre ; et surtout le coton, dont l'histoire est assez peu claire : plante abyssine, passée dans l'Inde, pourquoi n'a-t-elle pas été exploitée dans son pays d'origine alors qu'elle est devenue la base d'une industrie fondamentale dans l'Inde, nous l'ignorons. Rappelons ici que les premières fabriques de coton en Angleterre datent seulement du milieu du XVIIe siècle.

L'étude d'un tissu déterminé suppose l'étude préalable du *fil*, lui-même composé de brins. La première matière filée semble avoir été des poils : on file les cheveux dans toute l'Australie. Noter si le fil est à un brin, ou à plusieurs brins, s'il est enroulé (*twisted*) ou tressé (*twined*) ; toute la Birmanie roule le fil sur la cuisse. Étudier tout le travail des doigts, et surtout le commencement et la fin du fil qui sont les moments délicats ; comment empêche-t-on que le fil se défasse ? Les nœuds.

Étude du fuseau, du peson, de la quenouille. Le rouet apparaît plus tard. Photographier et, si possible, filmer au ralenti le mouvement des doigts.

La filature peut être extraordinairement fine : par exemple les fils destinés au travail des gazes, que l'on rencontre aussi bien dans le monde arabe que dans le monde égyptien et dans le monde hindou.

Après le filage vient le *tissage* proprement dit[1]. Le tissage est une industrie répandue à peu près dans toute l'humanité, sauf là où manque la matière première (Polynésie, Mélanésie, Australie). Certaines civilisations, aujourd'hui disparues, ont possédé d'admirables tissus.

Pour étudier le tissage, on étudiera les instruments du tissage, les métiers à tisser. Si possible, recueillir des métiers, en notant soigneusement le mode d'assemblage des différentes pièces. Dans l'étude du métier, on prêtera la plus grande attention aux points morts pendant la marche ; et à chacun des mouvements reliant entre eux les points morts. Tout mouvement technique aboutit à un point d'arrêt : il s'agit de décrire l'arrivée à ce point d'arrêt et le départ vers un nouveau point d'arrêt. On notera chaque fois le rapport de chaque mouvement à chaque position du métier ; le rapport de

---

1. HARCOURT (R. d'), *Les Tissus indiens du vieux Pérou*, Paris, 1924. HOOPER (L.), *Hand-Loom Weaving, Plain and Ornamental*, Londres, 1910. IKLE (F.), *Primare Textile Technicken*, Zurich, 1935. LEROI-GOURHAN (A.), *L'Homme et la Matière*, Paris, 1941, p. 290-309. LING ROTH (H.), « Studies in Primitive Looms », *Journal of the Royal Anthropological Institute*, 1916-1918.

toutes les parties du corps du tisserand et notamment de ses doigts de pied, au métier. Photos et surtout dessins montrant tous les mouvements, tous les temps du tissage.

Étude des bobines, des navettes (forme, mode de lancer) ; s'il n'y a pas de navettes, comment supplée-t-on à leur absence.

Lorsque le métier, compliqué, suppose un passage entre tisserands, étudier le transport d'un tisserand à l'autre.

Noter tous les procédés de formation de la chaîne, de tension de la chaîne. La technique qui consiste à équilibrer la chaîne par des cailloux n'a disparu de Norvège qu'au début du XIXe siècle ; ce procédé est régulier dans tout le monde arctique, dans tout le monde américain.

La chaîne dressée, il faut passer la trame. Comment se présente le fil de la trame, comment sort-il du fil de chaîne ? à la main, au battant ? Procédés d'arrêt. Lisérés.

Il est toujours difficile d'arriver à une grande largeur ; les très beaux tissus du Pérou sont exécutés sur des métiers très étroits. Technique des rubans.

Classification des tissus. Tissus simples, tissus croisés, nattés, peignés, sergés. Dans les tissus composites, par exemple les tissus de plume, sur canevas, distinguer entre le tissu qui forme armure et celui qui forme broderie. Un velours peut à la rigueur se comparer à une tapisserie.

Toutes les variétés de tissus ont dû être obtenues dès le IIe siècle avant notre ère chez les Chinois et les Mongols. Gazes et brochés ne sont arrivés en Occident que par l'intermédiaire de l'Iran, au IVe siècle de notre ère.

Teintures et apprêts. Lorsque les fils ont été teints d'avance, la décoration du tissu se fait par la couleur des fils. On distinguera la teinture des fils de la teinture du tissu tout entier, où intervient souvent le procédé de la réserve (la teinture n'atteindra qu'une partie seulement de l'étoffe travaillée). Distinguer la teinture au pastel de la teinture chimique avec des produits minéraux. Qui teint ? La teinturière, en Afrique, est souvent la femme du cordonnier et, comme telle, castée.

Le tisserand. Qui tisse ? où, et quand ? Idéologie du tissage et, s'il y a lieu, de l'animal fileur ou tisserand (ver à soie dans tout l'Orient, araignée…). Les Maori, comme les Berbères, connaissent un véritable culte du tissage.

L'HABITATION[1]

Phénomène essentiellement arbitraire, l'habitation caractérise une civilisation plutôt qu'un territoire déterminé. L'architecture apparaît comme l'art type, créateur par excellence. Aussi l'habitation s'étudiera-t-elle dans les industries du confort et de la protection ; non dans la géographie humaine ni dans l'histoire générale de la civilisation, quel que soit l'intérêt de ces études. À la rigueur, l'habitation pourrait s'entendre comme un mode de consommation.

L'enquêteur ne cherchera pas de prime abord la maison type : chaque maison a son sens. Il est absurde de classer une société par un mode d'habitation unique ; il faut voir tous les modèles de cette société avec toutes les variations individuelles et toutes les variations locales : maisons à usages généraux ou à usages spéciaux, à usage humain et à usage non humain. Au terme de cette étude seulement on pourra dégager la notion de maison type sans risquer de confondre une maison de riche avec une maison de pauvre.

---

1. Cf. LEROI-GOURHAN (A.), *Milieu et techniques*, *op. cit.*, p. 254-320 ; voir également bibliographie de l'architecture, dans le présent ouvrage, p. 156.

Types et matériaux

La maison elle-même peut être abritée. De nombreux troglodytes, ou semi-troglodytes vivent en France : dans la vallée du Cher, à la Ferté-Milon, à la Ferté-sous-Jouarre... les habitants se servent de vieilles carrières. Les cavernes ont été habitées en Provence jusqu'à l'âge du bronze. Ailleurs, la civilisation des troglodytes du centre Amérique (Arizona, une partie du Nouveau Mexique, le Mexique nord), ou *cliff dwellers*, pose un grand problème archéologique.

Des maisons en argile peuvent encore limiter des abris de troglodytes : la maison peut être creusée en dessous, ce qui donne une cave.

Les simples divisions en maisons rondes et maisons carrées apparaissent insuffisantes ; les mêmes Gaulois, qui avaient des maisons rondes, construisaient des greniers carrés ; ils n'étaient donc pas incapables de concevoir les deux. Dans tout le nord de la France, en Flandre et en Artois, on observe côte à côte fermes en brique et étables en pisé.

Le type le plus simple d'habitation, après la caverne, serait représenté par l'abri-paravent : les Ona de la Terre de Feu se contentent, pour toute protection contre un froid rigoureux, d'un écran en peaux de guanaco qu'ils tendent sur des baguettes enfoncées obliquement dans le sol, en demi-cercle autour du feu. Les Tasmaniens ne connaissaient pas d'autre abri, mais utilisaient des bandes d'écorce en place des peaux.

La tente conique est fréquente surtout dans les régions de steppe. On la rencontre dans tout le nord de l'Asie, dans le nord de l'Amérique jusqu'au Texas. La couverture varie suivant les régions : en Sibérie, les peaux de renne font place plus au sud aux bandes d'écorce de bouleau, puis de pin et mélèze ; les habitants des plaines y substituent le feutre[1].

---

1. Sur la tente bédouine, BOUCHEMAN (A. de), *Matériaux de la vie bédouine*, Damas, 1935.

Dans la *hutte en ruche*, parois et toiture ne se distinguent pas encore. Dans le wigwam des Indiens de la côte de l'Atlantique, des perches enfoncées dans le sol ont leurs extrémités recourbées et liées avec des perches transversales, elles-mêmes recouvertes d'herbe, de nattes ou d'écorce. Le même type de construction se retrouve sous la forme circulaire ou ovale chez les Pygmées du Congo[1], chez les Hottentots et les Zoulous. Le principe de construction de l'igloo eskimo, en glace, est entièrement différent[2].

Lorsque l'armature cylindrique des murs est coiffée d'une toiture conique distincte, on obtient une habitation du type de la tente mongole, couverte en feutre, ou de la yourte sibérienne au toit en peaux de rennes. Le même type se retrouve en Afrique avec des matériaux différents : murs en argile, toit aux arceaux en vannerie recouverts d'herbe offrent l'aspect d'un grand champignon.

Enfin, la *maison oblongue*, où la poutre faîtière est soutenue par plusieurs pieux fourchus, se trouve aussi bien sous des formes simples (par exemple au Chaco) qu'avec une architecture compliquée. Les maisons de Colombie britannique, de toute l'Océanie et de l'Indonésie sont en bois avec toit à double pente et pignon débordant. Les maisons oblongues d'Afrique équatoriale ont leurs murs en écorce, alors que les Muong d'Indochine préfèrent la vannerie. Des murs en pisé appellent souvent un toit en terrasse. Il en est ainsi chez les Hopi d'Amérique du Nord, où les blocs en grès sont cimentés par de l'argile : l'accès de la maison a lieu par le toit, à l'aide d'échelles dont le retrait est un moyen de protection ; le toit en terrasse permet la construction d'un ou de plusieurs étages en retrait ; on passe d'une terrasse à l'autre, d'une maison à l'autre,

1. *Cf.* Schebesta (P.), *Les Pygmées*, trad. fr., Paris, 1940.
2. Sur la maison de glace, Boas (F.), *The Central Eskimo*, Bureau of Ethnology, 6th Annual Report, Washington, 1888.

par les terrasses. Le principe est le même que dans l'architecture arabe ; et rien ne ressemble plus à une ville du Maroc aux maisons en terrasses, qu'un *pueblo* de l'Amérique du Nord.

En étudiant l'habitation, on n'omettra pas la possibilité d'une double morphologie ; un type d'habitation n'est pas exclusif pour une aire déterminée, toute l'Asie du Nord vit de deux façons : dans une tente conique, une partie de l'année, dans une hutte ronde le reste du temps.

Il semblera normal, en certains cas, que des maisons en argile soient bâties sur pilotis : ceci dépend non seulement du sol, sableux ou argileux, mais au moins autant de la technique. Parfois aussi, une mauvaise adaptation aux conditions extérieures vient de ce que l'homme reste attaché à une méthode qui eut sa raison d'être, mais qu'un changement d'existence ou une migration a rendue inadéquate. Les anciennes méthodes peuvent d'ailleurs s'adapter à de nouvelles fins : en Océanie, l'espace compris entre les piliers sert d'étable à cochons et les constructions sur pilotis sont d'excellents greniers. Un certain nombre de grandes tombes représentent en réalité des chalets à foin, semblables à ceux qu'on voit encore dans nos montagnes ; depuis l'Indochine jusqu'à la France, ces chalets sont posés sur des galets qui doivent empêcher les rats de monter ; un détail de cet ordre peut appartenir à un ensemble considérable de faits géographiques et historiques.

L'étude exhaustive des différents types de maisons rencontrés sur un certain parcours permettra de noter les limites d'une civilisation déterminée ; mais il faut se garder du moindre *a priori* : toute l'Afrique du Sud parque en rond, les maisons formant cercle autour du foyer, c'est le kraal ; mais il y a des gens qui, en Afrique du sud, ne parquent plus en rond, parfois ne parquent pas du tout ; il ne faut donc pas dire que tous les Bantous connaissent le kraal, ni que le kraal est spécifiquement bantou.

Étude fonctionnelle et morphologique

Pour étudier la maison, procéder en architecte : si possible, faire établir par les charpentiers locaux des modèles en réduction des différents types de construction. Pour chaque type, il faudra au moins trois modèles, montrant la fondation, l'élévation, la toiture. L'essentiel est d'étudier les rapports entre les différentes parties.

Le choix de l'emplacement est souvent déterminé par des raisons d'ordre magique ou religieux. Le terrain est en pente ; ou il faut l'aplanir, préparer des terrassements, etc. Étude des rites de fondation, souvent très importants. Matériaux. Terrassements. Qui construit ? Dans certaines sociétés, le charpentier est régulièrement le beau-frère (frère de la femme) du propriétaire. Aux Fidji, en Mélanésie, en Polynésie, on trouve de véritables corporations de charpentiers. Noter chacun des moments, chacun des détails, chacun des gestes de la construction. Faire la technologie de la construction et l'idéologie de cette technologie. La construction est-elle collective ou individuelle ? Noter tout ce qui concerne les attaches : tenons, nœuds, fiches, clous, chevrons, étançons. Équilibre des bois de construction. La poutre faîtière forme auvent ou ne dépasse pas. La forme des toits peut être plus typique que la forme de la maison elle-même. Une maison aux murs circulaires peut être coiffée d'un toit carré ; mais poser un toit rond sur une maison carrée, comme le font les Bamoum du Cameroun, appelle à résoudre un problème difficile.

Une maison peut fort bien être construite pour une durée limitée (par exemple la maison de glace des Eskimo) ; on ne prêtera donc pas une attention exclusive à la solidité plus ou moins grande des matériaux :

certaines maisons, en terre séchée, peuvent durer très longtemps. Mais on notera le souci des différents abris selon les différents moments de l'existence, suivant l'âge, l'époque de l'année... Ainsi les maisons d'adolescents sont fréquentes. Presque chaque famille noire a sa maison et, d'autre part, sa ferme aux champs ; très souvent, la population tout entière vit toute la période de culture loin du village, dans les champs.

Le type de la propriété en droit romain est représenté par la propriété foncière, et particulièrement par la propriété bâtie. Mais dans presque tous les droits africains, la maison est tenue pour le type de la propriété mobilière.

En pays où le groupement normal est la famille indivise, ou famille étendue, il faudra parfois appeler « maison » un groupe d'habitations. Prenons une ferme norvégienne, elle comporte un bâtiment pour chaque destination : maison du père, maison des fils, abri de la forge, écurie, porcherie, étable, grange, cuisine, greniers, abri à outils... Le tout forme une maison. C'est le cas de la maison maori, de la maison soudanaise.

Le *plan* de la maison indiquera son orientation, souvent très importante : la maison betsileo joue le rôle d'un cadran solaire[1]. Qui habite dans chaque coin : emplacement de chacun, de chaque chose ; emplacement réservé à l'hôte. L'étude détaillée du mobilier (mode d'usage, croyances concernant chaque objet) s'accompagnera d'un plan à l'échelle. La cuisine, l'âtre et le feu. Comment s'échappe la fumée ? (la cheminée n'apparaît qu'assez tard). Croyances et usages concernant le feu domestique. Rapports de la maison avec le jardin, avec les champs ; systèmes de clôture. Les murs d'enceinte en pierre sont rares. Palissades, haies, etc. Entretien de la maison. La recrépit-on à époques fixes ? Qui et quand ? S'il y a lieu, emplacement des

---

1. Sur la maison betsileo « calendrier perpétuel et universel », voir DUBOIS (H.), *Monographie des Betsileo*, Paris, 1938.

morts. Destruction de la maison, par exemple en cas de mort.

L'étude de la décoration suppose l'étude de tous les détails de la maison. On demandera au propriétaire l'explication de chaque décoration. Pareille enquête révélera souvent, avec l'emploi de blasons, la présence d'une aristocratie.

Destination des constructions

À côté des maisons à usage privé, on étudiera tout particulièrement les maisons d'ordre public, en particulier les maisons des hommes ; s'il y a lieu, les maisons des sociétés secrètes, qui peuvent n'être pas distinctes des temples. Tous les villages papous sont divisés en deux phratries et chacune de ces phratries a sa maison des hommes. Ailleurs, la construction d'une maison des hommes est un acte aussi important que l'érection d'un palais royal ; elle peut être le signe de l'émancipation de ceux qui la bâtissent, provoquer une guerre, des sacrifices — ou la construction d'autres maisons.

Maisons du patriarche, de ses femmes, de ses filles, de ses fils mariés, des adolescents.

Maison des femmes menstruées.

Greniers, ateliers, etc.

C'est au terme de cette étude que l'enquêteur pourra faire de la géographie technologique. Une fois établis statistiquement les différents types d'habitation, il faudra dégager la notion du canon architectural. Mais ici comme en face de tout phénomène social, on distinguera le canon, c'est-à-dire la règle, l'idéal, de la moyenne observée.

L'agglomération

La maison n'a pas d'existence en soi normalement, sauf dans les pays où l'habitat est essentiellement dispersé, mais le cas est rare. L'étude de l'habitation ne serait pas complète sans une étude du village, ou de la ville, s'il y a lieu. Cette question, trop souvent étudiée en termes purement géographiques, se pose quant à moi au moins autant en termes statistiques et techniques.

Le village est très souvent fortifié, ou construit sur un emplacement militaire. L'emplacement du village ligure, du village kabyle et du village maori, du village betsileo, est le même : l'agglomération, construite sur un éperon d'où les habitants dominent la région, n'est accessible généralement que par un côté. C'est la position des anciens *oppida*.

Il n'est pas nécessaire qu'un village n'ait jamais varié d'emplacement : les villes gauloises ont été alternativement en plaine ou sur les sommets, fortifiées ou non fortifiées.

Étudier les camps provisoires, les cavernes de refuge ; les puits ; tous les services collectifs. L'emplacement du tas d'ordures peut être déterminé par des raisons d'ordre religieux. Utilisation des ordures.

On étudiera ensuite la position du village au point de vue géographique, par rapport aux cultures, aux moyens de transport, aux routes et aux ponts. L'étude de la ville est une grande question d'histoire de la civilisation.

Certaines villes sont fortifiées, à côté de villes sans défenses. La ville fortifiée pourra en ce cas correspondre à une ville impériale ou royale. Ainsi la ville du roi se distingue nettement en pays mossi et jusque sur la côte de Guinée.

Industries du transport[1]

Les industries du transport sont beaucoup plus développées qu'on ne le croit habituellement. Technologi-

---

1. HADDON (A. C.) et HORNELL (J.), *Canoes of Oceania*, Honolulu, 1936-1938, 3 vol. HARRISON (H. S.), *A Handbook to the Cases*

quement, le monde s'est peuplé à partir des moyens de transport : de même que le Sahara et l'Arabie ne sont habitables que pour des éleveurs de chameaux, certaines parties de l'Amérique du Sud ne sont accessibles qu'à des Indiens sachant se servir de bateaux. Il existe toutefois des sociétés encore très pauvres en ce domaine : les Australiens n'ont, pour tout moyen de transport, que de petits filets ; alors que tout le nord de l'Asie possède des coffres, souvent de grandes dimensions.

Voies de communication

On observera tout d'abord les aménagements du sol : pistes, chemins, routes. Marquer sur une carte les noms indigènes. L'emploi de l'avion sera ici d'une grande utilité en pays de savane ou en pays de désert ; parfois, même en forêt, les pistes apparaissent, vues d'avion. Les relations entre villages peuvent exister à très longues distances, les relations intertribales ne sont pas rares. Noter, s'il y a lieu, la technique de protection du sentier, caractéristique de toute l'Indochine ; l'existence de chicanes, de fortifications, de chevaux de frise ; parfois aussi, la protection est assurée par des interdits religieux, par des tabous.

Les *ponts* apparaissent plus fréquents encore que les routes : ponts de cordes ; ponts de lianes, en Afrique et en Amérique ; ponts suspendus dans toute l'Asie, l'Océanie et l'Amérique du Sud. Les Apaches de l'Amérique du Nord transportaient leurs chevaux

Illustrating Simple Means of Travel and Transport by Land and Water, Londres, 1925. LA ROERIE (G.) et VIVIELLE (J.), *Navires et marins. De la rame à l'hélice*, Paris, 1930. LEROI-GOURHAN (A.), *L'Homme et la Matière, op. cit.*, p. 119-165. MASON (O. T), *Primitive Travel and Transportation*, Washington, 1896. THOMAS (N. W.), «Australian Canoes and Rafts», *Journal of the Anthropological Institute*, 1905, XXXV, p. 56-79.

d'un bord de cañon à l'autre à l'aide d'un système de transbordeur.

Portage

Sur toutes ces pistes, on porte. L'*homme*, ou plus généralement la femme, a été la première bête de somme : l'homme tient la lance et le bouclier ; s'il portait la charge, il ne pourrait pas défendre sa femme.

Comment porte-t-on ? à l'aide de quels instruments ? Les procédés de distribution de la charge sur le corps doivent être observés soigneusement. Une des raisons de la parenté de l'Asie et d'une partie de l'Océanie avec l'Amérique, c'est le portage au bandeau : les caravanes tibétaines descendent au Népal, remontent sur l'Himalaya et redescendent dans l'Inde en portant tout sur la tête, à l'aide d'un bandeau passant sur le front. Portage sur la tête. Portage par perche d'épaule. Portage sur l'aine. Étudier chaque fois la marche du porteur, surtout en pays accidenté.

Viennent ensuite les *véhicules*. Les premiers moyens de transport sur terre ont sans doute été du type du fardier : deux perches traînées, dont les extrémités se rejoignent, portent au centre de gravité la charge. Sous son nom de *travoy* (vieux français « travois »), le fardeau s'observe encore en Amérique du Nord.

Le traîneau est probablement sinon préhistorique, du moins aussi ancien que la civilisation actuelle nord-asiatique. Le traîneau eskimo demeure le meilleur.

La brouette, qui suppose la roue, est très vieille dans toute l'Asie. Dans la brouette chinoise, la roue était à l'intérieur du baquet. La théorie de Mason et de Powell sur l'origine du char paraît juste : elle suppose un fardier que traînent deux chevaux et auquel on ajoute une roue au centre de gravité. Chose très remarquable, les Indiens ont le sens du disque ; par ailleurs, ils connaissent le fardier ; mais ils n'ont jamais mis un travois sur roues. On peut donc supposer qu'à leur arrivée en Amérique, ils connaissaient le travois et la roue, mais n'avaient pas eu l'idée de mettre l'un sur l'autre.

L'emploi d'animaux pour le transport (*animaux de selle, de bât, de trait*) en a modifié grandement les conditions.

Ici se poseront les mêmes questions que pour le transport à dos d'homme : comment transporte-t-on, que transporte-t-on, etc.

Le renne a dû être une bête de somme à une date assez reculée, mais ailleurs qu'en Amérique. Les Eskimo ont suivi le renne sauvage, ils ne l'ont pas domestiqué ; ceux même d'entre eux vivant à côté des Indiens de l'Amérique du Nord qui possèdent des rennes domestiques n'ont pas su apprivoiser l'animal ; les Eskimo n'en appartiennent pas moins à une civilisation du renne[1].

Les bêtes de somme existent à peu près partout. Suivant les régions on trouvera le lama, le yak, le cheval. Le lama d'Amérique du Sud, qui donne la vigogne, appartient à la même famille que le lama du Tibet. L'arrivée du cheval en Amérique du Nord a transformé tout le pays[2].

Pour tout ce qui concerne les animaux de trait, étudier le harnachement, l'attelage. Les attelages les plus perfectionnés de l'Antiquité ont été les attelages asiatiques et parmi ceux-ci, les attelages mongols.

L'histoire du char et de la roue est une des plus importantes qui soient.

En observant la manière dont on transporte, on n'omettra pas de mentionner les soins donnés aux bêtes.

---

1. LEROI-GOURHAN (A.), *La Civilisation du renne*, Paris, 1936.
2. WISSLER (Clark), « The Influence of the Horse in the Development of Plains Culture », *American Anthropologist*, n. s., XVI, 1914, p. 1-25.

L'eau n'a jamais été un obstacle, l'eau est un moyen de transport. Les fleuves n'ont jamais constitué un empêchement au commerce, mais une facilité

Sur quoi transporte-t-on? Lac, fleuve, lagune et surtout la mer, demandent chacun un mode de transport approprié.

La forme plus primitive de transport par eau est sans doute celle que constitue le bois flotté; sur toutes les lagunes de la côte de Guinée, les indigènes se soutiennent sur l'eau en se tenant à des pièces de bois.

Plusieurs troncs réunis donneront un radeau, sous la forme simple que connaissent encore les indigènes de l'Amazone. Les Indiens Maricopa ne se servent que de deux troncs parallèles reliés par des baguettes transversales, qu'ils font avancer à l'aide de longues perches.

On appelle balsas les bottes de roseaux ou de joncs liées ensemble en forme de cigare; comme le radeau, la balsa flotte en vertu de son poids spécifique, mais elle n'est pas étanche. Les Tasmaniens eux-mêmes la connaissaient; elle est encore en usage sur le Tchad et sur les lacs d'Amérique du Sud.

À partir de l'outre servant de flotteur se sont développés les bateaux de peau: kayak et umiak des Eskimo, bateau rond d'Irlande, ce dernier fait d'une peau de bœuf tendue sur une carcasse en branches de forme hémisphérique.

Les pirogues en écorce (Canada, Guyane) sont si légères qu'on peut les porter lorsqu'il faut franchir des cataractes.

Mais la plus répandue de toutes les embarcations primitives est sans doute la pirogue faite d'un simple tronc d'arbre creusé à l'aide d'une herminette et du feu: elle remonte au néolithique suisse et est commune à l'Afrique, aux deux Amériques et à l'Océanie. La construction de ce bateau n'est possible que lorsqu'on dispose de bois adéquat. En Océanie, les indigènes avaient tout à la fois des pirogues monoxyles aux bords rehaussés par des planches, et des pirogues doubles, séparables ou unies d'une manière durable. Les Mélanésiens parcourent leurs rivières sur des simples pirogues faites d'un tronc creusé qu'ils font avancer à la pagaie, mais pour la mer ils ont une embarcation munie d'un balancier parallèle au bateau. La pirogue à balancier caractérise la Polynésie et l'Indonésie, d'où ce type s'est répandu jusqu'à Madagascar. Les grandes embarcations océaniennes mesurent plus de trente mètres de long, les pirogues doubles des Fidji prenaient cent passagers et plusieurs tonnes de cargaison.

Les Polynésiens sont d'admirables navigateurs. Leur patrie d'origine se trouverait en quelque point de l'Asie méridionale ; au cours des temps, ils ont essaimé à travers tout le Pacifique et jusqu'à l'île de Pâques.

L'étude du bateau ne pourra guère être entreprise que par un marin : il étudiera le bordage, la poupe, la proue. La quille est une invention récente, qui date à peine du VIIe ou du VIIIe siècle de notre ère. L'invention du gouvernail d'étambot est forcément récente puisqu'elle suppose l'existence de la quille. Ce sont les Normands qui ont fait cette évolution entre le IXe et le XIIe siècle de notre ère. L'invention du gouvernail d'étambot a changé tout l'art de la navigation.

L'étude de la décoration du bateau donnera toujours des résultats intéressants : le bateau est un être animé, le bateau voit, le bateau sent. Très souvent, il a un œil[1] ; parfois un cou ; souvent des dents, d'où le nom des drakkars (dragons) norvégiens : il mord. Les bateaux mélanésiens, polynésiens, papous, ont des dents.

---

1. Sur l'œil du bateau, HORNELL (J.), «Survivals of the Oculi in Modern Boats», *Journal of the Royal Anthropological Institute*, 1923, LIII, p. 289-321.

Le bateau est une machine mue par un moteur, à l'aide d'un mode de transmission déterminé. Le mode de transmission le plus simple sera celui que constituent la perche, les pagaies, la godille ou les avirons. Étudier le synchronisme des pagayeurs ou des rameurs, les chants de pagayeurs ; noter toutes les croyances, tous les rites concernant le pagayage. Il est curieux d'observer que les Indiens d'Amérique, qui vivent au contact des Eskimo, n'ont jamais appris de ceux-ci l'usage des avirons que les femmes eskimo manient sur leurs grands umiak.

La voile a été une grande invention. La voile triangulaire, d'abord dépourvue de mât, est connue dans tout le Pacifique ; alors que la jonque chinoise est pourvue d'une voile quadrangulaire, généralement en nattes. Noter tous les systèmes d'attaches, tous les nœuds, des voiles.

Comment s'oriente-t-on ? Repère par les étoiles. Les indigènes savent-ils faire le point ? Ont-ils des cartes ? etc.

La vie sur les bateaux, les *boat houses*.

BIBLIOGRAPHIE

ANKERMANN (B.), *Kulturkreise und Kulturschichten in Afrika*, Zeitschrift f. Ethnologie, Berlin, 1905 ; «L'état actuel de l'ethnographie de l'Afrique méridionale», *Anthropos*, 1906.
BOAS (F.), *The Kwakiutl of Vancouver Island*, Memoirs of the American Museum of Natural History, The Jesup North Pacific Expedition, vol. V, 2, 1909, p. 30-522 ; *The Central Eskimo*, US Bureau of Ethnology, 6th Annual Report, 1884-1885, p. 399-669.
BOGORAS (W.), *The Chukchee. Material Culture*, Jesup North Pacific Expedition, Memoirs of the American Museum of Natural History, Leyde, 1905.
British Museum. Handbook to the Ethnographical Collections, 2e éd., 1925.

Dixon (R. B.), *The Building of Cultures*, Londres, 1928.

Espinas (Alf.), *Les Origines de la technologie*, Paris, 1897.

Graebner (F.), *Methode der Ethnologie*, Heidelberg, 1911; *Gewirkte Taschen und Spiralwulsskörbe in der Südsee*, Berlin, 1907; *Kulturkreise und Kulturschichten in Ozeanien*, Zeitschrift f. Ethnologie, 1905.

Haddon (A. C.), *The Decorative Art of New Guinea*, Dublin, 1894; *Evolution in Art*, Londres, 1899; *Reports of the Cambridge Anthropological Expedition to the Torres Straits*, Cambridge, 1901-1902.

Harrison (H. S.), *Handbooks of the Horniman Museum* (From Stone to Steel; War and the Chase; The Evolution of the Domestic Arts. parties 1 et 2; Travel and Transport), 1923-1929. Londres.

Leroi-Gourhan (A.), *L'Homme et la Matière*, Paris, 1943; *Milieu et techniques*, Paris, 1945.

Lowie (R.), *Manuel d'anthropologie culturelle*, trad. de l'anglais, Paris, 1936.

Mason (O. T.), *Influence of environment upon Human Industries or Arts*, Report of the Smithsonian Institution, 1895, p. 639-665; *Technogeography or the Relation of the Earth to the Industries of Mankind*, Washington, 1894; *The Origins of Invention*, Washington, 1895.

Noire (L.), *Das Werkzeug und seine Bedeutung für die Entwicklangsgechichte der Menschheit*, Mayence, 1880.

Nordenskiold (E.), *Comparative Ethnographical Studies*, Göteborg, 1919; *An Ethnographical Analysis of the Material Culture of Two Indian Tribes in the Gran Chaco*, Göteborg, 1919.

Powell (J. W.), *Relation of Primitive Peoples to Environment*, Annual Report of the Smithsonian Institution, 1895, p. 625-647. Voir également tous les rapports de la Smithsonian Institution.

Ridgeway (W.), *The Origin and Influence of the Thoroughbred Horse*, Cambridge, 1905.

Roth (W. E.), *Arts and Crafts of the Guiana Indians*, Annual Report, Bureau of American Ethnology, nº 38, 1924.

Schurtz (H.), *Das afrikanische Gewerbe*, Leipzig, 1900; *Urgeschichte der Kultur*, Leipzig et Vienne, 1900.

Weule (K.), *Kulturelemente der Menschheit*. 15ᵉ éd. remaniée, Stuttgart, 1924; *Die Urgesellschaft und ihre Lebens-fürsorge*, Stuttgart, 1924.

WISSLER (C.), *The American Indian*, 3ᵉ éd. New York, 1938; *Material Culture of the Blackfoot Indians*, New York, 1910.

Voir également tous les manuels RORET.

5. Esthétique

Les phénomènes esthétiques forment une des plus grandes parties de l'activité humaine sociale et non simplement individuelle : une chose est belle, un acte est beau, un vers est beau, lorsqu'il est reconnu beau par la masse des gens de goût. C'est ce qu'on appelle la grammaire de l'art. Tous les phénomènes esthétiques sont à quelque degré des phénomènes sociaux.

Il est très difficile de distinguer les phénomènes esthétiques des phénomènes techniques, pour une raison précise : une technique est toujours une série d'actes traditionnels ; une série, c'est-à-dire un enchaînement organique destiné à produire un effet qui n'est pas seulement un effet *sui generis*, comme dans la religion, mais un effet physique. Or, très souvent, l'œuvre esthétique, elle aussi, consiste en un objet. La distinction entre les techniques et les arts, surtout lorsqu'il s'agit d'arts créateurs, n'est donc qu'une distinction de psychologie collective : dans un cas, l'objet a été fabriqué et est pensé par rapport à son but physique ; dans l'autre cas, il a été fabriqué et est pensé par rapport à la recherche de la sensation esthétique. L'étranger connaîtra la distinction en interrogeant d'abord l'acteur ou l'auteur. Il y a de la technique dans l'art et il y a une architecture technique ; mais l'objet esthétique se reconnaît à la présence d'une notion plus compliquée que la seule notion d'utilité.

Dès qu'apparaît la plastique, on voit surgir des notions d'équilibre, donc des notions de rythme ; et dès qu'apparaît la rythmique, l'art apparaît. Socialement et individuellement, l'homme est un animal rythmique.

La notion d'utilité caractérise la notion de technique ; la notion (relative) d'absence d'utilité caractérise la notion d'esthétique : le fait esthétique est toujours représenté dans la pensée des gens sous une forme de jeu, de surajouté, de luxe.

Où trouver de l'esthétique ? D'abord dans l'ensemble des techniques et tout particulièrement dans les techniques supérieures : le vêtement est un ornement plus encore qu'une protection, la maison est une création esthétique, le bateau est souvent très décoré. Dans toutes les populations qui nous intéressent, la décoration fait partie de la technique, à laquelle s'ajoutent en outre des éléments religieux, représentations et équilibres religieux... L'esthétique contribue à l'efficacité, aussi bien que les rites (le nombre des objets purement laïques serait assez restreint). Inversement, il y a toujours un élément d'art et un élément technique dans tout objet du culte.

L'un des meilleurs critères pour distinguer la part d'esthétique dans un objet, dans un acte, est la distinction aristotélicienne, la notion de *theoria* : l'objet esthétique est un objet qu'on peut contempler, il y a dans le fait esthétique un élément de contemplation, de satisfaction en dehors du besoin immédiat, une joie sensuelle mais désintéressée. On trouve dans toutes ces sociétés une faculté de désintéressement, de sensibilité pure, et même de sens de la nature.

L'esthétique peut être très développée : esthétique des jeux, esthétique de la danse, esthétique de l'activité elle-même. Une partie du rythme consiste dans la représentation de l'activité même. Étudier les phénomènes esthétiques, c'est étudier avant tout un côté de l'objet et d'une activité. On peut donc mesurer dans chaque objet l'activité esthétique, la part d'esthétique[1].

Nous avons défini le phénomène technique comme consistant en actes concourant à un but physiquement ou chimiquement déterminé. Nous définirons le phénomène esthétique par la présence de la notion de beau : il est impossible d'obtenir une définition non subjective du beau. Il faudra donc énumérer tous les jeux, toutes les activités créatrices d'un plaisir correspondant au beau, depuis une teinture jusqu'à une peinture.

Une autre formule permettra de définir le beau par la notion du plaisir et de la joie, de la joie pour la joie, recherchée parfois avec une intensité folle. Enthousiasme et catharsis : il y a chez les Zuñi d'Amérique centrale des fêtes qui finissent par des purges et des vomissements généraux.

Une autre définition encore est celle du rythme, tel que l'a étudié Wundt et avec lui toute la Völkerpsychologie[2]. Boas, dans son *Primitive Art*[3], rattache tout l'art au rythme : car là où il y a rythme, généralement il y a esthétique ; là où il y a des tons, des variations de touches et d'intensités, il y a généralement esthétique. La prose n'est belle que quand elle est à quelque degré rythmée et à quelque degré chantée. Différences de tons, de touches, de sensibilités, tout cela est du rythme, tout cela est de l'art.

Enfin, dans la plupart des sociétés qui relèvent de l'ethnographie existe un phénomène important, qui

---

1. *Cf.* FECHNER (G. T.), *Elemente der Psychophysik*, Leipzig, 1889.
2. WUNDT (W.), *Elemente der Völkerpsychologie*, Leipzig, 1912.
3. BOAS (F.), *Primitive Art*, Oslo, 1927.

est le mélange des arts. La plupart des arts sont conçus en même temps par des hommes qui sont des hommes totaux : une décoration est toujours faite par rapport à la chose décorée.

L'importance du phénomène esthétique dans toutes les sociétés qui nous ont précédés est considérable. Nos sociétés sont en régression forte sur les civilisations précédentes à ce point de vue. Une belle observation est celle de Robertson Smith sur le caractère triste des religions post-japhéïques et sur la joie du paganisme[1].

Une deuxième forme d'étude de l'esthétique consistera à étudier avec précision dans la société observée la répartition de cette notion du beau, qui ne se trouve pas dans toutes les classes de la société de la même façon, mais s'applique à des objets différents.

L'esthétique comporte toujours une notion de plaisir sensoriel. Il n'y a pas de beau sans plaisir sensoriel : un grand *corroboree* australien s'appelle « celui qui dénoue le ventre ». Il faudra donc observer dans tout phénomène esthétique le problème du mélange des arts : dans un *corroboree*, il y a tout, y compris la peinture, peinture des gens, peinture des choses.

Ceci posé, il conviendra d'étudier chaque art, chaque système d'art, chaque mélange d'arts, à tous les points de vue possibles et d'abord au point de vue psychophysiologique, au point de vue de la sensation des couleurs[2]. On observera ensuite les contrastes, les harmoniques et les disharmoniques, les rythmes et les rapports entre les différents rythmes, les représentations et les rapports entre rythmes et représentations ; étude difficile, mais intéressante pour les arts gra-

1. ROBERTSON SMITH (W.), *Lectures on the Religion of the Semites*, Londres, 2e éd., 1894.
2. Voir le numéro du *Journal de psychologie* consacré à la psychologie de l'art (janvier-mars 1926).

phiques ; beaucoup plus compliquée en ce qui concerne les arts sonores.

Il faudra analyser dans la société les finesses de sensation : certains individus sont très fins, d'autres demeurent très bruts. Étudier ensuite toutes les émotions : émotion de l'auteur, de l'acteur, de l'auditeur, du spectateur. Et aussi le mélange du tout avec les principes généraux de la psycho-physiologie.

Étudier les facultés créatrices, les mystères de l'intuition et de la création *ex nihilo*. Comment un chant a-t-il été trouvé ? On sait généralement à qui il a été révélé, où, dans quelles conditions, s'il y a eu modification d'un vieux vers ou d'une vieille chanson.

Noter aussi tout le côté sociologique des phénomènes esthétiques, le rôle des fêtes dans la vie publique. C'est la notion de foire, de joie, de jeux. Tout cela coexiste dans le phénomène esthétique, dans un mélange souvent inextricable. Importance religieuse des phénomènes esthétiques, connexes des phénomènes religieux. À partir de cela, théorie des représentations collectives de l'art.

On rencontrera ici la grande théorie, à laquelle je me rattache expressément, la doctrine de Preuss sur les origines communes de la religion et de l'art : origine religieuse de l'art, origine artistique de la religion[1].

Ainsi définis et délimités les phénomènes esthétiques, on étudiera enfin leur aspect ethnographique, c'est-à-dire l'histoire de la civilisation artistique. Une grande part de notre histoire de la civilisation est faite de l'histoire de l'art, simplement parce que celle-ci surtout nous intéresse.

La cartographie des arts plastiques se présente comme une nécessité absolue : partie de la typographie, elle n'est pas suffisamment étudiée. Or, la forme

---

1. PREUSS (K. Th.), *Religionen der Naturvölker*, Leipzig, 1904 ; *Der Ursprung der Religion und Kunst*, n° 22, 23, 24 de *Globus* ; *Der Unterbau des Dramas*, Leipzig, 1927.

de certains objets caractérise une société : ainsi le pot à bec, inventé par les Celtes. C'est l'ensemble des contacts typologiques qui permet de tracer des ensembles de civilisations, ou des couches successives et des filiations de civilisations. Mais il faut chercher en même temps ce qui singularise une époque ou une société : étude d'éléments communs, étude d'éléments divergents ou singuliers doivent aller de pair. La figure de l'art d'une société doit être dressée dans son entier, avec ses caractères propres : il faut faire un portrait individuel.

Ceci posé, on étudiera chaque phénomène esthétique et d'abord les objets. L'étude de l'esthétique consistera pour une grande part dans la simple collection d'objets. On recueillera tout, *y compris* ce qui est facile à recueillir et tout particulièrement les bijoux. Les bijoux, même très primitifs, sont de l'art, une parure est de l'art. On étudiera de même toutes les choses d'apparat : broderies, décorations de plumes, etc. Un grand nombre d'arts sont des arts d'apparat, où l'effet des richesses, de valeur, est particulièrement recherché. Il y a des joies dans les matières et il y a des joies dans l'utilisation de ces matières : le jade est une des plus belles matières qui soient. Un vêtement est presque toujours un vêtement d'apparat. L'impression de luxe joue un grand rôle dans la notion d'art.

Puis viendront la sculpture et la peinture. La sculpture comprend tout autre chose que ce que nous entendons par là : nous avons une définition de la ronde-bosse qui assimile celle-ci à une statue ; mais un pieu décoré, une pipe décorée, c'est de la ronde-bosse.

D'autre part, ce n'est pas la matière seule qui fait l'objet d'art, ce n'est pas parce qu'un objet est en marbre qu'il est un objet d'art.

Il faudra étudier tout ce que l'on pourra sur place : à défaut de l'objet lui-même, envoyer une photo ou un estampage, redessiné d'après la photo, par exemple pour les peintures corporelles.

Il faudra prendre tous les objets usuels, un par un, et demander à l'informateur s'ils sont beaux. Le sifflet est un objet d'art dans toute l'Amérique.

Presque toujours, l'objet d'art cache une signification, une forme donnée offre un symbole. Il appartiendra à l'enquêteur de trouver la signification exacte de ce symbole. Nous étudions le symbolisme à partir de la notion de symbole pur du type mathématique; mais ce qui caractérise le symbole est le moyen de penser une forme de chose en une autre chose. Il s'agit de penser la chose que signifie l'objet d'art; il y a ici tout un langage qu'il s'agit de déchiffrer.

Enfin, beaucoup d'objets d'art présentent une valeur religieuse : pourquoi? et une valeur économique : pourquoi?

On étudiera soigneusement toutes les circonstances qui entourent chaque objet, chaque événement artistique : où, qui, quand, comme quoi, pour qui, pour quoi. Un objet d'art, par définition, est un objet reconnu comme tel par un groupe. Il faudra donc analyser les sensations de l'individu qui use de cet objet.

Dans cette enquête plus encore que dans toute autre, l'observateur européen se méfiera de ses impressions personnelles. Le total de la forme doit être analysé par l'indigène avec son sens visuel.

Après l'analyse du tout, on passera à l'analyse, toujours par l'indigène, de chaque motif, de chaque système de motifs.

Et une fois étudié le détail des différents sujets dont l'objet est composé, on passera à l'étude du type, c'est-à-dire de l'ensemble de l'objet. Un objet esthétique est toujours un ensemble : il a donc une forme générale, il a un type. Et lorsque plusieurs objets offrent le même type, on peut dire que le type est un type généralisé plus ou moins dans telle industrie de telle société. Nous entrons ici dans la typologie, à partir de laquelle on pourra étudier les rapports entre les arts et les sociétés.

Tous les phénomènes esthétiques se divisent en deux groupes, phénomènes artistiques purs et jeux : tous les phénomènes esthétiques sont des phénomènes de jeux, mais tous les jeux ne sont pas nécessairement des phénomènes esthétiques. Dans le phénomène artistique, à la notion de divertissement, de plaisir relativement désintéressé, s'ajoute la sensation du beau. Nous pouvons encore assez bien distinguer les arts des jeux par le caractère sérieux des premiers. Activité agréable du jeu, activité sérieuse de l'art. Les jeux font partie de l'esthétique, ils sont un moyen de créer une joie désintéressée, ce sont des actes traditionnels, généralement faits en collectivité.

La division des arts proposée par Wundt distingue entre arts plastiques, qui comprennent la musique et la danse, et arts idéaux, où chez l'auteur et chez les spectateurs, une idée préside. Mais je ne vois ici que l'expression de notre pédanterie actuelle en matière d'art. Les Japonais ne voient aucune différence entre une peinture et un maquillage.

Les jeux[1]

Les jeux sont des activités traditionnelles ayant pour but un plaisir sensoriel, à quelque degré esthé-

---

1. *Cf.* notamment : GROSS (K.), *Die Spiele der Menschen*, Iéna, 1899 ; *Les Jeux des animaux*, Paris, 1902. HIRN (Y.), *Les Jeux d'enfants*, trad. du suédois, Paris, 1926. BETT (Henry), *The Games of Children*, Londres, 1929. ROTH (W. E.), *Games, Sports and Amusements*, North Queensland Ethnography Bulletin, n° 4, 1902. KAUDERN (W.), *Ethnographical Studies in Celebes*, vol. 4, *Games and Dances in Celebes*, Göteborg, 1939. HERVEY (F. A.), *Malay Games*, J. A. I. 1903, p. 285-304. BEST (E.), *Games and Pastimes of the Maori*, Dominion Museum, bulletin n° 8, Wellington, 1925. WEULLE, *Afrikanisches Kinderspielzeug*, Ethnologisches Notizblatt (Berlin), t. II, 1899. GRIAULE (M.), *Jeux et divertissements abyssins*, Paris, 1932 ;

tique. Les jeux sont souvent à l'origine des métiers et de nombreuses activités élevées, rituelles ou naturelles, essayées d'abord dans l'activité de surplus que constituent les jeux.

Ils se répartissent entre les âges, les sexes, les générations, les temps, les espaces.

Une enquête sur les jeux commencera par une étude psychophysiologique de l'activité du jeu : action du jeu, fatigue, détente du jeu, plaisir du jeu. Rapports entre le corps et l'esprit dans le jeu, il faudra étudier tout ce qui, ici, ressortit à la psychophysiologie, et aussi à la psychosociologie : les gens avec qui je joue sont-ils ou non de ma famille ? Dans les jeux d'adresse interviennent encore toutes les techniques du corps.

Culin divise les jeux en rituels et non rituels, jeux de hasard et jeux qui ne ressortissent pas au hasard, jeux d'adresse corporelle et jeux d'adresse manuelle. Il manque à cette classification la notion de l'agonistique, la notion des questions posées au jeu, qui me paraît de première importance : les jeux sont agonistiques ou non, ils opposent ou non deux camps ou deux individus.

Ces distinctions se recouperont, jeux rituels et non rituels, jeux manuels et jeux oraux ; un jeu manuel, un jeu oral, pouvant être rituels ou non. Les jeux se distingueront encore en publics ou privés, ces derniers comportant d'ailleurs toujours un minimum de publicité.

Les jeux manuels se diviseront très bien en jeux d'adresse, jeux de hasard ou non, jeux divinatoires ou non ; et en jeux de chance proprement dits, qui sont presque toujours des jeux d'adresse.

Jeux dogons, Paris, 1938. Culin (S.), *Games of the North American Indians*, Bureau of Amer. Ethnology, Report 24 (1902-1903), 1907. Stevenson (M. C.), *Zuñi Games*, American Anthropologist, new ser., V, 1903, p. 468-498. Nordenskiold (E.), *Spiele und Spielsachen im Gran Chaco und in Nord Amerika*, Zeit. f. Ethnologie, Berlin, t. XLII, 1910, p. 806-822. Piganiol (A.), *Recherches sur les jeux romains*, Strasbourg, 1923.

Une autre classification distinguera les jeux suivant les joueurs : sexe, âge, profession, classes sociales. Tel jeu se joue encore en telle saison, à tel endroit ; beaucoup de jeux sont des jeux nocturnes. Les jeux ont souvent lieu sur la place publique, emplacement sacré. Certains mettent en branle la totalité de la population.

Pour chaque jeu, on étudiera le mélange de l'art et du jeu, de la religion et du jeu, du drame et du jeu, du manuel et de l'oral.

Une autre division recoupe les précédentes : beaucoup de jeux sont des imitations d'activités utiles ; mais dans cette notion de la mimique il faut encore distinguer ce qui est mimique véritable, orale ou manuelle.

Certains jeux très simples ont pour seul but la détente du rire, un effet de surprise ; d'autres peuvent être beaucoup plus compliqués, tels les jeux dramatiques. Un drame est toujours une mimique, qui peut aller très loin. Je classerai ici les animaux vivants traités comme jouets sous l'effet de la cruauté de l'enfant. D'autres jeux encore se dirigent vers les sommets de l'intelligence : jeux de calcul, bâtons, osselets. Des formes primitives de l'échiquier ont été constatées en Amérique du Nord-Ouest par Tylor, les jonchets sont un grand jeu de l'Amérique. Dans tout ceci interviennent des questions de divination et même de cosmologie ; à côté de jeux d'adresse pure et simple, telles la mora ou les devinettes.

On peut encore classer les jeux par leurs conséquences, par l'élément divinatoire et de réussite qu'ils comportent. Très souvent le jeu permet de déterminer la chance ; l'adresse même est une affaire de chance. La toupie est un jeu religieux en Amérique.

Enfin, le jeu individuel peut être très sérieux, comme on le constate chez les Canaques ou chez les Papous, où le futur combattant au tambour se répète à lui-même son jeu pendant toute une saison.

Jeux manuels

Les jeux manuels comportent un maximum d'efforts du corps, un maximum d'objets à traiter manuellement. Ils s'accompagnent très généralement de jeux oraux. On ne séparera pas les jeux matériels des jeux manuels : le maximum de jouets est représenté par l'Asie du Nord et l'Asie d'extrême Est.

Le jeu le plus répandu, attesté partout, est le *cat's cradle*, ou jeu de ficelles. C'est un des jeux les plus difficiles à décrire. L'enquêteur devra apprendre à faire chaque figure, afin d'en pouvoir reproduire les mouvements par la suite. On se servira de mots et de dessins, le cinéma brouille les figures. Pour le dessin, on marquera chaque position du fil à chaque moment, ainsi que le sens dans lequel le fil va être mû pour passer d'une position à la suivante. La description littéraire se fera à l'aide d'un vocabulaire précis : tout ce qui se passe sur le dos de la main sera dit dorsal, tout ce qui se passe sur la paume sera dit palmaire ; chaque doigt a donc une face palmaire et une face dorsale ; le mouvement qui va vers le petit doigt est appelé radial, celui qui vient vers le pouce est dit lunaire ; enfin, les positions de la ficelle par rapport aux doigts peuvent être proximales, c'est-à-dire près de la paume ou distales, c'est-à-dire près de l'extrémité du doigt[1]. Cette nomenclature peut s'appliquer aussi bien à toutes les études de vannerie, de corderie et de sparterie.

Les jeux matériels se distinguent en jeux permanents et jeux non permanents, en jeux d'enfants et jeux d'adultes.

Dans les jeux permanents entrent d'abord les pou-

---

1. HANDY (W. Ch.), *String Figures from the Marquesas and Society Islands*, Bernice P. Bishop Museum, bulletin 18, 1925. DICKEY (L. A.), *String Figures from Hawaï*, *ibid.*, bulletin 54, 1928. VICTOR (P. E.), *Jeux d'enfants et d'adultes chez les Eskimo d'Angmagssalik. Les jeux de ficelle* (*cat's cradle*), Copenhague, 1940. Sur les jeux de ficelle, voir également FURNESS-JAYNE (C.).

pées ; puis tout le matériel des jeux musicaux : claquettes, crécelles, etc. ; les jeux avec les armes, les jeux à la batte ; tous les jeux de diable, tous les diabolos ; les jeux de balles, généraux dans toute l'Amérique ; puis les jeux de cailloux, la marelle (les enfants de Paris qui jouent à la marelle «montent au ciel»).

Les jeux de balles, pratiqués par les adultes, sont généralement rituels : jeux d'adresse, jeux de force, souvent collectifs ; ils correspondent à une expression sociale du prestige en désignant le camp qui remportera la victoire ; il s'agit de gagner, d'être le plus fort, le champion. Un élément de divination se mêle à tout ceci : la partie gagnante a les dieux de son côté, les dieux ont joué avec elle, comme en guerre ils ont combattu avec elle. Dans un jeu de balle, on notera l'emplacement, les termes de la bataille[1]. La plupart des grands temples de l'Amérique centrale sont des sanctuaires de jeux de balle, la plupart des grands rituels correspondent à des parties de jeux de balle.

Les jeux d'adresse du type mât de cocagne ou cerf-volant offrent également un caractère rituel[2]. L'histoire de la famille royale du Siam est liée à l'histoire du cerf-volant. Joutes et courses de cerf-volants caractérisent tout le Pacifique et l'océan Indien. Le bilboquet existait à l'époque magdalénienne ; on le trouve aujourd'hui chez les Eskimo. Jeu du disque qu'il s'agit de transpercer pendant qu'il roule, et qui symbolise le disque solaire.

Dans les jeux manuels rentrent encore les jeux athlé-

---

1. Sur la valeur rituelle du jeu de balle, *cf.* BLOM (Fr.), *The Maya Ballgame Pokta-pok (called Tlachtli by the Aztec)*, The Tulane University of Louisiana, New Orleans, Middle American Papers, p. 485-530. KARSTEN (R.), *Ceremonial Games of the South American Indians*, Helsingfors, Leipzig (s.d.).

2. *Cf.* LARSEN (H.), «The Mexican Indian Flying Pole Dance». *The National Georgraphical Magazine*, LXXI, 3, mars 1937, p. 387-400.

tiques, individuels et collectifs, comme le *tug of war*, le jeu de *hoop and whoop*.

Le polo nous vient de Perse et dérive du jeu d'échecs ; alors que le water-polo serait une invention malaise.

Jeux oraux

Je serai très bref sur les jeux oraux, que nous retrouverons en parlant de la littérature.

Dans les jeux oraux entrent toutes les devinettes, les énigmes, les rimes, tous les jeux de mots, y compris les plaisanteries scatologiques et les combats d'obscénité. Tout ceci est à l'origine de la littérature ; des chants, c'est-à-dire de la littérature, accompagnent presque tous les jeux de danse.

L'existence d'une catégorie « jeux de hasard » n'est guère valable que pour nos civilisations : nous avons inventé de nouvelles catégories de l'esprit. Partout ailleurs, le jeu de hasard est un jeu de hasard *et* un jeu d'adresse : osselets, dés, jeu du mancala, dans toute l'Afrique[1].

Les arts[2]

Les arts se distinguent des jeux par la recherche exclusive du beau qu'ils impliquent. Toutefois, la dis-

---

1. *Cf.* CULIN (S.), *Mancalah, the National Game of Africa*, Rep. US National Museum, 1893, Philadelphie, 1894.
2. GROSSE (E.), *Die Anfänge der Kunst*, Fribourg et Leipzig, 1894. HADDON (A.), *Evolution in Art*, Londres 1895. HIRN (Y.), *The Origins of Art*, Londres, 1900. BOAS (F.), *Primitive Art*, Oslo, 1927. SYDOW (E. VON), *Die Kunst der Naturvölker und der Vorzeit*, Berlin, 1923. LUQUET (G. H.), *L'Art et la religion des hommes fossiles*, Paris, 1926 ; *L'Art primitif*, Paris, 1930 ; *Le Dessin enfantin*, Paris, 1927. Les travaux des congrès internationaux d'art populaire (Prague, 1928) et d'esthétique (Paris, 1937) : *cf. Institut international de coopération intellectuelle. Art populaire...*, Paris (1931), et

tinction entre jeux et arts proprement dits ne doit pas être tenue pour absolument rigide.

Pour étudier les arts, nous procéderons comme nous l'avons fait pour les techniques, à partir du corps. Tous les arts peuvent se diviser en plastiques ou musicaux. Les premiers se définissent par l'usage du corps ou d'un objet temporaire ou permanent ; ils comprennent par conséquent tous les arts du corps : ornementique, parure, y compris la peinture et la sculpture, car on sculpte son corps en le déformant, en le tatouant. Un bijou est destiné à être porté, l'ornementique est beaucoup plus développée dans ces sociétés que chez nous. Après la décoration des objets usuels, vient la décoration pour la décoration, l'art idéal, mais qui n'est qu'une toute petite partie de l'art. Dans les arts musicaux entrent la poésie, le drame, tels que les concevait Platon.

Une division qui me paraît plus logique procéderait autrement : je partirais de l'un des arts musicaux, qui est la danse. La danse est toute proche des jeux, la progression serait insensible ; et la danse est à l'origine de tous les arts. Certains peuples — Fuégiens, Australiens — ne connaissent que très peu d'arts, mais tout leur effort artistique s'épanouit dans la danse. Les Australiens ont une vie artistique importante, ils ont des opéras, les *corroboree*, qui comprennent acteurs, décors, poésie, drame... Nous avons beaucoup trop tendance à croire que nos divisions sont des fatalités de l'esprit humain ; les catégories de l'esprit

————————
2e *Congrès international d'esthétique et de science de l'art*, 2 vol., Paris, 1937. *Cf.* les ouvrages de LALO (C.) : *L'Esthétique expérimentale contemporaine* (1908), *Les Sentiments esthétiques* (1910), *Introduction à l'esthétique* (1912), *Notions d'esthétique* (1925), etc. *Cf.* aussi le n° du *Journal de psychologie* consacré à la psychologie de l'art (janvier-mars 1926), ainsi que DELACROIX (H.), *Psychologie de l'art*, Paris, 1927. RIBOT (Th.), *Essai sur l'imagination créatrice*, Paris, 1900. Voir aussi les ouvrages sur la théorie de la « forme » de KOEHLER (W.), GUILLAUME (P.), etc.

humain changeront encore et ce qui semble bien établi dans les esprits sera un jour complètement abandonné.

Arts plastiques

Je commencerai par les arts plastiques, qui offrent le mérite pour nous de venir immédiatement après les techniques : toutes les techniques ne sont pas des arts, mais les arts plastiques sont des techniques. La distinction dans le travail de l'ouvrier est faible, difficile à trouver ; c'est une distinction de point de vue, que l'indigène expliquera. Nous tiendrons donc tous les arts plastiques pour des techniques plus esthétiques que les seules techniques. Tout art est rythmique, mais il n'y a pas que rythmes dans l'art.

La plasticité d'un art se définit par la réalisation d'un objet, temporaire ou permanent. Un grand mound, un grand tumulus, est une œuvre d'art, les tatouages des Marquisiens sont des œuvres d'art. Ailleurs, on se peint le visage ou le corps pour une cérémonie déterminée ; les ornements en plumes du Mato Grosso sont faits pour deux ou trois jours seulement.

On commencera donc l'étude des arts plastiques par la collecte de tous les objets d'art, y compris les plus humbles : poupées de papier, lanternes en vessies, etc. Un arbre peut être sculpté sur tous ses côtés ; en ce cas, l'ouvrier a eu le sens des volumes et des rapports ; un manche de fourchette pour cannibales est de la sculpture ; un beau modèle de sifflet américain est de la sculpture.

On se servira, pour l'étude des arts plastiques, d'une division établie, comme pour les techniques, à partir du corps. Le premier art plastique est celui de l'individu qui travaille sur son corps : danse, marche, rythmique des gestes, etc.

Comme les techniques, les arts plastiques se divisent

en arts plastiques généraux et en arts plastiques spéciaux.

Les techniques générales de l'art plastique comprennent d'abord la teinture avec sa forme dérivée, la peinture. Teinture et peinture entraînent le dessin, qui permet la répartition des tons sur les différentes parties du champ à décorer. Un dessin purement graphique a rarement pour but de donner un effet esthétique ; il peut néanmoins y parvenir, grâce à la division du papier, par exemple. N'oublions pas non plus la rythmique du dessin, qui est une rythmique de taches. On étudiera tous les matériaux de teinture, de peinture et de dessin : craie, charbon, ocre... Prendre un échantillon de la matière première à ses différents moments d'utilisation. Quels sont les mélanges de couleurs réalisés, à l'aide de quels composants ? Répéter le même travail sur les vernis et les gommes, en notant le nom indigène. Comment la peinture est-elle fixée ? Débuts de la plume, du crayon, du pinceau.

Les arts plastiques spéciaux se divisent suivant les choses à créer ou à décorer, exactement comme les industries. Ils constituent un ensemble de techniques concourant à la création d'un objet déterminé, pour des besoins déterminés. Ici intervient enfin la notion de besoin, de besoin esthétique en particulier.

Le point de départ, c'est la décoration corporelle. Le premier objet décoré c'est le corps humain, et plus spécialement le corps masculin. L'ornementique directe du corps peut s'appeler la *cosmétique*. L'homme a toujours cherché à se surajouter quelque chose de beau en société, à se l'incorporer. Nous réserverons le nom d'ornementique indirecte ou *parure* aux objets mobiles. Viennent ensuite l'ornementique des objets usuels, mobiliers et immobiliers ; enfin, l'ornementique pure, ou arts idéaux : sculpture, architecture, peinture, gravure.

Cosmétique[1]

Elle comprend la beauté surajoutée au corps et peut consister en ce qui à des étrangers paraît une défiguration.

Pour tout ce qui est œuvre d'art sur le corps, on prendra une photo et un dessin, de préférence coté. Dans les sociétés qui pratiquent les déformations crâniennes, comme chez les Mangbetou du Congo belge, rapporter des crânes déformés.

L'observateur distinguera entre les cosmétiques publiques et privées, permanentes et temporaires, entre les décorations totales ou partielles du corps; ces divisions ne se recoupant pas nécessairement.

On procédera d'une part par inventaire, en observant toutes les règles qui permettent l'établissement d'un bon inventaire : où, qui, quand, comme quoi, sur qui, pour qui, pour quoi, comment. Noter l'esthétique de chaque objet : les indigènes le trouvent beau, pourquoi? D'autre part, on s'efforcera de relever le symbole de chaque décoration.

Toutes les décorations de danse sont à étudier une par une : décoration directe du corps et ornements surajoutés, tels que les masques.

Pour les décorations temporaires, on recueillera tous les matériaux : huiles, urine, savon, crachats, sang qui sert à coller ou à décorer; en étudiant chaque

---

1. BEST (E.), *The Moari as He Was*, New Zealand Board of Science and Art Manual, n° 14, Wellington, n° 2, 1924. COLE (F. C.), *The Wild Tribes of the Davas District*, Field Museum of Natural History, Anthropological Series, v. XII, n° 2, Chicago, 1913. RANDY (E. S. C.), *The Native Culture of the Marquesas*, Bulletin of the Bishop Museum, n° 9, Honolulu, 1923. HOFMAYR (W.), « Die Shilluk », *Anthropos*, Bibliothek Internationale Sammlung ethnologischer Monographien, II, 5, 1925. KROEBER (A. L.), *Handbook of the Indians of California*, Bureau of American Ethnology, bulletin n° 78, Washington, 1925. SCHEBESTA (P.), *Bambuti* : *die Zwerge vom Kongo*, Leipzig, 1932. THOMAS (N. W), *Natives of Australia*, Londres, 1906.

effet partiel et l'ensemble. Les tatouages, les peintures corporelles peuvent indiquer le clan, la famille, l'individu ; parfois aussi, elles indiquent un moment grave : cérémonie dramatique, funéraire, initiation, guerre. Qui a le droit de porter telle décoration, tel blason ?

En ce qui concerne les décorations permanentes, nous trouvons d'abord les cicatrices et les déformations. Le tatouage est un signe, un symbole, en particulier de grade ou de naissance et même de nationalité. Les populations qui déforment l'oreille le font pour marquer chaque membre du groupe d'un signe uniforme.

Les mêmes questions se reposeront ici que pour les décorations temporaires. De plus, on étudiera toujours le symbole et la valeur religieuse, initiatoire, juridique, de la marque : il y a droit et obligation au tatouage et à la cicatrice, nul ne peut s'y soustraire impunément. Étudier chaque déformation individuellement, en distinguant par sexe, âge, clan. Indiquer le degré de profondeur de la déformation : elle atteint l'épiderme, le derme (estampage, moulage). Étudier les déformations qui intéressent les os : déformation des doigts, ablation du petit doigt, des orteils. Déformation du crâne, fréquente ; de l'oreille... Épatement du nez, affinement du nez. Prendre des photos de crânes, des moulages, rechercher les crânes anciens. Très souvent les populations qui pratiquent la déformation crânienne sont des populations à berceaux.

La recherche de la graisse chez les femmes (stéatopygie) caractérise tout le monde turc et une partie du monde noir.

Amputation du sein, par exemple chez les Amazones.

Déformation portant sur le système pileux : la croissance du cheveu, des poils du pubis peut être mise en rapport avec la végétation. Le type de coiffure est déterminé par la mode et aussi par le rang, le clan, la famille, l'âge, la position sociale de l'individu.

Comment se rase-t-on la tête ? Comment fixe-t-on les cheveux ? Mélange du chapeau et de la chevelure, tressage avec des perles[1]. Enfin, étude de l'épilation.

Les ouvertures du corps sont des points dangereux, qu'il faut protéger : déformations des yeux, des cils et des sourcils ; colorations de l'œil, temporaires ou permanentes : le mauvais œil. Déformations de la bouche, le labret avec comme maximum le plateau. Trous percés dans la langue, par exemple chez les grands prêtres maya du Mexique ancien. L'ablation des incisives en Australie est parfois liée à un culte de l'eau : il ne faut pas mordre l'eau ; parfois aussi à un culte de la parole : la dent arrachée est pilée, puis envoyée à la future belle-mère, qui doit l'avaler ; à partir de ce moment, gendre et belle-mère ne peuvent plus s'adresser la parole.

Déformations de l'oreille : décollement ou rapprochement, extension du lobe, percement du lobe.

Déformations du nez : perforation de la cloison nasale, permanente ou non.

Déformation des organes sexuels : la cicatrice doit rendre l'organe beau et propre ; c'est aussi une marque tribale : infibulation, couture, subincision, incapsulation pour les organes mâles. La circoncision est un tatouage, c'est avant tout une opération esthétique. Pour les femmes, couture des lèvres, excision du clitoris, élongation du clitoris, élongation de la fente…

Déformation du scrotum, de l'anus.

L'ensemble des cicatrisations, des déformations, mérite le nom de *tatouages*[2]. Les tatouages sont des

---

1. *Cf.* Torday (E.) et Joyce (T. A.), *Notes ethnographiques sur les peuples communément appelés Bakuba*, Annales du musée du Congo, série III, II, I, Bruxelles, 1911.
2. Hambly (W. D.), *The History of Tattooing and its Significance*, Londres, 1925 ; *Tattooing in the Marquesas*, Bernice P. Bishop Museum, bulletin I, 1922. Kraemer (D. H.), *Die Ornamentik der Kleidmatter und der Tatauierung auf der Marshallinseln*, Archiv für Anthropologie, 1904, II, p. 1-28. Lévi-Strauss (C.), « Le dédou-

déformations permanentes, puisqu'ils obligent à des piqûres généralement indélébiles. Le tatouage marquisan est obtenu à l'aide d'une peinture indélébile introduite sous la peau par une aiguille. Les tatouages polynésiens réunissent des champs par des traits suffisamment larges. En Afrique, le tatouage vise simplement à la production de bourrelets disposés suivant un dessin préalable. Le tatouage subsiste dans nos sociétés, à l'usage autrefois de la troupe, aujourd'hui de jeunes gens isolés : marins, coloniaux et aussi dans les couches criminelles de la population. On distinguera entre tatouage général et tatouages spéciaux, toujours emplacés avec précision ; chaque point essentiel du corps est censé posséder des yeux, avoir vue sur le monde extérieur. Une grande partie des tatouages est faite sur des endroits où on voit battre le sang : aux chevilles, au cou, aux poignets. Un beau Maori est un tableau vivant d'un art consommé et traditionnel. Noter le dessin en détail, noter le symbolisme de chaque dessin et l'effet poursuivi. Toutes ces formes primitives de l'écriture doivent être étudiées individuellement. Si le symbole est connu et compris, c'est déjà de l'écriture.

Parure

Nous passons de la cosmétique à l'ornementique du corps, à l'addition d'ornements au corps.

---

blement de la représentation dans les arts de l'Asie et de l'Amérique », *Renaissance*, vol. II et III, 1944-1945, p. 169-186. LING ROTH (H.), « Tatu in the Society Islands », *Journal of the Anthrop. Institute*, 1905, XXXV, p. 283-295. MEYRAC (Dr A.), *Du tatouage*, Lyon, 1900. PALES (Dr L.), « Le problème des chéloïdes et le point de vue colonial », *Médecine tropicale*, II, 1942, p. 183-296. STEINEN (K. VON DEN), *Die Marquesaner und ihre Kunst*, Berlin, 1905, 3 vol. (le premier consacré entièrement aux tatouages). TEIT (James A.), *Tattooing and Face and Body Painting of the Thompson Indians of British Columbia*, 45th Rep. of the Bureau of Amer. Ethnology, Washington, 1930.

La notion de parure correspond à une recherche de la beauté artificielle, si l'on peut dire, constante et pleine de symboles. Le langage des fleurs en Polynésie et en Mélanésie est très complet.

Une partie du temps est passé dans la recherche de la parure, telle la cérémonie du tressage de la chevelure chez les Marind Anim, Papous de l'embouchure de la Fly, en Nouvelle-Guinée hollandaise.

La position de la femme en matière de parure a beaucoup évolué : la femme australienne est peu parée, l'homme très paré. Histoire de la parure de la femme chinoise, à la ville, à la cour, à la campagne.

Le vêtement est avant tout une parure plus qu'une protection. Les absences de vêtements doivent être notées au même titre. Le vêtement variera considérablement suivant l'âge, le sexe, les cérémonies. Procéder toujours par inventaire, en ne négligeant aucun détail. Quel est l'effet recherché par le port du vêtement ? Celui-ci est généralement un signe de richesse, il a une valeur, souvent monétaire ; le Nord-Ouest américain compte en couvertures, dont la totalité s'enferme dans des caisses, propriété du clan et de l'individu dont elles constituent la série d'insignes. Très souvent, les gens portent sur eux tout ce qu'ils peuvent : pourquoi les Haoussa de la Nigeria sont-ils aussi couverts ?

Il faudra encore distinguer entre la possession et l'exposition ; tous les vêtements, tous les bijoux, portés, n'appartiennent pas nécessairement à celui qui les arbore ; notion des paraphernaux, de la dot supplémentaire, toujours propriété individuelle.

La parure devra être étudiée dans son ensemble et dans chaque détail pris isolément. Aux vêtements s'ajoutent normalement la teinture, la broderie, les dessins ; n'oublions pas que les tissus en gaze, connus de temps immémorial en Asie, n'ont été introduits en Europe qu'après les croisades : «gaze» vient de Ghaza.

La parure se place généralement aux points critiques du corps, sur les ouvertures du corps : insertion de labrets dans les lèvres, d'anneaux dans le lobe de l'oreille, dans la cloison nasale ; tous les nœuds portés aux articulations, tous les bracelets, tous les colliers (dont certains doivent amener une déformation du cou). Histoire de la décoration de la tête. Le chapeau est une protection ou une décoration. Bijoux sonores : sonnailles, clochettes.

On peut aussi classer les bijoux selon leur matière : *ars plumaria* en Amérique du Sud, bijoux en os, en ivoire, anneaux en dents de sanglier dans l'Indochine et en Polynésie. Bijoux en coquillages, en dents. Enfin toute l'orfèvrerie imite souvent en métal des bijoux en os, en coquille, en ivoire, etc.

Enfin, le *masque*[1] n'est qu'un immense ornement dont le port s'accompagne d'un déguisement complet ; l'individu masqué est un autre que lui-même. Nous pouvons constater tous les progrès du masque depuis des formes très élémentaires en Australie, où la veuve accumule du plâtre sur sa tête dans des proportions considérables, son deuil absolu ne prenant fin qu'avec la chute des cheveux et de ce masque fixe. Le masque daterait du solutréen. Il s'est beaucoup développé, en particulier au Tibet, d'où il a rayonné

---

1. Voir notamment : SCHNEIDER-LENGYEL (I.), *Die Welt der Mask*, Munich [c. 1934]. LEWIS (A. B.), *New Guinea Masks*, Chicago Field Museum of Natural History, 1922. NEVERMANN (H.), *Masken und Geheimbünde in Melamesien*, Berlin [c. 1933]. WIRZ (P.), *Beiträge zur Ethnographie des Papua-Golfes, British Neuguinea*, Leipzig, 1934 ; *Die Marind-anim von Holländisch-Süd-Neu-Guinea*, t. II, Hambourg, 1925. RECHE (O.), *Der Kaiserin-August-Fluss*, Hambourg, 1913. LEENHARDT (M.), *Le Masque calédonien*, bulletin du musée d'Ethnographie, Paris, nº 6, juillet 1933. FILCHNER (W.), *Kumbum Dschamba Ling*, Leipzig, 1933 [masques tibétains]. FEWKES (J. W.), *Tusayan Katcinas*, 15th Annual Report of the Bureau of Ethnology, 1897, p. 245-315 ; *Hopi Katcinas*, 21st Annual Report of the Bureau of Ethnology, 1900-1901. GRIAULE (M.), *Masques dogons*, Paris, 1938.

jusqu'en Malaisie. Les masques peuvent être de toutes sortes : une peinture très forte, à la rigueur détachable, est un début de masque. Masques d'argile, de kaolin. Les masques de l'archipel Bismarck, en Mélanésie du Nord, représentent toute l'histoire du clan et de l'individu porteur du masque. Certains masques ont pour but de dissimuler la totalité de l'individu ; dans toute la Mélanésie, l'individu masqué disparaît complètement sous son masque.

Chez certaines populations, le masque est fondamental dans le rituel, chaque individu porte son masque, qui indique sa situation dans le clan. L'arrivée des masques dans une cérémonie correspond à l'arrivée du clan tout entier, y compris les ancêtres personnifiés. Rituel des *katcina* chez les Hopi et les Zuñi d'Amérique centrale.

Toute l'humanité connaît les masques ; les Fuégiens eux-mêmes ont de très beaux masques.

Très souvent, le masque ne représente pas un homme, mais un génie, parfois même un masque déterminé. Chez les Marind Anim, une grande cérémonie représente la mer : les hommes arrivent coiffés de plumes qu'ils agitent pour simuler le mouvement des vagues.

Chaque masque devra être étudié individuellement. Lorsque les masques forment mascarade, relations des masques entre eux, dans le drame, dans la religion ; symbole de chacun, mythe, histoire ; rapports avec le nom, avec le prénom. Le masque est à l'origine de la notion de personne[1]. Le masque peut réincarner l'ancêtre, incarner l'esprit auxiliaire. Beaucoup sont brûlés après n'avoir été portés qu'une seule fois.

Le masque est une sculpture en ronde bosse : les dimensions peuvent être considérables, le décor très compliqué. Il faudra étudier pour chaque masque tout

---

1. MAUSS (M.), « Une catégorie de l'esprit humain : la notion de personne, celle de "moi" », *J. R. A. I.*, LXVIII, 1938, p. 263-281.

le rituel et toute la technique de sa fabrication, de sa peinture, de sa sculpture, son dessin, l'art de porter le masque. Il existe des masques doubles et triples, des masques à volets.

Généralement, le masque fait partie du blason ; le grand dragon chinois est un masque, et aussi un blason. Une partie de nos masques sont des blasons. La Gorgone correspond à un blason.

Il y a dans l'art du masque une recherche de l'expression permanente et moyenne : durant la représentation, l'individu bouge, mais le masque demeure immobile. C'est une parure, mais déjà indépendante de la personne.

Ornementique des objets usuels mobiliers et immobiliers

L'ensemble des objets mobiliers décorés est variable à l'extrême : certaines populations — Nord-Ouest américain, une partie de la Polynésie, une partie de la Mélanésie — décorent tout ; d'autres ne décorent presque rien, ou décorent mal. Mais l'esthétique peut être mise dans l'absence même de décoration. Toutefois, dans l'ensemble, il semble que c'est dans nos sociétés occidentales que la non-décoration des objets mobiliers s'accentue. La décoration est attestée à partir de l'aurignacien.

Pour entreprendre une étude approfondie de cette décoration, on commencera par un inventaire des objets mobiliers décorés, en suivant les règles communes à tous les inventaires : pour qui, pour quoi ; place de chaque objet dans la maison ; valeur esthétique surajoutée ; valeur collective ; valeur économique, valeur individuelle de l'objet décoré ; il évoque un souvenir, il présente une valeur magique, une efficacité plus ou moins grande ; il est ou n'est pas animé, il porte ou ne porte pas un œil, etc.

Au cours de cette étude, on distinguera toujours

entre un objet et la valeur esthétique de cet objet ; et dans cette valeur esthétique, on distinguera les éléments : forme, décor, matière, de l'ensemble de ces éléments, ou type. Ensemble et parties, leurs rapports : c'est le type. L'ensemble des types des instruments, des objets esthétiques, en usage dans une société déterminée à une époque déterminée, constitue le style. Éléments, thèmes, motifs, formes, types et style. Le style correspond à l'ensemble du caractère esthétique dans lequel une société, à un moment donné, désire vivre[1]. La détermination de ce moment est difficile à établir car ici intervient la notion des générations. Nous savons que les modes changent suivant les générations, mais nous ignorons où commencent les générations, où elles finissent. Les choses prennent ainsi un style, empruntent un style, puis l'abandonnent, ceci même dans les sociétés primitives. On prendra garde qu'il n'y a pas nécessairement des relations directes entre style et civilisation ; l'étendue d'un style ne correspond pas nécessairement à l'étendue d'une civilisation : c'est une indication, ce n'est pas forcément une preuve. Rien n'est plus dangereux que ces inférences.

Après la collection viendra l'étude individuelle de chaque objet. On s'efforcera de ne jamais partir de notions générales : imitation de la nature, copie ou stylisation, géométrie, *tout cela doit être étudié du point de vue de l'indigène*, sans jamais avoir recours à des principes généraux. Les explications, les hypothèses, pourront venir en fin de travail, mais il faudra toujours partir de l'étude individuelle de chaque objet.

---

1. KROEBER (A. L.), « Decorative Symbolism of the Arapaho Indians », *American Anthropologist*, 1901, p. 301-336. LUMHOLTZ (C.), *Decorative Art of the Huichol Indians*, Memoirs of the American Museum of Natural History, 1904, III, p. 281-326. SPEISER (F.), *Uber Kunststile in Melanesien*, Zeitschr. f. Ethnologie, 68, 1936, p. 304-369. WASSEN (H.), « The Frog-Motive among the South American Indians, Ornamental Studies », *Anthropos*, XXIX, 1934, p. 319-370.

Différentes façons de classer les objets peuvent être envisagées. D'après la technique : dessin, peinture, sculpture ; ou suivant la matière décorée : bois, pierre, vannerie, tissus, métaux, plumes. L'art le plus élémentaire de la plastique est évidemment le dessin graphique, qui, même quand il porte sur un volume, est toujours réductible à un dessin en plan. Après le dessin graphique vient la gravure, puis la peinture et la sculpture isolée, c'est-à-dire en ronde bosse. Mais chaque objet pourra offrir ces différents arts à la fois ; tout se fait au même moment. Arts et techniques ont des rapports entre eux, il ne faut rien isoler : des broderies peuvent figurer sur des poteries (céramiques au cordon) ; l'emploi de la roulette, du couteau, d'un cachet, dans la décoration, doit être mentionné. On peut encore distinguer les arts selon les techniques qu'ils enrichissent : art de la poterie, de la vannerie, de la sparterie, du tissage, décoration de la charpente...

Nous nous bornerons à dire ici quelques mots du dessin, l'art le plus élémentaire. Tout art, tout type, tout élément d'un type, se réduit nécessairement à une projection et à un dessin, ou à un seul dessin. Dans la forme d'un pot, il y a un graphisme susceptible de représentation ; on peut toujours, de toute forme, extraire un dessin. Or, un dessin se compose toujours de plusieurs éléments, même quand il ne comporte qu'une ligne. Il s'agit dans tout dessin d'une expression ou d'une impression : expression chez celui qui dessine, qui s'exprime ; impression chez celui qui reçoit le choc, chez le spectateur. Il faut étudier les deux moments : le coup de couteau a décidé de l'incision ; les incisions successives ont produit une impression.

D'autre part, le dessin est une abstraction de la peinture ; toute peinture peut se réduire en dessin : deux couleurs, l'une à côté de l'autre, se limitent par un trait. Il faut ici faire une distinction entre les éléments du dessin : un dessin est composé d'un certain nombre de traits qui concourent à l'établissement d'un *motif*. L'unité du motif est en réalité l'unité du dessin. On dira que la décoration est anthropomorphique, ou thériomorphique, ou florale. Mais la difficulté de l'interprétation consiste en ce que le dessin signifie ce que les gens veulent lui faire signifier, qu'il soit géométrique, ou qu'il imite l'ordre naturel.

Une grande décoration géométrique est la svastika[1], attestée dès le néolithique le plus bas et qui figure tantôt le soleil, tantôt le ciel, tantôt une étoile de mer... La spirale nécessite une technique, elle demande le compas à ficelle ; mais nous connaissons des spirales australiennes dessinées sans aucune technique de la spirale. Donc histoire et nature de chaque dessin, de chaque élément du dessin ; s'il y a lieu, décrire son voyage : le motif du dragon à la langue pendante se trouve sur les deux rives du Pacifique : Chine et Nord-Ouest américain.

La représentation humaine pure est rare, elle apparaît généralement très stylisée. En fait, les choses sont à la fois stylisées et naturalisées. On se méfiera donc de toute interprétation qui n'est pas celle des indigènes. Un dessin généralement ne se présente pas isolé : de même un motif graphique comporte des phrases graphiques et décoratives. Notion de l'art comme phrase : l'artiste non seulement dit, mais il ordonne les choses ; les phrases décoratives peuvent être multipliées sur un objet et réparties d'une façon différente selon les parties de l'objet.

On distinguera dans tout objet décoré entre le décor fondamental ou les décors fondamentaux, qui occupent généralement les plus gros champs de l'objet, et le cadre ; entre le champ et les limites du champ : frises, encadrements, bordures. Le champ est à l'intérieur du champ. Ne jamais étudier un élément esthétique sans

---

1. Sur la svastika, *cf.* WILSON (Th.), *The Svastika...*, Report of the US Nat. Museum, 1894.

mentionner les rapports de cet élément avec le tout, sans voir la disposition en tableau des différents éléments. Le décor du champ principal, tous les motifs qui se. trouvent dans les différents cadres du champ, sont tous des rehaussements, ils sont là pour accentuer la chose (*cf.* le mot anglais *enhance*[1]). Le décor comprend, outre le dessin, le rehaut et les couleurs, opposées ou complémentaires. Rapports du dessin avec la matière sur laquelle il est dessin ; le dessin est gravé au trait ou en profondeur, à l'aide d'une roulette ou d'un poinçon.

Mais dessin et peinture ne forment pas à eux seuls le caractère esthétique de l'objet, il y a encore sa *forme*, toujours en rapport avec la matière ; la forme comporte une recherche de l'équilibre, l'objet doit tenir debout (un pot aura besoin d'un pied) et une recherche esthétique. Elle doit encore s'adapter à l'usage, certains éléments techniques altèrent la forme : l'anse d'un pot, le trépied, le bec, etc.

Étant donné la forme générale d'un objet, son décor variera suivant les dimensions de l'objet ; un petit pot peut être répété dans un grand. Il faudra donc étudier tous les rapports entre les éléments de la forme d'un objet et les volumes de cet objet. L'ensemble donnera la série, c'est-à-dire tout ce qui, à l'intérieur d'une forme typique, présente des variations, depuis le petit jusqu'au très grand pot.

Un objet a une forme graphique et une forme volumineuse. Le rapport de ces formes graphiques à ces formes volumineuses constitue son type. À l'intérieur de chaque type, on récoltera toutes les séries de l'objet.

La collection des types d'une population déterminée donne la notion de son *style* et de sa singularité esthétique. Quand un élément est non pas dominant, mais singulier, arbitrairement choisi, il devient typique

---

1. Sur les notions de champ, de bordure, de cadre, voir notamment les travaux des théoriciens de la « forme ».

de cette société ou même d'un groupe de sociétés (exemple la main à trois doigts chez les Maori). L'ensemble des éléments esthétiques qui caractérisent une société constitue le style de cette société.

L'étude de ces rythmes et de ces équilibres qui font un style, l'étude des petits objets qui portent un grand nombre de dessins, des grands objets qui portent un petit nombre de dessins, tout ceci constitue l'étude d'un art ou d'une province artistique.

Une fois analysé cet art, on peut faire une étude de sa répartition : exemple l'étude de l'entrelacs.

À l'immense différence de nos arts, peinture et dessin, dans les sociétés qui nous intéressent, ne sont pas isolés, la plupart du temps, de l'objet qu'ils décorent. Il y a généralement un conglomérat d'arts accumulés sur un même objet, le facteur temps ne compte pas. Le dessin est fixé sur l'objet, c'est nous qui avons inventé l'art pour l'art et qui avons décollé le dessin de ce qu'il décorait. Et pourtant, on a dessiné très tôt sur le sable, sur les rochers, sur toutes sortes de choses qui peuvent à la rigueur être considérées comme du papier. Décoration de la vaisselle en bois du Nord-Ouest américain, décoration sur peau, décoration de la tente, de la maison, extérieur et intérieur.

Il faudra mesurer chaque objet, en donner la photographie exacte et donner aussi une photographie de l'ensemble, de telle sorte qu'on puisse se représenter à la rigueur les caractéristiques des arts plastiques dont l'ensemble forme ce que nous appelons l'art. L'enquêteur ne partira pas, mais il pourra revenir, en esthéticien. Dans son appréciation générale, on inclura une appréciation de l'ensemble des arts plastiques par rapport aux autres activités sociales : quelle place occupent-ils, quels sont leurs rapports avec le reste ? Au lieu de parler du caractère magico-religieux de l'art nègre, on mentionnera les rapports que tel art de telle société noire entretient avec la magie et avec la religion. Un bouclier est écussonné du blason : de quel blason ?

Arts idéaux

Dans nos divisions habituelles, les arts plastiques comprennent les arts non idéaux, que nous venons d'étudier, et les arts idéaux ; mais en vérité, tous les arts sont idéaux. En inventant le papier, nos ancêtres ont détaché la peinture des parois qui la supportent ; mais cette séparation n'a pas rendu la peinture plus idéale. Ce n'est pas parce qu'un motif se trouve sur un objet usuel qu'il est usuel, il est tout aussi idéal que le papier sur lequel a été tracé un dessin.

Les quatre arts idéaux sont : le dessin, la peinture, la sculpture, l'architecture.

La notion de l'art idéal, de l'art qui ne serait que la représentation des idées et des sentiments des auteurs et des spectateurs est une notion moderne. L'une de ses formes extrêmes, la doctrine de l'art pour l'art, est un phénomène du XIXe siècle, en littérature, elle a été inaugurée par Théophile Gautier, Baudelaire et leurs successeurs en France ; et avant Baudelaire, par les grands romantiques anglais. Il n'y a pas d'art idéal, mais d'autre part, l'art a perdu sa valeur décorative symbolique religieuse. L'art idéal est une certaine conception de l'art.

Nous pouvons prendre cette étude indifféremment par un bout ou par l'autre, commencer par l'architecture, qui est l'art total et finir par la sculpture, la peinture, le dessin ; ou commencer par le dessin et finir par l'architecture. Il est plus simple de partir du dessin et de la peinture.

Nous ne savons pas exactement dans quelle mesure toutes les sociétés ont vraiment sculpté, ni architecturé, ni surtout vraiment dessiné ; quoique dans l'agencement d'une clairière pour une initiation en Australie, l'architecture soit déjà nettement présente.

Nous avons déjà vu que techniquement, la *peinture* dérive de la teinture et des apprêts. La peinture doit, d'autre part, être étudiée en même temps que le dessin. On ne trouvera que rarement des décors qui sont simplement dessinés, sans être en même temps peints. Dans le cas du dessin, on étudiera avant tout le rapport de toute décoration avec une pictographie ; c'est la question fondamentale du symbolisme. Un grand churinga, un grand rhombe sacré, des Arunta australiens, relate par son décor tous les hauts faits de l'ancêtre qu'il incarne. Questions de la pictographie, mais aussi questions techniques : sens de la perspective sur les bambous gravés de Nouvelle-Calédonie, sens des équilibres. Dans la peinture, on étudiera le mode de représentation des objets spirituels ou naturels : une rose décorant un vase est *la rose*. On étudiera encore la question de la propriété des couleurs : à Tonga, les couleurs sont la propriété du roi, d'où tabous sur de nombreuses couleurs.

La peinture et le dessin, quand ils sont faits au couteau, s'appellent gravure. Il existe des gravures sur bois très anciennes ; et des peintures sur pierre, toutes modernes. Il existe aussi des gravures sur arbres ; et ici nous approchons de la sculpture.

On voit comment la *sculpture* se rattache de façon étroite à la peinture et à la gravure : un poteau sculpté, c'est de la ronde-bosse par définition. Pointes de lance, de flèche, linteaux de porte, poignées de kriss sont sculptées : l'épaisseur, les sinuosités de la lame, c'est de la sculpture. L'étude des pipes, que l'on étend en ce moment à toute l'Amérique du Sud, donne des résultats remarquables. Certains objets sont naturellement sculptés : gourdes, calebasses, grandes poteries. Dans certaines populations, il existe des outils qui sont toujours sculptés : le siège, l'appuie-tête. Il n'est pas nécessaire qu'une figure soit isolée et traitée en tant que figure pour constituer une ronde-bosse. Dans tout le Nord-Est asiatique, les huttes sont entièrement décorées de poupées, qui constituent un ensemble sculptural. La sculpture est attestée dès le paléolithique supérieur : les bisons du val du Roc.

En dernier vient l'*architecture*, qui commande tous les arts. Tout art est au fond un art architectural : tout artiste est architecte. Une maison du Nord-Ouest américain est décorée à l'extrême. Il existe des corporations d'architectes et de charpentiers dans toute l'Amérique du Sud, la Polynésie, la Mélanésie[1].

On étudiera surtout comment l'architecte propose. Différence entre la maison publique et les maisons privées. La maison des hommes est un élément important dans toute la vie sociale, elle est très décorée et très significative, puisqu'on peut y voir inscrite toute l'organisation sociale. Architecture en terrasses et recherche de l'effet artistique dans la sculpture. Les *cliff-dwellers* d'Amérique centrale ont une architecture remarquable.

---

1. Brigham (W.), *The Ancient Hawaïan Houses*, Honolulu, 1908. Conrau, *Der Hüttenbau der Voelker im Nordlichen Kamerungeblet*, Globus, 1898, LXXIV, p. 158 et suiv. Dugast (Mme Renée), « L'Habitation chez les Ndiki du Cameroun », *Journal de la Société des africanistes*, X, 1940, p. 99-125. Maunier (R.), *La Construction collective de la maison en Kabylie*, Paris, 1926. Kaudern (W.), *Ethnographical Studies in Celebes…*, Göteborg, 1925-1929, v. I : *Structure and Settlements in Central Celebes*, 1925. Kishida (H.), *Japanese Architecture* (s. I.), Board of Tourist Industry, 1935. Kon (W.), *Construction de la maison paysanne au Japon*, Tokyo, 1930. Koch-Gruenberg (Th.), *Das Haus bei den Indianern Nordbresiliens*, Archiv f. Anthrop., 1908, VII, I. Mindeleff (C.), *Navaho Houses*, US Bureau of Amer. Ethnology, 17th An. Rep. II. Washington, 1898-1902, p. 469-519 ; *The Cliff Ruins of Canyon de Chilly, Arizona*, XVIth An. Rep. of the Bureau of Amer. Ethnology, p. 80-118. Sapper (C.), *The Old Indian Settlements and Architectural Structures in North Central America*. An. Rep. of the Smithsonian Institution, 1895, p. 537-555. Wauchope (R.), *Modern Maya Houses. A Study of their Archaeological Significance*, Washington, 1938.

Dans toutes les pages qui suivent, nous allons observer des phénomènes qui se dégagent de plus en plus de la matière. Nous n'étudions plus seulement des choses tenues dans la main, ou visibles, mais surtout des états de conscience. Il y a cependant des objets dans l'art musical — exemple tout l'appareil du drame —, comme il existe des objets économiques (la monnaie), des objets juridiques (un insigne de grade), des objets religieux (dont beaucoup sont des objets plastiques).

Les arts musicaux sont tous encore très proches de la plastique : pour le danseur, la danse est une technique du corps qui comporte un mouvement esthétique. Il y a dans tous les arts une notion d'harmonie sensorielle. La notion d'arts musicaux, que l'on abandonne généralement aujourd'hui, est pourtant la notion fondamentale d'art des Grecs comme en témoignent le *Phèdre* et la *République*.

Nous trouvons dans les arts musicaux deux éléments : un élément sensoriel correspondant aux notions de rythme, d'équilibre, de contrastes et d'harmonie ; et un élément idéal, un élément de *theoria* : la danseuse se voit danser et en éprouve de la joie ; le plus simple des arts musicaux comporte un élément d'imagination et de création. Certains enfants ont l'instinct de la danse, ils se sentent danser.

La musique offre une supériorité sur les autres arts : elle comporte une fraîcheur, un ravissement, une excitation de l'enthousiasme, une extase véritable, dont ont parlé Platon, et après lui, Nietzsche et Rohde.

Les arts musicaux comprennent : la danse, la musique et le chant ; la poésie, le drame, la littérature. Ces arts sont liés entre eux et liés à diverses institutions.

Le drame est presque toujours musical, dansé et imprégné de poésie ; enfin, très généralement, il implique des efforts de décoration individuelle, d'architecture et de peinture. Ici intervient la notion plastique de l'acteur et de sa décoration. Rien de plus important dans l'art que l'éducation artistique ; rien n'est plus œuvre d'éducation et d'habitude qu'un art. Rapports des arts musicaux avec les autres arts et avec toutes les autres activités sociales.

Les formes de la vie sociale sont en partie communes à l'art et aux arts musicaux : rhétorique, mythologie, théâtre pénètrent toute la vie d'une société. Enfin, importance du rythme : le travail dérive du rythme plus encore que le rythme du travail[1]. L'homme est un animal rythmé. Parmi les animaux rythmés, qui sont rares, on peut citer l'oiseau danseur, oiseau australien qui rythme sa danse et qui la figure.

Relations entre tous les arts, la technique de la voix, et, d'une manière plus générale, toutes les techniques du corps.

Étudier la répartition des objets d'art et du calendrier artistique. Grandes semaines de religion et d'art, saisons d'art et de jeux, par exemple à Hawaï ; fêtes de fin d'année et du nouvel an dans tout le monde asiatique, notamment dans l'ensemble Thaï et Muong. Les paysans se ruinent et s'endettent pour pouvoir figurer dignement à ces fêtes.

L'œuvre d'art, l'œuvre musicale, occupent une place beaucoup plus grande dans les sociétés exotiques que chez nous. Ces arts offrent une importance à la fois sociale, artistique, psychologique, et même physiologique : un Arunta qui perd son *corroboree* perd son âme et sa raison de vivre, il se laisse mourir.

Danse[2]

La danse est toujours chantée, souvent mimée en musique. Le mime dansé a été un grand véhicule de

---

1. *Cf.* Bücher (K.), *Arbeit und Rythmus*, Leipzig, 1902.
2. *Cf.* Sachs (C.), *Histoire de la danse*, trad. de l'allemand, Paris,

civilisation; des saltimbanques ont pu apporter des éléments de civilisation, au même titre que telle religion, ou tel art.

Diderot définit la danse une «musique des mouvements du corps pour les mouvements des yeux». Presque toujours chantée, toujours mimée, la danse est aussi une rythmique du corps ou d'une partie du corps. Le ballet en est la seule survivance dans nos sociétés, mais le ballet est muet, C'est une simple pantomime. Dans les sociétés qui nous intéressent, le ballet correspond plutôt à un opéra dansé et chanté; la mimique, très expressive, est toujours connue symboliquement ou non des spectateurs, qui participent au drame.

Une étude de la danse débutera nécessairement par une étude de la technique du corps qu'elle comporte, une étude psychophysique du rythme. Certaines danses australiennes se terminent régulièrement par l'épuisement du danseur. La danse présente souvent des rapports étroits avec l'acrobatie; c'est partout un effort pour être autre chose que ce qu'on est.

Dans tout travail sur la danse, on distinguera : le protagoniste; le chœur, qui danse; et les spectateurs, animés du rythme. Le tout aboutit chez les protagonistes, parfois aussi dans le chœur, à des états d'extase où l'individu sort de lui-même. Ces extases multiples peuvent s'étendre à tous les spectateurs, hommes et femmes; des phénomènes de cet ordre sont fréquents dans tout le monde noir, chez les Malgaches et chez les Malais.

Les procédés d'étude comporteront l'analyse de chaque danse, par les procédés ordinaires d'inventaire; qui danse, où, quand, pourquoi, avec qui, etc.

1938. Iconographies différentes dans les éd. allemande et américaine (Berlin, 1933, New York, 1937). CUISINIER (J.), *Danses magiques de Kelantan*, Paris, 1936. HOLT (C.), *Dance Quest in Celebes*, Paris, G. P. Maisonneuve, 1939.

La danse en deux rangs où les sexes s'affrontent existe dans le monde noir ; la danse en cercle est fréquente en Amérique, en Afrique, en Europe. Il faut décrire la danse par rapport à tous les danseurs, à tous les moments.

Chaque danse devra être décomposée dans tous ses éléments : danse elle-même, chœur et spectateurs ; musique ; le mime qui commande tout ; et l'effet obtenu sur les spectateurs. Noter les détails, les silences, les immobilités. La danse est souvent une mascarade, les danseurs importants sont masqués.

La distinction entre danses de mimique et danses de sentiment apparaît insuffisante. On distinguera plutôt les danses par leur objet : la danse figure une légende ou un conte, tragique ou comique (exemple sur les sculptures d'Angkor, l'acteur qui représente un dieu) ; une danse est anthropomorphique, thériomorphique, etc.

On distinguera encore les danses par leur fonction : danses funéraires, danses totémiques, juridiques (exemple : danse de la mariée) ; elles accompagnent des luttes, une partie de chasse ; danses guerrières, de jeu ou de travail...

On distinguera également selon les indications des danseurs, qui sont généralement des quasi-professionnels à gros prestige, souvent groupés en troupes. Il faudra leur demander l'histoire de leur danse (elle leur a été révélée en songe par un ancêtre ou par un esprit totémique) ; le mode d'enseignement.

On ne trouverait pas un rythme du Nord-Ouest américain qui ne soit dansé. Le danseur est généralement animé par un esprit, il ne danse que mû par une force supérieure. Très souvent, la danse est une propriété ; une fois cédée, on ne la danse plus.

Musique et chant[1]

La musique se définit comme un phénomène de transport, une «promenade merveilleuse dans le monde des sons et des accords».

Le sens musical apparaît réparti très inégalement selon les sociétés. Rythmes, mélodies, polyphonies varient dans des proportions considérables, d'une société à l'autre et aussi à l'intérieur d'une même société entre les sexes, les âges, les classes : musique noble et musique vulgaire, musique militaire, musique d'église, musique de cinéma. Une musique est un système. Donc, répartition variable de la musicalité à l'intérieur d'une société, avec cependant une extrême homogénéité du tout.

---

1. WALLASCHEK (R.), *Primitive Music*, Londres, 1893; *Anfänge der Tonkunst*, Leipzig, 1903. STUMPF (C.), *Die Anfänge der Musik*, Leipzig, 1911. SACHS (C.), *Geist und Werden der Musikinstrumente*, Berlin, 1929. SCHAEFFNER (A.), *Origine des instruments de musique*, Paris, 1936. ANKERMANN, «Die afrikanischen Musikinstrumente», in *Ethnologischer Notizblatt*, Berlin, t. III, 1901. SACHS (C.), *Les Instruments de musique de Madagascar*, Paris, 1938. KIRBY (P.), *The Musical Instruments of the Native Races of South Africa*, Oxford, 1934. HORNBOSTEL (E. v.), «The Ethnology of African Sound-Instruments», *Africa*, 1933, p. 129-157 et 277-311. LACHMANN (R.), *Musik der Orients*, Breslau, 1929. MARCEL-DUBOIS (C.), *Les Instruments de musique de l'Inde ancienne*, Paris, 1941. KOLINSKI, «Die Musik de Primitivstämme auf Malakka», *Anthropos*, XXV, p. 585-648. Tous les travaux de KUNST (J.) sur les instruments indonésiens : *De toonskunst van Java* (La Haye, 1934), [...] *van Bali* (Weltevreden, 1925), *Music in Nias* (Leyde, 1939), [...] *in Flores* (Leyde, 1942). KAUDERN (W.), *Ethnographical Studies in Celebes*, vol. III, *Musical Instruments*, Göteborg, 1927. L'ouvrage déjà cité d'E. BEST, *Games and Pastimes of the Maori*, p. 105-183. Les travaux de BUKOFZER, E. G. BURROWS, Fr. DENSMORE etc. IZIKOWITZ (K. G.), *Musical and Other Sound Instruments of the South American Indians*, Göteborg, 1935. BALFOUR (H.), *The Natural History of the Musical Bow*, Oxford, 1899. Cf. aussi STUMPF (C.), *Tonpsychologie*, Leipzig, 1883. LALO (C.), *Éléments d'une esthétique musicale scientifique*, Paris, 1939. BRELET (G.), «Musiques exotiques et valeurs permanentes de l'art musical», *Revue philosophique*, 1946, p. 71-96.

Méthodes d'observation. On étudiera tout d'abord les instruments. L'instrument, là où il existe, est un point d'arrêt et un point d'appui de la musique. Donc tout ce que l'on tirera de l'étude de l'instrument présentera une certaine objectivité, à la condition que l'instrument ait été observé tenu en main par l'artiste : étude tonométrique, rythmique, sur le terrain. Il faudra en outre interroger les musiciens, si possible vivre avec eux. Dans certaines sociétés, on se trouvera en présence de chœurs qui comprennent toute l'assemblée. Il existe une théorie de la musique partout où existe la flûte de Pan. On distingue la longueur des tuyaux et on en apprécie la hauteur absolue des sons, les intervalles. Thurnwald, dans l'île de Bougainville, a observé des joutes économiques, des potlatchs commençant par des joutes sur la flûte de Pan ; les deux orchestres accordent leurs flûtes avant de commencer.

Notre musique européenne est un cas de la musique, elle n'est pas *la* musique. Il faut donc abandonner la notion que la gamme majeure est la gamme typique et abandonner la notion qu'il existe des gammes radicalement hétérogènes à la nôtre ; notre gamme n'est qu'un choix parmi des gammes possibles, qui portent des caractères communs et des caractères différenciés. Notre gamme majeure est un cas parmi d'autres gammes, parmi d'autres modes, anciens ou exotiques. Ces gammes sont toutes défectives ; il manque toujours des notes. Il faut donc supprimer la notion d'une gamme idéale.

D'autre part, une musique se compose d'une mélodie et d'un rythme. Mais il n'y a pas de mélodie sans rythme et peut-être pas de rythme sans mélodie. Rapports entre le rythme et la mélodie, entre les longues et les brèves, les fortes et les faibles, les graves et les aiguës ; ce n'est tranché ni dans le langage, ni dans la musique. Les rythmes européens comptent parmi les moins riches. Notre idéal est une certaine monotonie rythmique, alors que les musiques extra-européennes sont normalement à rythmes variés à très courts intervalles.

Si ces rythmes sont variés, c'est qu'ils correspondent peut-être à des danses ; ils rythment une danse mimée qui comporte des figures variées, le rythme changeant avec chaque geste du mime. À d'autres moments, la répétition indéfinie de la même phrase accompagne un effort physique ; exemple chanson de pagayeurs. Et aussi abréviations même par rapport à ce rythme, syncopes brusques, arrêts immédiats.

Mais le chant de travail n'est à l'origine ni du chant, ni du travail, comme le prétend Bücher ; le chant de travail est simplement une forme particulière de chant. Les chants de marche sont assez rares, les chants de travail fréquents, en particulier chez les femmes. Dans tous les autres chants, on trouvera des variations rythmiques considérables qui altèrent et l'émoi du chant, et le chant lui-même ; abréviations brusques et aussi allongements, c'est ce que nous appelons la licence poétique laissée au librettiste.

Le monde entier connaît l'unisson et ne distingue même pas très bien l'octave supérieure de l'octave inférieure, ou la quinte. Dans un chœur, les accords, les polyphonies sont très variables, mais la mélodie demeure généralement assez bien caractérisée.

Il faut encore noter que la musique s'étend à bien autre chose que chez nous. Dans les langues à tons, un certain chant est toujours obligatoire, c'est la phonétique de la langue, le ton vaut des syllabes entières. Nos langages sont des langues qui ont déposé leur musique. Dans la plupart des cas, il s'agit de mélodiser et de rythmer un langage, il y a beaucoup plus de musicalité constante que chez nous. Donc beaucoup de choses que nous ne croyons pas chantées le sont en réalité.

Après avoir étudié chacune des musiques, il faudra ensuite en étudier les variations : variations individuelles *ex tempore* ; et variations systématiques, variations collectives.

En Australie, des populations entières sont capables d'apprendre un drame musical : il s'agit de faire coïncider chant, drame, action, d'une foule considérable.

Après ces études précises on pourra seulement aborder une question fondamentale, mais qui ne doit être étudiée qu'après des observations préliminaires : question de l'origine des différentes musiques. Rien de plus imperméable que la musique d'une société pour une autre société, la musique d'un âge à un autre âge ; rien cependant de plus facile à emprunter qu'une musique ou qu'un art. Il faudra étudier les cas de non-emprunt aussi bien que les cas d'emprunt, il n'y a ni évolution naturelle ni évolution surnaturelle. L'invention dans chaque société se fait selon des modes déterminés, qui changent avec les lieux, les générations... Les questions concernant l'invention sont en général mal posées : nous avons toujours l'impression de l'invention individuelle ; c'est la seule façon dont nous la concevons, parce que, chez nous, l'inventeur est supposé être un individu puissant et qui a tout créé. Mais l'invention, hors de nos sociétés, n'est généralement connue ni comprise comme étant l'œuvre d'un individu, elle est révélée.

D'autre part, les emprunts et les apports à une musique donnée doivent être conçus de la manière suivante : on part de la musique du lieu et on y apporte ce qu'on peut et ce qu'elle accepte.

Il n'est pas douteux que l'homme a autant chanté que parlé à l'origine. Une grande erreur de la psychologie est d'avoir séparé le chant de la parole ; il y a une masse énorme de chants à l'origine, mais qui n'apparaît que dans la danse en matière de rythme, ou par l'instrument en matière de mélodie. C'est l'instrument qui a fait que, dans le chant, nous éliminons les fausses harmoniques ; c'est l'instrument qui a détaché les notes les unes des autres ; la pause a été nécessaire dès qu'il y a eu instrument. Même en matière de rythme, la pause de la baguette sur le tambour isole le rythme et isole la force, si brefs et si faibles que soient le temps et la force. L'instrument est le moyen que la musique a eu de se détacher d'elle-même.

Non seulement le rythme et la mélodie ont été ainsi détachés, mais l'échelle des sons. À partir du moment où il a fallu accorder les instruments les uns par rapport aux autres et non plus seulement les voix, on a été obligé d'arriver à ce que nous appelons un diapason normal. L'ensemble de la tonalité s'est fixé par le fait qu'on était obligé d'y arriver techniquement, et surtout par rapport au chant et à la mélodie. Il a d'autre part fallu accorder instrument et voix, c'est tout l'intérêt du diapason.

La répartition des instruments de musique pose un des problèmes les plus importants pour l'ethnographie tout entière : la grande *vina* et les instruments qui lui sont apparentés s'étendent rigoureusement sur tout l'ensemble qui a connu la civilisation de l'Inde. L'orgue à bouche se retrouve partout où a pénétré la civilisation chinoise et indochinoise. La cloche vient du Tibet ou de l'Inde du Nord.

Partout où il y a orchestre, il faudra étudier chaque instrument, et ses rapports avec tous les autres instruments ; le rapport avec le chant, la danse, le mime. Ne jamais oublier le chœur, le chant est fondamental.

La forme même de l'instrument est intéressante, l'instrument restant le même. Étude des trompes et de leur longueur ; étude des fentes du tambour de bois, des modes d'attache de la peau des tambours.

Une fois étudiés les éléments des instruments de musique, l'ensemble de l'action des gens en musique, il faut observer comment tout cela fonctionne.

Noter soigneusement lors des enregistrements quelles sont les passes de la danse et du mime auxquelles correspond chaque moment de la partition. Il ne s'agit pas de simples mélodies, mais de véritables problèmes d'harmonie. Toujours chronométrer.

Pour faire une collection de chants et de musique, on observera les principes suivants : étudier les occasions musicales ; chants religieux, chants magiques, cérémonies chamanistiques, cérémonies de divination, chants de travail, chants de nourrice, de marche, de guerre, de paix ; les danses, les appels, les salutations ; chants pornographiques, de rivalité, de jeux... Étude des mélopées, des psalmodies, etc.

Pour nous, le chant, c'est la chanson isolée. Mais celle-ci est un phénomène rare en dehors de nos sociétés. Il existe des danses isolées avec chant, mais la chanson qu'on se chantonne à soi-même est rare ; la chanson composée à l'abstraction de tout élément de danse ou de mime est ignorée en Australie.

Distinguer la musique savante de la musique populaire, la musique des enfants de celle des adultes, la musique qui accompagne certaines cérémonies et lesquelles.

On classe ordinairement la poésie et la littérature très loin de la musique, dans un empire où personnellement je ne les vois pas du tout. L'idéal de la poésie est une poésie chantée ; et une poésie est idéale dans la mesure où elle est musicale.

La distinction classique se fait entre prose, poésie, et drame. Mais en réalité tout a débuté par le drame musical, y compris la comédie. C'est nous qui avons divisé et décomposé tout cela.

Le drame[1]

Le drame existe partout. Une des rares choses que nous sachions avec certitude sur les Tasmaniens,

---

1. PREUSS (K. Th.), *Der Unterbau des Dramas*, Vorträge der Bibliothek Warburg VII, 1927-1928 ; *Phallische Fruchtbarkeits-Dämmen als Trager des alt-mexikanischen Dramas*, Archiv für

aujourd'hui disparus, c'est l'importance que présentaient chez eux des cérémonies correspondant aux *corroboree* australiens. Le drame existe chez les Fuégiens, chez les Pygmées. Tout rituel est essentiellement dramatique ; on le voit nettement chez les Australiens. La mascarade nous est attestée dès l'aurignacien, c'est-à-dire dès le paléolithique moyen, avec danses. Elle correspond à une représentation du mythe. Le maximum d'art dramatique se trouvera dans la religion, le drame offre une large dose de religion et aussi de poésie. Il correspond à la recherche d'un monde différent auquel on attache une certaine croyance. Ajoutons que tous participent au drame : dans un *corroboree* australien, hommes, femmes, enfants, dansent, chantent ; tout le monde est à la fois acteur et spectateur.

Le travail que suppose un drame musical est infini. Il faudra étudier les rapports que le drame offre avec le mime ; le plan général de composition. Généralement, le sujet est révélé à l'auteur, qui a assisté à une danse des esprits ; l'invention est la répétition d'une vision. On notera les procédés d'apprentissage, la

Anthropologie, n. s., I, 1903, p. 129-188. RIDGEWAY (W.), *The Dramas and Dramatic Dances of Non-European Races in Special Reference to the Origin of Greek Tragedy*…, Cambridge, 1915. REICH (H.), *Der Mimus*, Berlin, 1903. JACOB (G.), *Geschichte des Schattentheaters*…, Berlin, 1907. RASSERS (W. H.), *Over den oorsprong van het Javaansche tooneel*, Bijdragen tot de Taal-Land-en Volkenkunde van Nederlandsch-Indie, vol. 88, 1931. KATS (J.), *Het javaansche tooneel*, Weltevreden, 1923. ROUSSEL (L.), *Karagheuz ou un théâtre d'ombres à Athènes*, 2 vol., Athènes, 1921. PRZYLUSKI (J.), « Le théâtre d'ombres et la caverne de Platon », *Byzantion*, t. XIII, 1938, p. 595-603. PÉRI (N.), Préface aux *Cinq nô*, Paris, Bossard, 1921. BEAUJARD (A.), *Le Théâtre comique des Japonais*, Paris, 1937. LÉVI (S.), *Le Théâtre indien*, Paris, 1890. LECLÈRE (A.), « Le théâtre cambodgien », *Revue d'ethnographie et de sociologie*, 1910, p. 257-282. BACOT (J.), éd. de *Trois mystères tibétains*, Paris, Bossard, 1921. *Cf.* aussi : BARTH (A.), « De l'origine et de la propagation des fables », *Journal des savants*, 1903. VILLIERS (A.), *La Psychologie du comédien*, Paris, 1942.

transmission, soit en ligne directe, soit d'une tribu à une autre.

Il faudra étudier les confréries dramatiques, les bateleurs. N'oublions pas qu'une population entière, partie de l'Afghanistan, a pu vivre du batelage. Les marionnettes, dans toute l'Afrique et dans toute l'Asie. Presque partout, les hommes sont arrivés à s'objectiver eux-mêmes leurs drames.

On étudiera tout ce qui correspond à chaque personnage ; tout ce qui correspond à l'ensemble des personnages. Établir le *libretto* complet du drame. Nous distinguons aujourd'hui entre drame, tragédie et comédie ; il a fallu toute l'énergie du romantisme allemand pour remettre les choses en place. Cette distinction drame, tragédie et comédie, est une distinction purement littéraire ; la tétralogie grecque comprenait trois tragédies héroïques aboutissant à des sacrifices et une comédie ; l'ensemble tragédies et comédie formant le drame. C'est nous qui avons isolé tout cela.

Les réactions dont l'homme est susceptible dans la vie sont de deux natures : réaction d'exaltation, réaction de rire et de détente. Ce qui est commun à tous les effets de l'art, c'est la détente, et en particulier la détente due à une série d'attentes qui vous ont transporté ailleurs, sur une scène qui n'est pas la vôtre, où, alors même que vous participez à l'action, vous savez que c'est d'une façon différente de celle dont vous auriez participé à la même action, dans la vie quotidienne.

On distinguera donc dans le drame tout ce qui provoque l'exaltation et tout ce qui est ridiculisation. Le spectateur-acteur atteindra une bonne catharsis à condition qu'il se soit évadé du monde des hommes, qu'il ait vécu un moment dans la compagnie des héros et des dieux. Le drame comporte ainsi un procédé de sacralisation du laïque, d'héroïsation du banal ; il comporte également un processus de ridiculisation des grandes choses. Importance de l'obscénité.

Poésie[1]

La poésie existe à partir du moment où il y a chant sur des mots, car le texte, nécessairement rythmé, correspond à des vers.

La littérature orale obéit à des règles différentes de celles qu'observe la littérature écrite ; elle a des privilèges différents, parce qu'on y cherche normalement le rythme et la composition. La poésie faite pour être lue est moins parfaite que la poésie composée pour être récitée.

Caractère généralement formulaire de la poésie. Ce ne sont pas simplement des phrases destinées par leur rythme à produire un effet sur l'auditoire, ce sont des formules conçues pour la répétition. On cherche à concentrer l'attention. La formule est parfois pauvre, mais elle est imprégnée d'un nombre considérable d'autres éléments, elle contient parfois le mythe d'une représentation dramatique. Une poésie correspond très souvent à une rubrique : c'est le thème sur lequel on dansera. Le *pantoun* malais, le

1. GUMMERE (F. B.), *The Beginning of Poetry*, New York, 1901. WUNDT (W.), *Sprachgeschichte und Sprachpsychologie*, Leipzig, 1901. BOECKEL (D.), *Psychologie der Volksdichtung*, Leipzig, 1906. BOAS (F.), « The Folklore of the Eskimo », *Journal of Amer. Folklore*, 1904, XVII, p. 1-13. BOGORAS (W.), « The Folklore of North Eastern Asia, as Compared with that of North Western America », *American Anthrop.*, n. s. IV, 4, 1902, p. 577-684. DELORIA (E.), *Dakota Texts*, Publ. Am. Ethnological Society, XIV, New York, 1932. MEINHOF (C.), *Die Dichtung der Afrikaner*, Berlin, 1911. SAPIR (E.), *Nootka Texts. Tales and Ethnological Narratives...*, Philadelphie, 1939. VIEILLARD (G.), « Poèmes peuls du Fouta Djallon », *Bulletin du Comité d'études historiques et scientifiques de l'Afrique occidentale française*, t. XX, 1937, p. 225-311. WALTON (E. L.), et WATERMANN (T. T.), « American Indian Poetry », *American Anthropologist*, XXVII, 1925, p. 25-52. PETSCH (R.), *Neue Beiträge zur Kenntniss des Volksraetsels*, Berlin, 1899 (étude de psychologie collective sur la devinette). WERNER (A.), *Myths and Legends of the Bantu*, Londres, 1933.

haï kaï japonais sont beaucoup plus compliqués que notre sonnet.

Lorsqu'on écoutera un conte, on prêtera attention au moment où le récitant prononcera de ces formules généralement chantées, sur un chant qui peut être très faible. Il faut chercher la poésie là où nous ne la mettons pas, il faut la chercher partout. Il existe des codes rythmés (code radé en Indochine, loi des Douze Tables).

La transmission par le rythme et par la formule est la seule garantie de perpétuité de la littérature orale, la poésie collective s'impose à tous.

En Afrique, on trouvera une poésie épique très développée : les griots du Niger peuvent réciter dix ou quinze mille vers. Poésie du héraut, poésie des festins : le roi boit. Toutes les cérémonies sont marquées de poésie ; le héraut parle souvent en vers, il rythme sa prose. Proverbes, dires de droit, sont rythmés.

En Indochine, chants alternés des filles et des garçons[1]. Dans toute la Polynésie, la poésie se divise en populaire et savante, poésie de la cour et des hautes castes et poésie du peuple, qui se rejoignent parfois. Les *maxima* techniques de la poésie sont donnés par l'ensemble malais et malgache[2].

Pour marquer le rythme, on prendra la notation latine des longues et des brèves, en marquant l'intensité par l'emploi d'un accent aigu. Distinguer les pieds et marquer la césure. Enregistrer la mélodie chaque fois que la chose sera possible.

La présence du rythme engendre la répétition ; la forme primitive du vers est la répétition du même vers. Mais la répétition peut offrir des variantes, par

---

1. *Cf.* GRANET (M.), *Fêtes et chansons anciennes de la Chine*, Paris, 1919 ; *Danses et légendes de la Chine ancienne*, Paris, 1926. NGUYEN VAN HUYEN, *Les Chants alternés des garçons et des filles en Annam*, Paris, 1934.

2. PAULHAN (J.), Les *Hain-Tenys*, Paris, 1938.

l'allitération et l'assonance. Une assonance régulière à la fin du vers est une rime. Notion des groupes de vers, strophes et antistrophes.

Noter toujours l'instrument sur lequel est chantée telle poésie.

À côté des allitérations, des assonances, des équilibres de son, il faudra encore noter les équilibres sémantiques ; les équilibres de sons sont fondamentaux, par exemple dans la poésie sémitique. Il existe nettement dans la poésie sémitique des règles de proportion. L'effet de la poésie n'est pas seulement physique, mais aussi moral et religieux. Les différentes parties du chœur grec sont chantées dans des langages spécifiques. Les modes sont des phrases musicales typiques qui s'enchaînent suivant un ordre déterminé ; la psalmodie hébraïque de la Bible se compose de trente-deux modes. La poésie varie selon le mode musical, cette notion des modes s'applique à la poésie aussi bien qu'à la musique.

Tout ceci pourra être expliqué clairement par les bardes, les hérauts, les poètes professionnels. Il faudra étudier les poètes, les inventeurs. Le poème est généralement révélé par des esprits. Très souvent, la langue poétique diffère du langage courant. Les Arunta australiens chantent des vers en une langue archaïque, ou en une langue différente de la leur.

Noter les licences poétiques : on peut changer la longueur des mots, l'intensité des syllabes, couper des syllabes ou en ajouter. Étudier les formules métriques.

Pour la commodité de l'enquête, on pourra distinguer poésie épique, poésie lyrique, poésie dramatique. Mais on trouvera plus généralement un mélange constant de tous les genres.

Prose[1]

La littérature telle que nous la concevons est une littérature écrite, mais dans les sociétés qui relèvent de l'ethnographie, la littérature est faite pour être répétée. Or, plus vous répétez un conte à un enfant, plus il le goûte. D'autre part, cette littérature comporte généralement une signification extra-littéraire, elle n'est pas dénuée de sens comme la nôtre : le conte n'est pas destiné seulement au gain du littérateur ni à l'amusement du public, il est destiné dans une large mesure à dire quelque chose. Dans une audience juridique, l'aventure de l'araignée ou de la hyène peut servir de précédent juridique. N'oublions pas qu'en France, le roman date de Mme de Lafayette et ne s'est vraiment développé qu'au XVIIIᵉ siècle.

La plus grande partie de la littérature est versifiée, les formulettes mêmes sont généralement versifiées. L'épopée est très souvent liée au culte des ancêtres. L'ensemble des gestes familiaux donnera l'épopée : l'idéal d'une famille princière Kwakiutl est de s'emparer du blason d'une autre famille princière. De même le cycle d'Artur et les chevaliers de la Table ronde.

L'intérêt de la littérature est donc un intérêt de nature différente du nôtre. Le récital est toujours mi-religieux, mi-épique. Chez les Indiens Cherokee, les

1. BECKWITH (M. W.), « The Hawaïan Romance of Laieikawai », *Bureau of Am. Ethnology*, Report 33, 1919, p. 285-666. BOAS (F.), *Kathlamet Texts*, Washington, 1901 ; *Kutenai Tales*, Washington, 1901. COSQUIN (E.), *Études folkloriques…*, Paris, 1922. DUPUIS-YAKOUBA (A.), *Les Gow, ou chasseurs du Niger…*, Paris, 1911. JUNOD (H. A.), *Les Chants et les contes des Ba Ronga*, Lausanne, 1897. LEENHARDT (M.), *Documents néo-calédoniens*, Paris, 1932. RADIN (P.), *Literary Aspects of North American Mythology*, Canada Geological Survey Museum, bulletin nᵒ 16, Ottawa, 1915. RATTRAY (R. S.), *Ashanti Folk-Tales*, Oxford, 1930. SWANTON (J. R.), *Haida Texts and Myths* (Skidegate dialect), Bull. 29, Bureau of Amer. Ethnology, 1905 (1906). THALBITZER (W.), *The Ammasalik Eskimo, Language and Folklore*, Copenhague, 1923.

contes se racontent en hiver : «Je vous ai charmés, la nuit a paru moins longue.» Chez les Pueblo, on se raconte les mythes la nuit, et cela, dit-on, fait avancer les étoiles. Notion de la littérature comme œuvre pie, pour l'édification des auditeurs.

Dès qu'il y a effort pour bien dire et pas seulement pour dire, il y a effort littéraire. Lorsque l'effort littéraire se poursuit et est généralement adopté dans des cercles littéraires, il y a un style. Exactement comme on peut définir un style pictural ou musical, on peut définir un style littéraire par l'ensemble des efforts qui caractérisent le bien-dire.

On ne se rend généralement pas compte de l'importance de la littérature orale ni de ses qualités de conservation. La prose est très répandue. En Australie, elle comprend tous les contes et mythes rattachés directement au rituel ou aux incidents géographiques. Le langage d'étiquette en Amérique du Nord est très développé. En Australie, les gens changent de voix pour parler devant le Conseil.

Étude des ressources de la mémoire et des causes littéraires de la mémoire. Il existe des conteurs professionnels dans tout le Soudan, dans toute la Berbérie, dans toute l'Afrique du Sud.

Un ensemble de contes forme une espèce de roman, un cycle. Certains contes se groupent par rapport à certains cycles et présentent une certaine extension qu'on peut porter sur la carte. Cette répartition des contes peut servir de point de départ pour des recherches historiques.

Le conte se distingue du mythe par la croyance moindre qui s'y attache. Réciter un mythe est un acte religieux qui ne s'accomplit que dans certaines conditions. Réciter un conte est beaucoup moins grave et peut n'avoir pour but que la distraction des auditeurs.

Le passage des contes aux mythes, des mythes aux contes est constant : on sacralise les événements les plus ridicules, on ironise les événements les plus graves. Le plus simple est de classer par cycles.

Pour un inventaire de la littérature, on s'en rapportera aux conteurs professionnels, qui sont connus comme tels et faciles à trouver. Le classement s'effectuera selon un ordre quelconque : aventures de cour, contes de guerre, contes d'amour ; contes que l'on récite aux hommes ; aux femmes, aux enfants. Les contes d'amour sont moins nombreux, les contes de métier, plus nombreux qu'on ne le croit. Les contes d'adultes pour les enfants. On ne cherchera pas le texte original, *parce qu'il n'en existe pas* ; le conteur improvise et sa part peut aller loin, par exemple dans les *Mille et Une Nuits* ; mais on s'efforcera de recueillir toutes les variantes d'un même thème, en ajoutant tous les commentaires possibles.

Un conte est une histoire qui se compose de plusieurs thèmes. Chacun de ces thèmes doit être étudié en soi : le côté le plus littéraire sera l'agencement des thèmes les uns par rapport aux autres ; il faut donc diviser le conte en une série de scènes qui forment un petit drame : introduction, différents thèmes, leur agencement, la closure.

L'analyse des traits spécifiques permet de faire l'histoire d'un thème ou même d'un conte : le conte du tapis volant vient du pays des tapis, c'est-à-dire du nord de l'Iran, d'où il se répand en Europe d'un côté, en Polynésie et jusqu'en Amérique du Nord de l'autre côté ; on trouvera le conte du tapis volant dans tous les pays qui ont des nattes et des tapis.

Les contes présentent une autorité morale et juridique, ils servent de précédent.

L'anecdote se distingue du conte en ce qu'elle est plus prosaïque et moins historique.

Une littérature très difficile à noter est celle des devises ; elle est très importante dans tout le monde noir, où les devises jouent un rôle de premier plan :

chaque individu, chaque famille, a sa devise, qui peut être figurée sur ses armes.

Étude des représentations figurées de chaque conte, de chaque thème.

L'étiquette comporte encore une énorme littérature : littérature des hérauts en Mélanésie, combat au tambour des Eskimo. L'Amérique indienne attache une grande importance à l'étiquette, vis-à-vis des dieux, vis-à-vis des hommes. Le maximum d'étiquette se trouvera dans les pays à castes (Japon, Samoa).

Étude du syllogisme, du mode de preuve. Étude de la métaphore[1]. La rhétorique est universelle, faite de répétitions, d'allusions à un mythe, à un conte, à une coutume traditionnelle : le *Mahabarata*, les sagas nordiques correspondent à une somme de la sagesse humaine ; les Évangiles présentent à chaque page des allusions et des clichés.

---

1. *Cf.* WERNER (H.), *Die Ursprünge der Lyrik. Eine Entwicklungspsychologie*, Munich, 1924.

6. Phénomènes économiques

De tous les phénomènes moraux, les phénomènes économiques sont ceux qui demeurent le plus engagés dans la matière ; on les range habituellement dans les phénomènes matériels, à côté des techniques ; mais ce ne sont pas des phénomènes seulement matériels, ce sont des représentations collectives qui dictent l'attitude des membres d'une société vis-à-vis de la matière.

Par définition, un phénomène économique est un phénomène social, qui régit un ensemble d'activités concernant des objets plus ou moins nécessaires, mais tous communément appelés biens. Le côté économique de ces faits les distingue d'un acte purement technique : c'est un service que l'on paie, c'est un bien qui change de mains. Pourquoi qualifie-t-on les phénomènes économiques de politiques ? Parce qu'ils sont généraux dans une société déterminée, dans une *polis* déterminée, dans une ville déterminée, par opposition à la simple économie. Jusqu'au XVIe siècle, économie et économie politique se confondaient presque ; mais à partir de cette époque, l'économie s'est opposée au luxe et l'économie comme le luxe sont devenus des sujets d'étude.

Selon Bücher, la vie économique dans le monde passerait par trois stades : économie domestique fermée, économie domestique ouverte, économie sociale. En fait, l'économie domestique fermée telle que la conçoit Bücher correspond à l'économie d'une famille individuelle. La maison du Moyen Âge est pour cet auteur le type de l'économie fermée, mais il oublie qu'une châtelaine du Moyen Âge a déjà ses servantes et ses serfs, qui la nourrissent. De plus, dans le cas de la famille noble, il y a dépense noble, c'est-à-dire sans compter. Chez les Australiens, nous trouvons un système de prestations totales : l'idéal, pour un clan australien, consiste à recevoir un autre clan à qui l'on offre tout ; maximum d'individuation pendant une partie de l'année, maximum d'ouverture pendant une autre partie de l'année, voilà l'économie australienne.

Stammler[1] définit le phénomène économique comme un phénomène de masses s'égalisant entre elles de droit. Mais il ne peut pas y avoir transmission sans que la société soit à quelque degré présente pour sanctionner la transmission.

Pour Giddings[2], les phénomènes économiques résultent du conflit des phénomènes juridiques et des phénomènes techniques. Sans doute, mais il s'agit des produits de la technique et non pas de la technique seule.

En fait, tous ces auteurs oublient le phénomène économique lui-même.

Nous nous en tiendrons à la définition de Simiand, pour qui « le phénomène économique se distingue par la présence d'un marché en général et toujours par la

1. STAMMLER (R.), *Theorie der Rechtwissenschaft*, Halle, 1911.
2. GIDDINGS (F. H.), *The Principles of Sociology...*, New York, 1896.

notion de valeur[1] ». Sont économiques les biens et les services dont la valeur est fixée par une masse sociale déterminée. Là où il n'y a pas de notion de valeur, il n'y a pas de phénomène économique.

Cette définition du phénomène économique présente l'avantage de faire disparaître la notion de besoin et d'utilité. Sans doute, un marché est fait des besoins et des utilités de la masse marchande ; mais ces besoins ne sont pas déterminés en soi, car il suffit de vivre et l'on peut vivre mal ; ils sont déterminés par la masse elle-même, par ses goûts et non par ses besoins. L'élasticité des besoins humains est telle qu'une logique quelconque est impuissante à en fixer les limites. La notion même de besoin est une notion relative à un état social déterminé, à une époque déterminée ; lorsque l'état social change, les besoins changent. Dans la mesure où ces notions de besoins et d'utilités fonctionnent, elles ne le font pas d'une manière rationnelle, élémentaire, intellectualiste, comme on les décrit habituellement, elles fonctionnent d'une façon rigoureusement statistique. Je me réfère ici à la grande école d'économie politique autrichienne et à sa théorie de l'utilité marginale. L'utilité marginale se définit statistiquement par l'état du marché et par l'état de la civilisation. Dans tous les cas intervient la notion de la valeur pour l'individu. Ce sont des phénomènes de masses. Il apparaît nettement que ce ne sont pas les notions d'utilité et de finalité qui sont les notions fondamentales des phénomènes économiques.

D'autre part, des phénomènes que nous croyons spécifiquement économiques, comme la division du travail, ne le sont pas. La division du travail n'est pas un phénomène exclusivement économique, c'est un phénomène juridique, souvent métaphysique et religieux,

---

1. SIMIAND (F.), *Cours d'économie politique*, 1re année, 1930-1931.

et toujours moral : la principale division du travail que nous constatons dans la plupart des cas, est celle qui répartit les tâches entre les sexes et entre les âges. Or, dans certaines sociétés, seules les femmes peuvent être potières ; ailleurs, seuls les hommes peuvent être tisserands. Aucun rationalisme ici. Enfin, l'organisation du métier, l'organisation même du travail, si elle constitue bien un phénomène économique, est surtout, en fait, un phénomène technique : il ne peut pas y avoir division du travail sans un état social défini, sans un assignement des tâches par la société elle-même.

Les phénomènes économiques se définissent dans une certaine mesure par la présence de la notion de valeur, comme les phénomènes esthétiques se signalent par la présence de la notion du beau, les phénomènes moraux par la présence de la notion de bien moral. La valeur économique est un cas, qu'il ne faut pas essayer de comprendre à partir de la philosophie des valeurs ; à la rigueur, on peut parler de hiérarchie des valeurs économiques, mais il n'y a pas à spéculer sur les jugements de valeur.

Le raisonnement économique est un raisonnement récent. *Homo economicus* existe déjà dans Aristote ; mais il ne date vraiment que de la *Fable des abeilles*, de Mandeville. Les grands travaux anglais et hollandais, en particulier les études de Gresham, avaient préparé la théorie de Mandeville. La catégorie économique est une catégorie moderne ; l'homme moderne est tout le temps sur le marché. Nous tendons à la fin complète de l'économie domestique fermée par la primauté des facteurs chrématistiques de l'accumulation du capital et de la distribution du crédit, par le développement de la production mécanique en masse qui nécessite un capital considérable, par la réduction même de l'agriculture à des formes économiques. D'autre part, nous pensons sur une échelle nationale et sur une échelle internationale des valeurs ; le problème de la répartition, qui s'effectuait jadis à l'intérieur du clan et de la famille suivant des règles déterminées, est maintenant résolu sur le marché public.

La question de l'antériorité du communisme sur l'individualisme ne se pose pas. Le professeur Schmidt cite une cantilène australienne qui, selon lui, prouverait que tout le cycle australien est individualiste. La mère chante à son enfant : « Tu seras riche, tu seras fort, tu seras grand, tu seras le maître. » Mais le professeur Schmidt ne cite pas le texte entier, qui dit : « Tu seras riche, donne à ta mère, donne à ton père, donne à tes frères, donne à tous » — c'est le contraire de l'individualisme. En réalité, tout se passe comme si chaque individu, chaque groupe social était dans un état d'endosmose et d'exosmose continuel vis-à-vis de tous les autres.

Les sociétés peuvent à la rigueur se définir par le communisme ou par l'individualisme, plus exactement par le degré d'individualisme et de communisme qu'elles présentent : il y a toujours l'un et l'autre, c'est leur dosage qu'il s'agit de déterminer.

On peut à la rigueur définir la catégorie économique dans l'esprit d'une société comme étant l'ensemble des valeurs et des institutions concernant ces valeurs, reconnues par la société. Nous dirons ainsi que la propriété rurale des environs de Paris appartient à un régime d'économie capitaliste : il s'agit de grandes fermes, qui nécessitent un gros investissement financier, ces fermes sont exploitées par des salariés et non par le propriétaire. Mais la technique est celle d'un travail industriel et l'organisation aussi est industrielle.

Dans les sociétés primitives, l'économie est dispersée dans toutes les autres activités, nous ne trouvons pas l'individualité de notre société acquisitive. C'est donc par un biais, dans leurs rapports avec les autres phénomènes, qu'il faut étudier les phénomènes économiques. Pour étudier l'économie d'une société déterminée, on étudiera successivement chaque valeur et chaque institution concernant ces valeurs. Dans un grand nombre de cas, on paie pour danser telle danse, la danse est une valeur économique dont il faudra noter la nature, le mode de paiement, etc.

L'emploi de la méthode de l'inventaire rencontrera ici des obstacles, car les indigènes seront toujours tentés de traduire la valeur en monnaie. Les prix sont fonction de la monnaie ; la monnaie devrait donc être un étalon de la valeur et comme telle présenter une relative permanence ; mais généralement il n'en est rien.

En beaucoup de régions, on trouvera au moins le souvenir des monnaies indigènes : cauris ou monnaies de fer en Afrique ; en pays mélanésien, la notion de monnaie est très nette. Presque partout ailleurs, on trouvera des objets faisant fonction de monnaie. Même lorsqu'il n'existe pas de monnaie *stricto sensu*, le phénomène économique est apprécié quantitativement. L'enquêteur emploiera donc la méthode d'inventaire chiffré ; il entrera dans chaque maison et demandera le prix de chaque objet, de chaque activité, de chaque service. L'institution du marché partout où elle existe lui sera d'un grand secours dans son inventaire. On notera soigneusement les variations de la valeur sur le marché. On verra payer le barde, le poète, le danseur : il y a donc notion de récompense, de salaire. Il faudra encore observer les rapports entre ces valeurs produites ou à produire, et l'ensemble technique. Rapports avec les techniques, avec la technomorphologie, emplacement des industries. Une industrie déterminée ne peut être emplacée qu'à un endroit déterminé, étant donné une technique déterminée : d'où échanges et prérogatives.

On étudiera enfin les rapports du marché avec les lieux de rencontre, les routes et voies de transport. Tout ceci peut être observé quantitativement : nombre de choses produites à tel endroit, par tels gens. Facilités de portage (présence d'une rivière navigable, par exemple), capacité de portage (à dos d'homme, par bêtes de somme), conditionnent la valeur commerciale d'un pays.

On observera le cheptel ; le territoire de chasse et son abondance ; les quartiers de pêche ; l'ensemble des greniers. Une notion très importante est celle du surplus, de l'étalage des richesses, du *display*, étudiée aux Trobriand par Malinowski. L'observation se fera au jour le jour, en notant la saison, les fêtes, le marché, etc.

Une certaine forme d'économie consiste dans une exploitation sans frein, courante dans les sociétés du type archaïque. L'idéal, ici, est d'épuiser un sol. Mais la destruction des forêts est souvent une obligation pour les indigènes qui ne connaissent pas d'autre engrais que les cendres et sont donc tenus de déplacer périodiquement leurs terrains de culture.

D'autres formes de l'économie sont internationales. Les Arunta connaissent un commerce qui, de tribu en tribu, va jusqu'au golfe de Carpentarie. Les voyages du cristal de roche et de l'ambre datent du paléolithique supérieur. Le commerce est donc de très bonne heure international, parfois à de longues distances.

Enfin, le commerce est à base d'échanges ou de prestations. Il faudra, chaque fois, étudier les parties en présence : famille contre famille, génération contre génération...

Production

Qui produit ? Inventaire, par industrie et par saison ; par sexe, âge, classe, caste, clan, village, grand groupe local ; économie villageoise, urbaine, interurbaine.

On distinguera les formes de la production par la nature du travail, qui s'effectue en commun ou individuellement. Il y a des moments où le travail ne peut être que collectif : le défrichement nécessite la présence de tous les travailleurs. En étudiant les moments du travail, on distinguera la corvée, le travail en commun, le travail familial, le travail isolé.

La division du travail est essentiellement sociale : s'il y a division apparente, elle se traduit sous forme de privilège (la chasse, privilège de la noblesse). Le chef travaille-t-il ou ne travaille-t-il pas ? Travail du serf, de l'esclave.

La division en chasseurs, pêcheurs, agriculteurs, s'effectue souvent pour des raisons qui sont avant tout d'ordre technomorphologique : tout l'ensemble de la Nouvelle-Zélande se divise en chasseurs et pêcheurs.

Division du travail par métiers, avec parfois organisation spéciale des métiers. Les charpentiers forment une caste à Fiji[1], les forgerons sont partout groupés en caste ; il existe des spécialités par familles, les secrets du métier se transmettent de père en fils, ou d'oncle en neveu. La sorcellerie est un métier. Régime général de la production, régimes spéciaux selon les industries, les classes économiques, les castes. Esclavage et servage.

Viennent ensuite les formes de la production. Leur petit nombre caractérise ce que nous appelons improprement les primitifs. Généralement, le « primitif » sait fabriquer un grand nombre d'objets pour son usage personnel. Artisanat et capital financier devront être observés d'après les formes de la propriété, ce sont des phénomènes essentiellement juridiques. La question de la manufacture se posera en quelques endroits.

Production privée et production publique. Question de la propriété et de l'usage, distinct de la propriété.

Des débuts de formes supérieures de l'industrie sont nettement présents au Soudan, aussi en Indochine chez les Moï. Les influences musulmane, européenne, chinoise, ont pu jouer ici un rôle important.

---

1. HOCART (A. M.), *Les Castes*, trad. de l'anglais, Paris, 1938.

Transformation du Sénégal par la culture de l'arachide.

Répartition et consommation

Il n'y a rien de plus faux que la notion de troc. Toute la spéculation d'Adam Smith part d'une erreur de Cook sur les Polynésiens qui montaient à bord et proposaient aux Européens un échange, non d'objets, mais de cadeaux. La notion de troc est née aux XVIIIe et XIXe siècles de notre utilitarisme.

À l'origine était un système que j'appellerai le système des prestations totales. Lorsqu'un Kurnai australien se trouve dans le même camp que ses beaux-parents, il n'a le droit de manger aucune des pièces du gibier qu'il rapporte, ses beaux-parents prennent tout, leur droit est absolu. La réciprocité est totale, c'est ce que nous appelons le communisme, mais cela se pratique entre individus. Dès l'origine, le *commercium* va de pair avec le *connubium*, le mariage suit le commerce et le commerce suit le mariage. Présent obligatoire, don fictif, ce que l'on appelle le vol légal est en réalité un communisme à base individuelle, sociale et familiale. L'erreur fondamentale consiste à opposer communisme et individualisme.

D'autre part, ces échanges se font suivant des voies qui ne sont pas les nôtres ; la valeur de l'objet varie au cours de l'échange. Cela pourrait se traduire par la notion d'intérêt, mais non. Les Kwakiutl d'Amérique ont pour monnaie des plaques de cuivre qui s'échangent au cours de grandes cérémonies qu'ils nomment *potlatch*. La valeur de cet écu dépend du nombre des potlatch où il a figuré, car l'écu est inséparable de la cérémonie qui lui est en quelque sorte incorporée. On observe les mêmes faits aux Trobriand, où le commerce noble, *kula*, coexiste avec le commerce vulgaire où l'on échange des produits à valeur égale. Dans le *kula*, au fur et à mesure que les talismans d'un clan changent de main, ils augmentent de valeur, car la valeur demeure attachée à la famille. Quelque chose de cet état d'esprit demeure dans notre conception des bijoux de la couronne. C'est cette économie à répartitions inégales que j'ai tenté de décrire dans mon travail sur le don[1]; mais ce travail porte sur la valeur religieuse et morale des objets transmis alors que ce qui nous intéresse ici est l'ensemble des systèmes de dons, l'ensemble des systèmes de potlatchs.

La forme primitive de tous ces échanges nécessaires, non pas volontaires ni purement économiques, est ce que j'appelle la prestation totale. Dans nos sociétés occidentales, le contrat est rigoureusement déterminé par l'objet, par la date et par l'exécution du contrat : j'achète un pain, mes rapports avec le boulanger commencent et se terminent là. Au contraire, dans toutes les sociétés sans marchés, l'échange se fait entre gens liés, d'une façon plus ou moins permanente, parfois absolue et totale ; prestations vis-à-vis de ses beaux-parents, par exemple.

La prestation totale est généralement de valeur égale : A doit tout à B, qui lui-même doit tout à C ; je dois tout à mes beaux-parents, mais mes gendres me doivent tout. C'est comparable à l'économie de la caserne où le soldat est défrayé de tout, mais ne s'appartient plus. C'est ce que l'on appelle le communisme primitif ; expression inexacte, il s'agit d'une réciprocité totale. Dans tout l'ensemble mélanésien, l'homme qui veut un bateau le fait construire par les maris de ses sœurs ; mais il construit le bateau des frères de sa femme, car en leur devant sa femme, il leur doit tout.

La réciprocité totale n'existe plus dans nos mœurs que dans le mariage, entre conjoints.

Généralement, les choses sont égales : droits du

---

1. MAUSS (M.), *Essai sur le don, forme archaïque de l'échange*, *L'Année sociologique*, nouvelle série, 1923-1924. Sur le *kula*, voir : MALINOWSKI (B.), *Argonauts of the Western Pacific*, op. cit.

beau-père, droits du beau-frère, droit à tout, droit à telle partie. À la limite, un système de réciprocités correspondra exactement à ce que nous appelons le communisme ; mais il sera toujours quelque chose de strictement individuel, l'ensemble des positions individuelles constituant le système des réciprocités totales.

La forme de ces échanges suppose toujours qu'ils sont volontaires : obligatoires, mais volontaires. C'est conçu sous la forme du présent, non sous la forme du troc, ni du paiement ; et pourtant, c'est un paiement. Le travailleur qui vient sarcler ou battre le grain doit être nourri pendant tout le temps du sarclage ou de la battée. Dans ces sociétés, le travail en commun est à la fois nécessaire, obligatoire et cependant volontaire. Il n'y a aucun moyen de contrainte, l'individu est libre.

Ces institutions sont très fortes dans tout le monde noir. L'ensemble de la vie économique d'un Thonga d'Afrique du Sud est dominé par le paiement de la dot, du *lobola*. Les prestations sont égales, complètes, réciproques, mais non pas toujours entre les mêmes individus. C'est ce que j'appelle la réciprocité alternante : je peux faire pour les enfants ce que mes enfants ne peuvent pas faire pour moi. Un vieux proverbe français dit qu'«un père peut nourrir dix enfants, dix enfants ne peuvent pas nourrir un père» ; mais je dois à mes enfants ce que mon père m'a donné. Il n'est pas nécessaire que ce soit la même personne qui donne et qui rende, pourvu que le cercle final soit complet. C'est la réciprocité alternative et indirecte, sur laquelle marchent encore nos civilisations, quoiqu'elles en aient, car dans une société déterminée, le total des avoirs est nécessairement égal au total des débits.

En plus de cette égalité relative et des prestations totales à égalité complète, ces sociétés connaissent d'autres prestations à valeurs agonistiques, à rivalités : je suis riche, donc je dois dépenser plus que vous ; vous m'invitez à dîner, vous me recevez de votre mieux ; je suis tenu de vous rendre un dîner encore plus somptueux. Les prestations totales inégales, ou *potlatch*, comme se nomme l'institution dans le Nord-Ouest américain, correspondent à un système de rivalités entre gens tenus à la réciprocité. Ce maximum régulier de réciprocité indirecte peut aller très loin, jusqu'à la destruction des richesses. Il s'agit de détruire des valeurs, par exemple au cours de cérémonies funéraires, non pas seulement pour que le mort puisse emporter ces valeurs dans l'autre monde, mais aussi pour manifester la richesse de son groupe. La notion de l'étalage des richesses aboutit à des *maxima*, par exemple dans des réunions des Tziganes qui brûlent des billets de mille francs par simple ostentation[1]. La destruction des richesses ne signifie pas ici qu'il s'agit de phénomènes anti-économiques ; la dépense pure n'est pas un phénomène anti-économique, c'est simplement le contraire de l'économie privée. L'idéal d'un chef Kwakiutl est de sortir ruiné de son potlatch ; il est d'ailleurs sûr qu'on lui rendra le double. Il faut donc étudier tous ces échanges à valeurs inégales, car l'inégalité est encore un phénomène économique.

Ces institutions aboutissent à des événements considérables, y compris des formes relatives de marché : elles aboutissent à des circuits complets. Boas a assisté à des potlatchs chez les Kwakiutl représentant une dépense de vingt mille dollars.

Puis vient le marché. Les débuts du marché sont un phénomène important. Certaines sociétés l'ignorent (exemple les Celtes) ou le tiennent pour une institution inférieure. Mais presque partout, on en trouve au moins les éléments. Les Noirs se divisent en gens à marché tous les trois, quatre ou sept jours. Chaque fois qu'il y a marché, on étudiera les différentes localités où

---

1. *Cf.* MAUNIER (R.), « Recherches sur les échanges rituels en Afrique du Nord », *L'Année sociologique*, n. s., II., 1924-1925, p. 11-97.

il se tient — le marché est souvent ambulant —, le droit du marché, la paix du marché, les rites, la permanence du marché. Qui le fréquente ? Comment marchande-t-on, contracte-t-on, quelles sont les garanties ? Le marché se tient-il dans ou hors la ville ? Les prix sont-ils fixés à l'avance ? Notion du juste prix. Les prix peuvent devenir fixes et la valeur de la monnaie s'altérer.

Dans un grand nombre de cas, le commerce international s'effectue entre sociétés appartenant à des niveaux de civilisation différents : exemple les Malais commerçant avec les autres tribus indonésiennes. Le commerce silencieux[1] a souvent pour raison la méfiance d'une des parties, plus faible, qui refuse à des étrangers l'accès de son territoire.

Certaines tribus sont composées presque exclusivement de marchands : Haoussa, Dioula d'Afrique occidentale colportent, souvent à très longue distance. Ces tribus marchandes ont souvent fourni aux sédentaires des dynasties militaires : exemple les Haoussa au Tchad, les Grecs en Cyrénaïque.

Le commerce international peut se faire à très longue distance, par exemple en Australie, où le commerce se fait généralement par l'intermédiaire des femmes. Les formes primitives du commerce sont fortement empreintes d'éléments magiques : on échange des objets précieux, des denrées rares.

Monnaie

L'ajustement des deux régimes économiques de la production et de la consommation se fait par la notion de la valeur. Lorsqu'il n'y a pas simple ajustement juridique, comme dans la prestation totale, la valeur est mesurée par la monnaie[2].

---

1. *Cf.* GRIERSON (P. J. H.), *Silent Trade*, Édimbourg, 1903.
2. RIDGEWAY (W.), *The Origins of Metallic Currency and Weight Standards*, Cambridge, 1892. SCHURTZ (H.), *Grundriss einer*

La *monnaie* est un phénomène plus fréquent qu'on ne le croit. Même en Australie, certains cristaux de roche, tenus pour extrêmement précieux, peuvent servir de mesure de la valeur dans un certain sens. Il faut donc étudier tous ces débuts de monnaie, qui correspondent en général à des matières premières ou à des objets précieux : quartz, ambre, néphrite... Les habitants d'Atakpamé, au Togo, connaissent un dieu du change.

Dès qu'il y a monnaie, en effet, il y a change, un élément dynamique et psychologique intervient. Les relations sociales sont toujours, par définition, dynamiques ; elles ne sont statiques que par convention : du fait qu'elles mettent en présence des gens de sexe et d'âge différents, elles engendrent un certain dynamisme.

La monnaie existe dans toute l'Amérique du Nord : chez les Iroquois, le *wampum* est un travail de perles qu'on prête, mais qu'il faut rendre augmenté d'un rang, car le fait de l'échange augmente sa valeur. Les Eskimo, toute la Mélanésie, une partie de la Polynésie, connaissent la monnaie : les Maori pratiquent le culte du jade.

La monnaie peut se présenter sous des formes extrêmement diverses : pierres précieuses, haches de pierre polie, plaques en peau de daim, papier-monnaie comme en Chine... Certains ornements de plumes rares peuvent servir de monnaie. Tous les cristaux, toutes les pierres précieuses, les cauris, répandus dans toute l'Afrique et qui viennent de l'océan Indien ; enfin toutes les formes de métaux.

Entstehungsgeschichte der Geldes, Weimar, 1898. SIMIAND (F.), « La monnaie, réalité sociale », *Annales sociologiques*, série D. Sociologie économique, fasc. I, 1934, p. 1-58 ; et discussion à l'Institut français de sociologie, *ibid.*, p. 59-86. ARMSTRONG (W. E.), *Rossell Island...*, Cambridge, 1928. LEENHARDT (M.), *Gens de la Grande Terre*, *op. cit.*, p. 121-130.

Elliot Smith et Perry ont cru pouvoir prouver que toute la civilisation mégalithique était une civilisation de chercheurs d'or[1]. Le laiton, en fil, en plaques, en bracelets, le fer en couteaux, en fer de lance, en bêches, sont très répandus dans toute l'Afrique.

Certaines nattes, aux Samoa par exemple, servent d'unités de monnaie. Très souvent, ces nattes sont blasonnées ; on les entasse comme des titres de société par actions. Dans tout le Nord-Ouest américain, l'unité de monnaie est une couverture. Encore maintenant, l'État fédéral paie en couvertures les indemnités qu'il doit verser aux Indiens expropriés.

L'une des monnaies les plus curieuses est la monnaie de sel, éminemment fongible : la plaque de sel a cours dans toute l'Afrique, depuis la Guinée jusqu'à l'Abyssinie et la vallée du Nil. Monnaie de tabac ; alcool et vin de palme, unité de bière. Monnaie comptée par têtes de bétail.

À partir du moment où il y a une échelle des prix juridique, il y a un système de monnaies qui forme une monnaie. Le juste prix est le prix statistiquement déterminé ; nous ne pouvons pas le déduire de quoi que ce soit. Cette hiérarchie des prix constitue quelque chose de fixe au milieu de choses mobiles.

Enfin, à partir du moment où interviennent les nations européennes, apparaît le problème du clash économique, le problème de l'acculturation ou de la colonisation.

---

1. Voir notamment PERRY (W. J.), *The Relationship between the Geographical Distribution of Megalithic Monuments and Ancient Mines*, Memoirs and Proceedings of the Manchester literary and philosophical Society, v. 60, 1915-1916, p. 1 ; *The Children of the Sun*, Londres, 1923 ; *The Growth of Civilization*, Londres, 1924.

BIBLIOGRAPHIE

ARMSTRONG (W. E.), *Rossell Island, an Ethnological Study*, Cambridge, 1928.

BEAGLEHOLE (E.), *Notes on Hopi Economic Life*, Yale U. Publ., in Anthrop. no 15.

BIRKET-SMITH (K.), *The Eskimo*, Londres, 1936.

BOAS (F.), *The Central Eskimo*, 6th An. Rep. Bur. of Amer. Ethnology, 1888; *Ethnology of the Kwakiutl*, 35th An. Rep. Bur. of. Amer. Ethn., 1921.

BOGORAS (W.), *The Chukchee. Material Culture*, Publ. Jesup N. Pac. Exp. v. VII, part. I, 1904.

BUCHER (K.), *Die Enstehung der Volkswirtschaft*, sechs Vorträge…, Tübingen, 1893.

EVANS-PRITCHARD (E. E.), *Economic Life of the Nuer*: *Cattle*, Sudan Notes and Records, XX, 1937, p. 209-45; v. XXI, 1938, p. 31-78.

FIRTH (R.), *Primitive Economics of the New Zealand Maori*, New York, 1929; *Currency, Primitive*, Encyclopaedia Britannica, 14e éd., 1929.

GRIERSON (E.), *The Silent Trade*, Édimbourg, 1903.

GROSSE (E.), *Die Formen der Familie und die Formen der Wirtschaft*, Fribourg et Leipzig, 1896.

HERSKOVITS (M. J.), *The Economic Life of Primitive Peoples*, New York et Londres, 1940.

HEWITT (J. N. B.), *Wampum*, Handbook of American Indians, Bur. Amer. Ethn., 1908.

KOPPERS (W.), *Die Menschliche Wirtschaft*, Der Mensch aller Zeiten, v. III, Völker und Kulturen, p. 377-630, Regensburg, 1924.

LEENHARDT (M.), *Gens de la Grande Terre*, Paris, 1937.

MALINOWSKI (B.), *Argonauts of the Western Pacific*, Londres, 1922.

MARSHALL (A.), *Principles of Economics*, 8e éd., Londres, 1936.

MAUSS (M.), «Essai sur le don, forme et raison de l'échange dans les sociétés archaïques», *L'Année sociologique*, n. s., I, 1923-24, p. 30-186.

MURDOCK (G. P.), *Rank and Potlatch among the Haida*, Yale U. Publ. in Anthrop. no 13, 1936.

RICHARDS (A. I.), *Hunger and Work in a Savage Tribe*, Londres, 1932.

SCHURTZ (H.), *Grundriss einer Entstehungsgeschichte des Geldes*, Weimar, 1898.

SELIGMAN (E. R. A.), *Principles of Economics*, New York, 1905.

THURNWALD (R.), *L'Économie primitive*, trad. de l'anglais, Paris, 1937.

TUETING (L. T.), *Native Trade in Southeast New Guinea*, B. P. Bishop Museum. Occas. Papers, v. XI, n° 15, 1935.

VIERKANDT (A.), *Die wirtschaftlichen Verhaeltnisse der Natur-Voelker*, Ztsch. f. Socialw., 1899, p. 81-97 et p. 175-185.

7. Phénomènes juridiques

Nous entendons par droit, en ethnologie, ce que les Anglo-Saxons nomment *social anthropology*, c'est-à-dire, en fait, notre sociologie juridique et morale.

Le rôle de la morale augmente à mesure que se laïcise la société. Dans notre société, la morale joue un rôle plus important que le droit. Le droit demeure inconscient chez nous, pour ne devenir conscient qu'aux moments de conflit (par exemple, le contrat de mariage). Nous observons le contraire dans les sociétés primitives, où l'individu se trouve dans un état continuel de prestations et de contre-prestations ; la coutume, ici, s'étend aux moindres actes de la vie de famille ; une certaine attitude de droit constante est caractéristique de ces gens, qui ne sont nullement dans l'état de nature où les premiers Européens ont imaginé, notamment, les Polynésiens.

Dans les sociétés qui relèvent de l'ethnographie, tous les phénomènes juridiques sont des phénomènes moraux, sans exception ; ce qui ne veut pas dire que tous les phénomènes moraux sont forcément juridiques, *stricto sensu*.

D'autre part, séparer les phénomènes de droit des

phénomènes religieux ou des phénomènes économiques conduit à une absurdité.

Par organisation sociale, on entend généralement l'organisation politique, mais celle-ci ne forme que l'une des parties du droit, pas la plus profonde. Le droit comprend l'ensemble des coutumes et des lois; comme tel, il constitue l'armature de la société, il est «le précipité d'un peuple» (Portalis); ce qui définit un groupe d'hommes, ce n'est ni sa religion, ni ses techniques, ni rien d'autre que son droit. Tous les autres phénomènes, y compris les phénomènes religieux, quoiqu'on dise à propos des religions nationales, tous les autres phénomènes sont extensibles en dehors des limites de la société. Mais ce qui nous définit n'est pas extensible en dehors de nos frontières. Donc, le phénomène de droit est le phénomène spécifique d'une société. Sans doute les phénomènes juridiques ont-ils voyagé, comme tous les autres éléments de civilisation, mais d'une manière différente: ils voyagent par sauts.

Le droit se caractérise encore par son caractère d'intimité et de communauté largement sentie: il n'y a de garantie, dans tout l'Empire romain, que pour le *civis romanus*; les autres hommes ne sont l'objet que du droit des gens, c'est-à-dire de l'indulgence de l'empereur.

Le droit est généralement revêtu d'un caractère religieux très marqué. Le mot de «responsabilité», dans le vocabulaire juridique français, ne date que de la Révolution; auparavant ce terme n'existait que dans la théologie, on confondait incrimination et inculpation.

Les différentes parties du droit peuvent être plus ou moins sacrées: Rome connaissait le droit des pontifes, l'enseignement du droit chez les Maori se fait en secret. Essentiellement public, le droit demeure toutefois, par un côté, très intime. Les légistes véritables possèdent les secrets du droit.

La distinction entre phénomènes juridiques et phénomènes économiques offre souvent de grandes difficultés : comment distinguer, dans un travail en commun, ce qui est juridique et ce qui est économique ? En Mélanésie, l'homme qui veut posséder un bateau neuf s'adresse à ses beaux-frères, qui lui doivent ce cadeau : régime économique, mais qui comporte essentiellement des faits de droit. Le gendre, vis-à-vis de sa belle-mère, se trouve partout astreint à de multiples services économiques. En fait, le phénomène économique est, en général, un phénomène de droit. La différence réside dans la présence, pour le phénomène économique, de la notion de valeur ; pour le phénomène juridique, de la notion de bien moral.

Ce n'est pas par leur caractère obligatoire que l'on pourra distinguer les phénomènes juridiques et moraux des phénomènes religieux, qui présentent le même caractère obligatoire : l'initiation est à la fois un événement juridique et un événement religieux, il s'agit de fabriquer le jeune homme matériellement, moralement, religieusement, de lui donner éventuellement accès aux femmes et aux biens. C'est par le fond des obligations que l'on pourra distinguer entre droit et religion. Dans un cas, il s'agit de choses sacrées et pas seulement de l'individu ; dans l'autre cas, il s'agit des choses sociales, morales, juridiques. La sanction elle-même est conçue comme de droit, de devoir : la vendetta est une obligation morale, on a l'obligation morale de punir.

Cette notion de droit et de devoir est précise dans les pratiques indigènes, qui contiennent toutes la notion de bien et de mal moral, notion qui permet de reconnaître le phénomène de droit : « Le droit est ce que disent les gens de bien » (Manou). Cette notion de bien et de mal s'applique aux rapports de l'individu avec ses semblables ; sans cet art de la vie morale, pas de vie en commun possible, qu'il s'agisse de la vie de groupe ou de sous-groupes : clans, familles, sexes, classes, etc.

Mais comment distinguer le droit de la morale dans

les sociétés qui nous intéressent ? L'ensemble des idées morales et juridiques correspond au système de ces attentes collectives. Le droit est le moyen d'organiser le système des attentes collectives, de faire respecter les individus, leur valeur, leurs groupements. Leur hiérarchie. Les phénomènes juridiques sont les phénomènes moraux organisés. C'est encore cela dans notre droit : responsabilité civile et responsabilité criminelle sont strictement déterminées. La formule : nul n'est censé ignorer la loi, correspond à ce système d'attentes collectives. Au fond, quand nous ignorons le droit, c'est généralement que nous sommes dans notre tort, il y a une conscience et une connaissance latentes dans toute coutume et dans toute morale — j'ajoute : dans tout droit, car tout ne peut pas être exprimé. D'où l'énorme supériorité des droits dits coutumiers sur les droits écrits ; les cas font précédent. Or la notion du précédent et de l'usage est fondamentale en droit.

Nous ne connaissons la présence de la morale et de la religion qu'à la présence de la notion d'obligation morale et, secondairement, à la présence de l'infraction et de la notion de sanction. Il y a obligation morale quand il y a sanction morale, quand il y a sanction diffuse ; il y a obligation juridique quand il y a terme précis de l'obligation et terme précis de l'infliction et de la peine. Il y a toujours moralité dans le droit, il y a toujours notion d'obligation morale dans le droit comme dans la morale ; l'obligation est simplement plus ferme et plus juridique dans le cas du droit.

Nous avons un autre moyen de déceler le phénomène de droit et de morale : toutes les lois sont censées bonnes par définition ; d'autre part, le conformisme aux lois est bon, il est nécessaire à la vie sociale. Tout ce qui est conforme est bien, tout ce qui est antagonisme à ce conformisme est mal. On reconnaîtra donc le phénomène moral et juridique à la présence de la notion du bien et du mal, préalablement définie et toujours sanctionnée. Il n'y a pas mal si ni votre conscience ni celle des autres ne dit qu'il y a mal. Encore une fois, il faudra se référer aux appréciations des indigènes et oublier nos jugements d'Occidentaux : ce que les indigènes disent être moral est moral, ce qu'ils disent être bien est bien, ce qu'ils disent être le droit est le droit.

L'observateur se trouvera en présence de droits complètement différents des nôtres. Une première difficulté, qui résulte du caractère coutumier du droit, pourra être surmontée par la pratique de l'ancien droit français ou du droit anglais.

Certains droits, toutefois, ont été écrits très anciennement : le plus ancien est le code d'Hammurabi, composé au début du IIe millénaire et trouvé à Suse. Il n'est pas douteux que les lois de Manou étaient rédigées alors qu'Athènes n'avait encore que quelques Tables et que Rome ne possédait aucun code systématique.

Le droit coutumier ne s'oppose pas nécessairement à un droit écrit. Dans tous les droits, il existe toujours un droit coutumier ; en France, des pans énormes de droit ne sont encore que du droit coutumier ; c'est par une simple fiction que l'on a prétendu tout déduire d'une chose rationnellement constituée.

Les coutumiers, lorsqu'ils existent, s'expriment exactement comme nos adages de droit. Le coutumier modèle est l'Adat des Indes néerlandaises. La rédaction des coutumes est en cours dans l'Afrique occidentale.

Pour n'être pas écrit le droit coutumier ne s'en formule pas moins ; dans un ensemble de proverbes, de dires de droit, de formules d'étiquette, souvent en vers, qui se trouvent par exemple dans la morale d'une fable, dans un mythe. L'ensemble du *Mahabarata* et du *Ramayana*, les grandes épopées de l'Inde, constitue un livre de droit ; on peut citer dans une cour de justice le *Mahabarata* ou le *Ramayana*. Il faudra donc chercher le droit un peu partout.

Le droit peut encore s'enregistrer oralement, dans certains cas. On a publié les sentences du premier roi de Tahiti. Il ne faudrait donc pas croire que des moyens oraux et coutumiers n'arrivent pas à un droit sévèrement articulé.

On trouvera partout des juristes : hérauts et avocats, au courant des difficultés de tous à propos de toutes les propriétés du lieu ; au courant, également, des généalogies.

Le droit pourra être observé dans les séances de palabre, auxquelles assiste tout le village, toute la société, et où les dires de droit prennent une grande importance. Parfois l'administration du droit se fait à l'intérieur de la société secrète, mais le prononcé de la sentence est public.

Il existe donc des gens dépositaires du droit, juristes et généalogistes, que l'on peut observer disant le droit. D'autre part, les sentences sont prononcées publiquement, sauf lorsqu'il s'agit de peine à infliger secrètement. Il existe donc un moyen de mesurer le droit, c'est les sentiments du peuple. Le droit coutumier, dans ces conditions, fonctionne normalement, avec une conscience parfaite et une formulation relativement imparfaite, parce qu'on ne l'a pas cherchée intentionnellement.

La coutume présente toujours un caractère quelque peu diffus ; elle ne prend connaissance d'elle-même qu'à propos de cas précis. Il y a donc dans le temps, comme dans le nombre et dans l'espace, un caractère diffus du droit, plus diffus encore de la coutume.

L'observateur devra avant tout enregistrer les réactions de la masse. À partir de ces réactions, il trouvera le droit, très facilement en matière de droit criminel.

Le droit coutumier offre encore un autre caractère : il n'est pas seulement public, il est aussi privé. La distinction entre droit public et droit privé, qu'observent nos codes, est une distinction récente. La vengeance privée était admise jusqu'au dernier capitulaire, la guerre privée était permise au Moyen Âge de noble à noble, car deux seigneurs de haute et basse justice étaient entre eux comme deux États. Il y a donc un mélange constant de droit public et de droit privé ; la vengeance individuelle existe à côté de la peine publique, cas général en Afrique. Les droits coutumiers sont un mélange, en quelque sorte, de droit public et de droit privé, de droit informulé et aussi de droit formulé. Les seuls droits vraiment absents sont les droits internationaux. Mais le mélange du privé et du public, de la sanction morale et de la sanction juridique, est normal.

Il y aurait encore beaucoup à dire sur la difficulté des études juridiques. Un grand nombre de nos classifications ne peut être ici d'aucune utilité. Non seulement la législation à observer est coutumière, non seulement le droit n'apparaît qu'à des moments déterminés, non seulement il se répartit autrement ; mais il a d'autres rapports avec la morale et d'autres fonctions que celles que nous lui connaissons. Des rapports que nous jugeons privés sont publics et *vice versa* ; des phénomènes moraux pour nous sont juridiques ailleurs et inversement, par exemple les rapports entre parents et enfants.

Une autre difficulté viendra de la pluralité des droits ; chaque clan a son droit, chaque tribu, dans une société composée de plusieurs tribus, a son droit. Le droit des hommes n'est pas le droit des femmes. Enfin, il existe une inégalité complète suivant les possesseurs et une variété de droits selon l'objet de la possession. Nous connaissions quelque chose de ce genre avant la Révolution. Inégalité suivant les positions sociales, inégalité totale suivant les âges ; variété suivant les choses appropriées. La maison est généralement tenue pour propriété mobilière et non pas immobilière.

Donc pluralité des droits et variété des droits, *acceptio personae*, *acceptio rei*, *acceptio conditionis*.

Le droit pourra encore varier dans le temps, sous l'influence de phénomènes extérieurs, tels que l'arrivée de la monnaie. Le droit coutumier est censé rigoureusement fixe, immobile, mais c'est une fiction générale de tous les droits, y compris le droit coutumier. En fait, c'est par le droit coutumier que se font les changements qui finissent par être enregistrés dans le code; il y a là un ajustement assez lent des conditions sociales, c'est un problème fondamental de la civilisation et de la colonisation.

MÉTHODES D'OBSERVATION

La première méthode à employer sera celle des *cas*. L'observateur fera l'inventaire statistique de tous les cas jugés dans les archives du cercle depuis la fondation de celles-ci. Il ne fera ainsi qu'appliquer la méthode des Pandectes, en notant, à propos de chaque cas, chaque dire de droit invoqué. Il est nécessaire de noter tous les cas possibles, car le droit s'applique toujours globalement; un juriste doit connaître tout le droit.

La *méthode biographique* sera ici d'une grande utilité, ou l'on fera énumérer à un individu toutes les propriétés qu'il a eues, leur mode d'acquisition, leur démembrement, celles qu'il a données à ses fils lors du mariage de chacun d'eux, etc. Cette méthode recoupera la précédente où n'apparaîtront que les cas litigieux. Il existe des cas non litigieux qui n'en ressortissent pas moins du droit.

Enfin, chaque fois que la chose sera possible, on aura recours à l'*observation directe* du droit. Aucune difficulté en pays noir, où la tenue des assemblées juridiques est presque toujours publique : le chef rend la justice entouré de sa cour, assisté de ses hérauts.

Les légistes professionnels et notamment les

hérauts, seront ici d'un grand secours. Les devins, les donneurs d'ordalie, pourront être utilement interrogés. Il existe encore des cercles de hauts dignitaires, d'anciens de la société des hommes ou de la société secrète. L'idéal sera de trouver le légiste indigène, formé à nos méthodes, néanmoins capable d'interpréter son propre droit; il existe au moins un cas[1]. Le légiste, en ces cas, est souvent aussi législateur, car entre ceux qui disent la loi et ceux qui l'appliquent il n'y a pas de différence; différence qui, même chez nous, demeure assez théorique.

Avec un peu de chance, on pourra obtenir la récitation de ces ensembles de formules, de dictons, de proverbes, qui sont capitaux. Il existe en certains cas de véritables codes indigènes, par exemple à Madagascar; tout le monde berbère connaît ses kanoum, espèces de conventions législatives écrites. Il faudra encore tous les mythes, tous les contes, toutes les épopées. Au hasard des aventures du héros apparaîtront des faits de droit.

La grosse difficulté consistera à isoler les droits relativement purs, car très généralement, on aura affaire à des sociétés composites, où la segmentation de la société est telle que certaines parties sont indépendantes les unes des autres. Une société est composée d'elle-même, de sous-groupes et d'individus. Notre plan pour l'étude des phénomènes juridiques s'établira donc de lui-même comme suit :

Organisation politique et sociale, l'État;

organisation domestique, politico-familiale ou politico-domestique : clans, grande famille, famille. Mariage;

droit de propriété;

droit contractuel;

droit pénal et procédure.

---

1. AJISAFE (A. K.), *Laws and Customs of the Yoruba*, Londres et Lagos, 1924.

Organisation sociale et politique[1]

Une société, nous l'avons vu plus haut, correspond à un groupe d'hommes déterminé, vivant généralement sur un sol déterminé, autour d'une constitution déterminée. La société politique se définit, une fois pour toutes, par le nombre des « nous ». Il y a les « nous » et les autres.

Aussitôt apparaît la notion des sous-groupes. L'organisation politique et sociale coordonne les sous-groupes et les individus ; il en est ainsi encore chez nous. Une première difficulté consiste à définir : on évitera le mot peuple, ou peuplade ; « tribu » est préférable, une tribu se définissant par la défense de ses gens, par un fait de droit international privé : nous sommes tous solidaires du dernier des Français qui se trouve à l'étranger.

On constatera dans beaucoup de cas l'existence des

---

1. BADEN-POWELL (B. H.), *The Indian Village Community*, Londres, 1896 ; *The Origin and Growth of Village Communities in India*, Londres, 1899. DELAFOSSE (M.), *Les Civilisations disparues. Civilisations négro-africaines*, Paris, 1925. FLETCHER (A. C.) et LA FLESCHE (F.), *The Omaha Tribe*, 27th An. Rep. of the Bureau of Amer. Ethnology, 1911, p. 15-672. FORTES (M.) et EVANS-PRITCHARD (E.-E.) éd., *African Political Systems*, Oxford, 1942. HODGE (F. W.) éd., *Handbook of American Indians North of Mexico*, Bull. 27, Bur. Amer. Ethnology, 1907. JOBBE-DUVAL, « La commune annamite », *Nouvelle revue historique de droit français et étranger*, octobre et décembre 1896. LAIBOURET (H.), *Paysans d'Afrique occidentale*, Paris, 1941. LÉVI-STRAUSS (C.), « Contribution à l'étude de l'organisation sociale des Indiens Bororo », *Journal de la Société des américanistes*, n. s., XXXVIII, 1936, p. 269-304. MORET (A.) et DAVY (G.), *Des clans aux empires. L'organisation sociale chez les primitifs et dans l'Orient ancien*, Paris, 1923. NADEL (S. F.), *A Black Byzantium. The Kingdom of Nupe in Nigeria*, Londres, 1942. RATTRAY (R. S.), *Ashanti Law and Constitution*, Oxford, 1929. SWANTON (J. R.), *Contributions to the Ethnology of the Haida*, Leyde, 1906 ; *Social Condition and Beliefs of the Tlingit Indians*, Report of the Bureau of Amer. Ethnology, 1905 (1908), p. 391-512. WUNDT (W.), « Die Anfaenge der Geselischaft », *Psychologische Studien*, 1905.

sociétés composites : dans une société composite, il y a toujours un élément inférieur, ou deux; c'est ce qu'on appelle les minorités nationales.

D'autres difficultés surgiront du fait du nom, des nomenclatures, de la notion de fédération : il y avait à Athènes trois autres Athènes : une ville ionienne, une ville thrace, une ville pelasge; de même Rome comportait des éléments grec, latin, étrusque…

Il faudra donc dresser l'histoire des différentes sociétés qui composent la société et dont les origines peuvent différer du tout au tout : les divins Pelasges étaient à Athènes avant les Thraces et avant les Ioniens. Il faudra dresser l'histoire des clans, l'histoire de la famille royale.

Une fois isolés les différents éléments de la société, on étudiera successivement chaque élément. Très peu de sociétés se réduisent à une seule tribu. Le dénombrement ne s'arrêtera pas là : une tribu comporte plusieurs clans, chaque clan comprend plusieurs sous-clans, plusieurs phratries. Ainsi apparaîtront les différentes formes de l'organisation politique qui coordonne tout cela; ainsi apparaîtront également la société des hommes, la société des militaires, les sociétés secrètes, les castes, les corporations. Le tableau devra être dressé de façon historique, appuyé si possible de documents statistiques et cartographiques.

FORMES PRIMAIRES DE L'ORGANISATION SOCIALE. MONARCHIE. CHEFFERIES. DÉMOCRATIE.

L'organisation politique correspond généralement soit à une monarchie, soit à une démocratie. Mais, d'une part, le roi n'est jamais tout-puissant, il est soumis à un certain contrôle, ne serait-ce que le contrôle de ses proches parents; d'autre part, le pouvoir démocratique offre une certaine concentration qui fait que les royautés sont aussi instables que les démocraties sont stables ; il y a souvent plusieurs familles royales pour un même trône, à Tahiti par exemple.

Monarchie[1]

Une étude de la monarchie débutera par une étude détaillée de la famille du roi. La famille royale n'a pas forcément la même constitution juridique que les autres groupes domestiques ; dans beaucoup de sociétés, l'inceste est régulier entre le roi et la reine, le roi épouse sa sœur afin de garder la pureté du sang. Le roi et la reine sont l'origine des choses ; à l'origine il y a l'inceste de la Terre et du Ciel qu'il s'agit de reproduire. Donc, étude généalogique de la famille royale ; et histoire détaillée de chaque roi.

À l'intérieur de la famille ou du clan royal, le roi est toujours choisi, il n'y a jamais primogéniture et jamais de ligne fatale.

Le travail royal est souvent divisé entre deux ou plusieurs individus : roi du jour et roi de la nuit, rois du feu et de l'eau, rois de la guerre et de la paix. Chez les Hova, le Premier ministre était régulièrement l'époux de la reine.

Une étude de la *figure du roi* portera sur le nom de ses ancêtres, sur son totem (exemple : la panthère dans tout le monde noir), sur ses insignes royaux, sur les palladia, y compris les palladia secrets. Étiquette et tabous ; l'isolement du roi marque sa nature céleste. On notera en quoi consiste sa nourriture, les croyances concernant ses paroles, son âme ; les coutumes concernant sa mise à mort éventuelle (s'il est faible ou malchanceux, s'il devient trop âgé…). Interrègne, culte des ancêtres royaux, etc.

On notera quels sont les *droits du roi* sur sa famille, sur ses ministres : ses envoyés portent-ils une *récade*,

---

1. *Cf.* Hocart (A. M.), *Kingship*, Oxford, 1927 ; *Kings and Councillors*, Londres, 1936.

signe de leur message ? Droits du roi sur ses sujets : a-t-il le droit de vie et de mort ? Droits fiscaux. Rôle du roi dans le droit pénal, dans le droit civil : serments par le roi, ordalies où l'on invoque le roi. Place du roi dans le droit international, en matière de guerre et de paix, par exemple. Droits du roi en matière de droit privé ; prestations qu'il reçoit, prestations qu'il doit. Le roi étant trésorier de la tribu, du clan, de la nation, est, en tant que tel, astreint à des obligations précises. Des *droits sur le roi* peuvent être exercés, en matière de potlatch par exemple. Il peut être tenu à des prestations médicales et magiques (le roi de France guérit les écrouelles[1]). La responsabilité du roi peut aller jusqu'à sa mise à mort en cas de mauvaise récolte persistante, ou dans le cas de sa décrépitude qui correspond dans les croyances à un affaiblissement du pays, ainsi qu'il en va dans tout le monde noir.

L'*organisation de la cour*, souvent très précise, représente en certains cas l'État comme par une carte[2]. On étudiera les droits, les devoirs et les privilèges de chacun. Quelles sont les fonctions héréditaires ? Étude historique détaillée de chacune. Princes, ministres, prêtres, griots, hérauts, bardes, esclaves, hommes et femmes, gardes. Chaque membre de la famille royale sera l'objet d'une enquête détaillée. Chronique de chaque roi.

On fera encore un inventaire des *trésors du roi* ; les troupeaux du roi, les chasses du roi.

La cour s'étudiera plus facilement lors d'un déplacement général où apparaîtra la place et le rôle de chacun. L'étiquette expliquera nettement toute l'organisation qu'elle symbolise.

---

1. BLOCH (M.), *Les Rois thaumaturges*, Strasbourg et Paris, 1924.
2. *Cf.* DENNETI (R.), *At the Back of the Black Man's Mind...*, Londres, 1906.

Chefferies

Entre la monarchie et la démocratie, formes extrêmes de toute organisation politique, on trouvera partout les chefs.

Les chefs appartiennent ou non à la famille royale, mais par rapport à leurs gens, ils sont à peu près dans la même situation que les rois. Si le chef commande, c'est en vertu d'une essence particulière qui émane de lui. Chez les Betsileo, tous les vrais chefs sont appelés Hovas, ce qui ne veut pas dire qu'ils viennent tous de l'Imerina, qu'ils sont tous prêtres, mais la tribu ne peut pas se passer de prêtres, Dieu est chef.

Nos idées sur la noblesse sont très faibles. Il n'y a pas de population parfaitement démocratique. Dans la Germanie ancienne la noblesse était régulière ; elle existait même en Islande, qui serait le modèle des démocraties, même dans les cantons suisses. Chez les Celtes aussi bien que dans le clan écossais, le chef est un éponyme : il est à la fois chef militaire et chef civil, chef de famille, chef de clan et il incarne l'ancêtre. Les nobles forment la hiérarchie impériale.

Il y a donc eu un peu partout confusion entre la noblesse administrative et la noblesse de race. Ici se pose la grosse question de la tenure administrative et de la tenure foncière. Un lord de justice anglais est lord de par sa fonction, mais seulement de par sa fonction et sa noblesse n'est pas transmissible à ses enfants. Autrefois, la perte du bien noble entraînait la perte du titre : le duc de Bordeaux était duc à Bordeaux. Une tenure foncière, par contre, est une tenure de naissance : le duc de Norfolk est comte maréchal de la cour.

La noblesse évolue constamment entre un minimum et un maximum. La différence entre un petit noble breton vivant dans son manoir et un paysan aisé était très faible.

Ici se posent toutes les questions concernant une

féodalité : certaines hiérarchies sont entièrement d'ordre royal, tels les cabécères du Dahomey[1]. Les nobles sont des délégués du prince, c'est la chefferie administrative, c'est aussi l'origine d'une partie de notre noblesse, notamment de toute la noblesse de robe. À côté des chefferies administratives existent aussi des chefferies purement militaires : le roi de la guerre n'est pas toujours roi en temps de paix.

On étudiera toutes les prestations auxquelles donne droit un titre de noblesse déterminé ; toutes les tenures ès qualités : le noble est un porteur de couronne.

Démocratie

Il est très rare qu'il y ait des monarchies ne comportant aucune dose démocratique ; il est tout aussi rare de trouver une démocratie pure. Les chefs exercent leur autorité dans un palabre où ils se trouvent en présence de la masse.

Chez les Germains comme chez les Celtes, une légende veut qu'il n'y ait jamais eu que des démocraties. Erreur absolue, il y a partout des nobles. Dans tout le monde indo-européen, il n'y a jamais eu de démocratie absolue.

La démocratie n'est pas généralement le fait d'un État, elle est le fait d'une grande partie des segments de l'État, segments à base de clans, ou de tribus ; mais dans chacun de ces segments, il existe des familles nobles, ou des fonctions nobles à quelque degré. Partout, on trouve au moins la société des hommes, et à l'intérieur de la société des hommes, la société des anciens.

L'existence de démocraties pures est un mythe qui s'est établi au XVIe siècle dans la fédération des cantons suisses. La légende de Guillaume Tell ne s'est constituée qu'au XVIe siècle, relatant des faits du

---

1. *Cf.* HERSKOVITS (M. J.), *Dahomey, an Ancient West African Kingdom*, New York, 1938, 2 vol.

XIIIe siècle. Il y a dans toute démocratie une chefferie, une noblesse. On a appelé l'organisation mongole une organisation de hordes, ignorant ainsi qu'autour du prince de la horde se groupent les douze bannières et les douze princes des douze États mongols ; mais toute la troupe étant montée, on ne distingue pas les fantassins des cavaliers, d'où l'impression d'une absence de hiérarchie.

Généralement, la démocratie se réduit à la démocratie du clan. L'élément de base et de structure est alors un élément segmenté, état démocratique comportant une certaine fraternité, un certain amorphisme.

Tous les villages nègres, tous les villages indonésiens, tous les villages malgaches, toute l'Inde, connaissent une espèce de conseil municipal, société des hommes ou conseil des Anciens. Maine retrouvait là un trait de la commune irlandaise[1]. C'est ainsi, en effet, que fonctionne le clan écossais, irlandais, gallois et toute la famille indo-européenne. Les anciens forment l'administration de la tribu et du clan ; ils sont groupés dans des sections d'âge et dans des sections de nobles, ce qui souvent se recoupe. Tous les Indiens des prairies d'Amérique, après l'introduction du cheval, ont institué les règles qui s'appellent encore, d'une expression française, « compte des coups » : celui qui est touché dans la mêlée se considère comme battu et la promotion dans la tribu est fonction des coups portés ; cette institution remonte vraisemblablement aux premiers trappeurs canadiens français. À peu près partout, on trouvera donc une hiérarchie à l'intérieur du clan, à l'intérieur de la tribu, cette hiérarchie n'excluant ni la démocratie ni la tribu.

Voyons maintenant les caractères principaux de la démocratie.

Il y a organisation politique chaque fois qu'il y a un

---

1. MAINE (sir H. J. S.), *Ancient Law*, Londres, 1861.

organe politique, chaque fois que des individus exer-cent une fonction reconnue par la collectivité. À peu près partout, on trouvera un minimum d'organisation, organisation qui peut être temporaire, comme le conseil du clan en Australie et dans les îles Andaman.

Les réunions du conseil de clan ou du conseil de la tribu s'accompagnent d'un certain apparat. L'étiquette est régulière, en Australie on parle un autre langage lors des assemblées que le langage courant. La notion de Parlement est une notion fondamentale : il y a par-tout un endroit où il faut se parler en paix : il y a le droit de parole, le droit non pas de vote, mais d'ac-cord ou de désaccord. Nous retrouvons quelque chose d'analogue dans les colloques des guerres de religion.

On confond trop souvent les assemblées de cet ordre avec des assemblées toutes populaires ; le conseil des Anciens se réunit à l'écart, mais à l'issue de sa séance, il explique aux troupes ce qui a été décidé. Le peuple, il est vrai, est présent. Un conseil du clan, en Écosse, se tient le jour de la fête et des jeux de clan. C'est cette présence de la masse qui donne cet aspect démocratique pur au clan, mais il s'agit d'une masse organisée, rangée par familles, par clans et sous-clans, par lieux. Après la dissolution, chaque famille retrouve son indépendance.

La forme démocratique de l'État s'accompagne d'un mode particulier d'administration de la justice. La justice privée s'administre à l'intérieur de la famille. Au cas de justice collective, le clan peut dans certains cas procéder à une enquête dans toutes les familles du clan, sauf dans la famille du chef.

Les assemblées de clan, les assemblées de tribu, sont souvent réunies pour vider des querelles. Toutes les assemblées de tribus australiennes débutent par une série de combats réguliers, de duels sans mise à mort ; les armes sont portées au conseil, car l'homme libre se reconnaît au port des armes : « On reconnaît la République, dit Aristote, au fait que le peuple n'a pas déposé les armes ». À cet égard, un clan sioux se conduit comme les tribus d'Israël dans la Bible.

Sont encore caractéristiques de l'État démocratique les rites de convocation et d'hospitalité : *hostis*, l'ennemi, s'oppose à *hospes*, l'hôte. Les règles d'hospitalité sont des règles fondamentales. Les règles de convocation de la tribu sont très développées en Australie, très développées également en Amérique du Nord. Elles se trouvent à la base des rites d'alliance et des repas en commun. La corporation était essentiellement une société qui organisait des repas en commun.

FORMES SECONDAIRES DE L'ORGANISATION SOCIALE. SOCIÉTÉ DES HOMMES. SOCIÉTÉS SECRÈTES. CASTES. CLASSES [1].

Les formes secondaires de l'exercice du pouvoir offrent une importance aussi grande que les formes primaires ; la seule différence est que, par leur définition même, les formes secondaires sont sectionnées.

La forme la plus importante de la division du travail social politique est la division sexuelle, qui exclut les femmes de la politique. La société des hommes administre une partie des affaires publiques.

Société des hommes

Pour décrire la société des hommes, on supposera par hypothèse qu'elle n'a rien de commun avec les sociétés secrètes.

La société des hommes se manifeste généralement

1. BOAS (F.), *The Social Organization and the Secret Societies of the Kwakiutl Indians*, Washington, 1898. BRIEM (O. E.), *Les Sociétés secrètes de mystères*, trad. fr., Paris, 1941. BUTT-THOMPSON (F. W.), *West African Secret Societies*, 1929, Londres. JEANMAIRE (H.), *Couroi et courètes*, Lille, 1939 (parallèle intéressant entre les sociétés d'hommes dans la Grèce ancienne et en Afrique noire moderne). SCHURTZ (H.), *Altersklassen und Maennerbünde*, Berlin, 1902. WEBSTER (H.), *Primitive Secret Societies*, New York, 1908.

dans le monde mélanésien et dans le monde polynésien par la présence d'une maison, la maison des hommes, et par l'existence de sanctuaires déterminés. L'Afrique a généralement deux sortes de lieux de réunion, les bois sacrés jouent à cet égard un rôle important. Le monde papou possède une maison des hommes par phratrie. Très souvent, la maison des hommes est le signe non seulement de l'existence d'une société, mais encore de son indépendance, parfois même un défi. On distinguera donc s'il existe une maison des hommes par phratrie, par lieu, ou s'il en existe plusieurs.

La maison des hommes est généralement divisée par clans, chaque clan possédant ses cellules en plus des sanctuaires. Aux îles Fidji, la maison des hommes atteint des dimensions considérables.

Dans l'organisation de la société des hommes, une division par âges peut recouper d'autres divisions. Son organisation intérieure peut régler les conditions du mariage, de l'initiation, le rang dans l'armée, la position du chef de famille. Elle peut dominer toute l'organisation militaire et civile de l'État. C'est à l'intérieur de la société des hommes qu'on trouvera les véritables formes politiques. N'oublions pas que les corporations ont été les moyens d'émancipation des communes.

La société des hommes se divise normalement selon le système des classes d'âge : les anciens gouvernent, les autres obéissent avec la perspective de gouverner plus tard. Chez les Arunta d'Australie, l'initiation dure environ trente ans, ce n'est qu'au bout de ce temps que l'homme est en possession de tous ses grades. L'organisation est souvent rigide, l'initiation est le fait fondamental, avec la conquête des grades. Très souvent, l'adolescent quitte sa famille pour entrer dans la société des hommes, en particulier il n'est pas initié par son père ni par ses oncles paternels, mais par ses oncles maternels et futurs beaux-pères. C'est chez eux qu'il vit, c'est dans leur maison des hommes qu'il sera initié. L'institution des pages est une survivance de cet état de choses, le fosterage correspond à l'obligation d'être élevé par son futur beau-père. Les grades se conquièrent lentement, après des épreuves de toutes sortes, rituelles et militaires. Ils peuvent aussi se perdre, leur perte correspondant à une sorte de mise à la retraite.

La société des hommes joue souvent un rôle judiciaire considérable. Très fréquemment, elle est détentrice essentielle du droit pénal, les exécutions pouvant être secrètes. Ses fonctions religieuses sont aussi très importantes, qu'elle soit divisée en clans, ou divisée en confréries, les confréries pouvant elles-mêmes être des clans ou d'anciens clans. À côté de ses séances secrètes, la société des hommes se manifeste publiquement en certaines occasions, notamment en bannissant les femmes du village pour ses cérémonies, ou au contraire en ne faisant que de courtes apparitions publiques.

On observera tout ce qui se rapporte au langage de la société des hommes, ses rapports avec le langage ordinaire, etc.

La société des hommes, même en Australie, peut exercer un véritable pouvoir législatif : c'est là que l'on modifie les coutumes, que l'on en introduit de nouvelles, qu'on en abandonne d'anciennes.

Dans certains cas, la société des hommes correspond à des groupements de corporations, par exemple aux îles Fidji, la corporation des charpentiers ; la corporation des forgerons en Afrique centrale.

Les sociétés de femmes, très répandues, sont beaucoup moins bien connues. Dans un grand nombre de cas, les femmes forment des collèges. On a parlé au Dahomey de «couvents» de prêtresses.

Sociétés secrètes

La société secrète est secrète par son fonctionnement; mais sa fonction est publique, son action est toujours à quelque degré publique. Ses membres appartiennent à divers clans et les grades à l'intérieur de la société recoupent les divisions entre clans.

Les conjurés sont des conjurés à vie, c'est un minimum dans la société secrète. Très souvent, la société secrète est une confrérie extraite soit des clans, soit des classes, soit même des corporations. La confrérie est secrète, extrêmement secrète — dans tout ce qui n'est pas public : les arrivées de masques appartenant à la confrérie sont publiques. La question se posera de la légalité ou de l'illégalité de la société secrète. La façon dont nous interprétons trop généralement la société secrète comme hostile à l'État est une erreur. Nous nous figurons toujours les sociétés secrètes du point de vue de notre société. Ce sont en effet en partie des sociétés de complots, mais qui jouent une fonction régulière. Une société secrète au Dahomey, dans le livre de M. Hazoumé[1], nous apparaît comme une petite société de complots privés; mais l'auteur lui-même reconnaît que toutes les sociétés secrètes sont rattachées au grand mythe du chasseur, révélateur de la chasse. D'autre part, le secret n'est que relatif, on est secret pour d'autres. Pour qui, pour quoi, où, dans quelles conditions est-on tenu au secret, l'enquête devra porter sur ces différents points.

Voici en pays mélanésien une société soi-disant secrète, qui correspond en réalité au groupement des classes d'âge de la société des hommes par les clans et par les totems[2]. Davy, dans la *Foi jurée*[3], décrit des

1. *Cf.* HAZOUMÉ (P.), *Le Pacte de sang au Dahomey*, Paris, 1937.
2. RIVERS (W. H.), *The History of Melanesian Society*, Cambridge, 1914, 2 vol.
3. DAVY (G.), *La Foi jurée*; *étude sociologique du problème du contrat; la formation du lien contractuel*, Paris, 1922.

faits analogues pour l'Amérique du Nord-Ouest : il y a dix sociétés secrètes et l'on est élu à tel ou tel grade de telle ou telle société suivant le clan auquel on appartient ; nul ne peut accéder au grade supérieur sans avoir franchi tous les grades inférieurs ; c'est une succession de confréries, recrutées suivant les âges, les richesses, les potlatchs et les clans.

Il sera souvent difficile de distinguer la société secrète de la société des hommes, qui peut elle-même être composée de plusieurs sociétés secrètes comportant des classes d'âge fortement hiérarchisées. Dans des sociétés très compliquées comme celles du Nord-Ouest américain, un homme a normalement deux vies : une vie d'hiver, une vie d'été. La société d'été est groupée par clans et par familles, la société d'hiver par confréries et par sociétés secrètes. Mais les confréries elles-mêmes sont classées par le clan et par l'âge. Il existe encore un système de prénoms correspondant exactement au système des animaux, des dieux ou des ancêtres qu'il s'agit de réincarner. Dans toute la Mélanésie, les clans sont divisés en classes d'âge, il n'y a pas recrutement ni élection, mais un fils peut perdre le rang transmis par son père. Il ne suffit pas d'appartenir à tel clan pour accéder à tel grade de la société secrète. Ces grades s'obtiennent par les extases caractérisées dans ce rang par rapport au clan du postulant ; si le candidat n'a pas eu sa révélation, il ne peut pas acquérir le grade convoité. Quant aux six princes de la famille Kwakiutl, ils ne peuvent rester princes qu'à condition d'être cannibales.

La société secrète possède en général des pouvoirs considérables, terribles. Au point de vue civil, elle administre les intérêts de chacun de ses membres. Il existe à Tahiti une société des *Areoi*, seule société secrète que je connaisse vraiment en Polynésie. Les Areoi, c'est-à-dire les gens qui mangent avec le roi, les comtes, sont à la solde du roi, ils mangent dans la main du roi, ils exécutent les ordres du roi. Le rôle militaire de la société secrète apparaît moins important que celui de la société des hommes, parce que c'est dans la société des hommes que les âges se déterminent normalement. En droit criminel, la société secrète joue un rôle important.

L'ascension dans la société secrète, d'un grade inférieur à un grade plus élevé, est toujours l'occasion de grandes dépenses : on achète son grade ; les charges, les bénéfices sont vénaux.

Le trésor de la société secrète est généralement composé d'un grand nombre d'objets religieux. Ce circulus entre les grades et entre les confréries est un fait considérable sur lequel est basé tout l'orphisme. Caractère international des sociétés secrètes.

La société secrète joue un rôle important dans la vie religieuse : un rôle public et un rôle secret. Très souvent, les peines édictées sont infligées par magie. À l'intérieur de la société existe normalement un culte de confrérie.

Enfin, la société secrète a un langage à elle, qui demeure secret pour les non-initiés.

Ces formes secondaires de l'organisation du pouvoir sont compatibles avec la démocratie comme avec la monarchie. Elles sont normalement mêlées. Dans une large mesure, on peut dire que les formes secrètes sont destinées à déterminer les chefs, c'est ce qu'on peut déjà appeler le règne des comités.

Castes et classes[1]

Quand tous ces grades sont acquis et qu'ils sont héréditaires ; quand, d'autre part, il y a endogamie à l'intérieur de cette hérédité, qu'on ne peut se marier ni procéder qu'à l'intérieur d'un groupe social déterminé, nous nous trouvons en présence de castes. La

---

1. *Cf.* HOCART (A. M.), *Les Castes*, *op. cit.* BOUGLÉ (C.), *Essai sur le régime des castes*, Paris, 1908.

caste est une classe rigoureusement endogame, divisée elle-même en clans. On croit généralement que la caste n'existe que dans l'Inde, alors qu'on en rencontre un peu partout. Nous avons la liste exacte et complète des clans védiques jusqu'à nos jours, mais la caste est aussi un fait polynésien et malais. Le maximum, au point de vue linguistique, est représenté par Samoa et par le Japon, où vous ne pouvez pas parler d'une chose à un interlocuteur, à partir de ce que vous êtes, sans régler votre langage en conséquence de ces triples considérations. Il n'y a qu'à l'intérieur d'une caste que vous employez tous le même langage.

Généralement, la caste a un habitat spécial dans le village ou dans la ville. Elle a ses chefs.

Dans tout le monde noir, les forgerons, les orfèvres et les griots sont groupés en castes. Les commerçants dioula forment une caste dans les sociétés où ils sont dispersés. Les musulmans, au Tchad, forment une caste que caractérise au premier coup d'œil l'usage du cheval, en face des autochtones qui demeurent piétons. Castes des tisserands, des charpentiers aux îles Fidji. Caste des bourreaux en Europe occidentale.

La classe ne diffère de la caste que par l'absence d'hérédité et d'endogamie. Elle est une simple distinction sociale, le plus souvent basée sur la richesse. Chaque classe possède son langage approprié.

On étudiera comment se fait l'ascension d'une classe inférieure à la classe supérieure (généralement par la richesse ou par le pouvoir politique). Il y a aussi des obligations, des distributions, réglées selon chaque classe. Ces organisations sont encore très vivantes dans tout le pays arabe.

Le plus souvent, l'observateur se trouvera en présence d'un enchevêtrement de classes, de castes, de chefferies, d'organisation monarchique et démocratique. Il sera ici nécessaire d'étudier tout à la fois. Nous n'avons pas le droit d'assigner telle organisation politique à telle société sans avoir étudié à fond cette organisation, sans avoir mesuré la place exacte des institutions démocratiques, monarchiques, de castes, etc. dans ce qui forme son système juridique de droit public.

Organisation domestique [1]

Toutes les sociétés des colonies françaises sont des sociétés à base d'organes familiaux, politico-domestiques. Nulle part, la grande famille, ni même très souvent le clan, ne sont effacés. L'unité politique n'est pas

1. BACHOFEN, *Das Mutterrecht*, Bâle, 1898 (très dépassé, reste le point de départ de nos études actuelles sur la famille). BEST (E.), «Maori Nomenclature», *Journal of the Anthrop. Institute*, 1902, XXII, p. 182-202. BOAS (F.), *Ethnology of the Kwakiutl*, 35th An. Rep. of the Bureau of Amer. Ethnology, 1917, I & II. DORSEY (O.), *Siouan Sociology*, 15th An. Rep. of the Bureau of Amer. Ethnology. 1897, p. 205-245. FRAZER (J. G.), *Les Origines de la famille et du clan*, trad. fr., Paris, 1923. GROSSE (E.), *Die Formen der Familie and die Formen der Wirtschaft*, Fribourg-en-Brisgau, 1896. GRANET (M.), *Catégories matrimoniales et relations de proximité dans la Chine ancienne*, Paris, 1939. JUNOD (H. A.), *Mœurs et coutumes des Bantous*, éd. française, Paris, 1936, 2 vol. KOHLER (J.), *Zur Urgeschichte der Ehe. Totemismus, Gruppenehe, Mutterrecht*, Stuttgart, 1896 (intérêt surtout historique). LÉVI-STRAUSS (C.), *L'Analyse structurale en linguistique et en anthropologie*, Word, I, 2, août 1945. LOWIE (R. H.), *Traité de sociologie primitive*, trad. fr., Paris, 1936. MALINOWSKI (B.), *The Family among the Australian Aborigines*, Londres, 1913; *La Vie sexuelle des sauvages du nord-ouest de la Mélanésie*, Paris, Payot, 1930. MOORE (L.), *Malabar Law and Custom*, Madras, 1905. MORGAN (L. H.), *Systems of Consanguinity and Affinity of the Human Family*, Washington, 1871. PAULME (D.), *Organisation sociale des Dogons (Soudan français)*, Paris, 1940. *Reports of the Cambridge Anthropological Expedition to Torres Straits*, vol. V et VI, Cambridge, 1904-1908. RADIN (P.), *The Social Organization of the Winnebago Indians : an Interpretation*, Ca. Geol. Sur. Mus. nº 10, 1915. RIVERS (W. H. R.), *Kinship and Social Organization*, Londres, 1914. SELIGMAN (B. Z.), *Studies in Semitic Kinship*, Bull. of the School of Oriental Studies, Londres, 1923, III, 1, p. 51-58; 1924, III, 2, p. 264-280. STARCKE, *Die Primitive Familie in ihrer Entstehung und Entwickelung*, Leipzig, 1888.

l'individu, mais la famille. La famille qui, dans nos pays occidentaux, n'a plus qu'un rôle privé, en fait ou en droit, est là l'unité sociale véritable.

Unité politique, la famille forme la transition entre le droit politique et le droit rigoureusement familial de ces sociétés. En droit germanique — et il en a été ainsi jusqu'à la fin des Carolingiens —, la poursuite du meurtrier appartient à la famille et non à l'État : c'est la famille et non l'État qui encaisse la composition. Le meurtrier doit rembourser les parents, doit rembourser la mère de sa victime. Les parents de la victime ont le droit et même le devoir de poursuivre le meurtrier, c'est la vendetta. Notre système pénal, notre système de dommages-intérêts, ne correspondent à rien pour ces sociétés.

L'état général de nos connaissances sur ces questions est faible, la proportion des sociétés australiennes bien connues ne dépasse pas une sur cinquante. Sur des régions entières (Guyane, une grande partie de Madagascar), nous sommes dans l'ignorance.

Dans notre société occidentale, la famille est un état de fait d'où découlent des droits. Presque partout ailleurs, la famille est un état de droit d'où découlent certains faits. Il a fallu cinquante ans pour que la thèse de Durkheim à cet égard soit généralement admise. Là où la descendance n'est comptée qu'en ligne utérine, la parenté n'existe que par les femmes ; ailleurs, la descendance n'est comptée qu'en ligne masculine. En droit romain, la mère n'est parente de ses enfants que par une fiction légale : elle est considérée comme la fille de son mari, *loco filiae*. Ce ne sont pas les états de fait, mais les états de droit qui créent la famille.

Toutefois, il n'existe pas de famille sans qu'il y ait au moins la fiction d'un état de fait. L'état de fait n'est pas déterminé comme chez nous par le fait, il est déterminé par le fait du droit. Il y a donc tout de même à l'origine certains faits, notamment la notion de la descendance.

La famille lie un groupe de gens naturellement ou artificiellement consanguins, qu'unit une série de droit mutuels et réciproques dérivant de cette croyance à la consanguinité, croyance qui peut être marquée par la présence d'un nom commun, d'un nom de famille. Dans le clan maori comme dans le clan écossais, le seul individu qui possède vraiment un nom est le chef du clan, mais tous les membres du clan participent, dans une certaine mesure, de sa nature.

Le nom, à vrai dire, est un phénomène récent, qui date de la féodalité ; on trouve plus fréquemment une série de prénoms, propriété du clan ; ces prénoms sont hérités et correspondent souvent à des réincarnations.

De ce qui précède, il résulte que dans la plupart des cas, sinon dans tous, l'observateur se trouvera en présence de familles constituées selon des principes différents des nôtres. On trouvera dans les sociétés des colonies françaises à peu près toutes les formes possibles d'organisation politico-domestique, souvent très mélangées. Il ne faudra donc pas chercher une organisation unique dans des pays où la règle est non pas l'unité de droit, mais au contraire sa pluralité. On trouvera des formes primitives mélangées à des formes évoluées : un commerçant dioula d'Afrique occidentale, pendant tout le temps de ses voyages, vit isolé et indépendant ; mais à son retour dans son village, il remet sa poudre d'or entre les mains du patriarche de la famille indivise, elle ne lui appartient plus du jour de sa rentrée. Mêmes faits dans le droit tibétain. Le mélange de formes est un mélange normal, il s'explique par la notion fondamentale de la pluralité des parentés : le système successoral de l'ancien droit romain, aux termes de la loi des Douze Tables, connaît trois ordres d'héritiers ; les *sui heredes*, les agnats, les *gentiles*.

Prenons quelques exemples : la Chine est divisée en douze clans et tous les membres d'un clan déterminé se croient parents. Il existe dans l'Inde des formes d'une importance considérable qui sont et qui ne sont pas des castes. Il faudra donc distinguer les différentes sommes de parenté.

Biographies et autobiographies rendront ici d'utiles services. La confrontation de plusieurs biographies donnera un certain nombre de prénoms et de noms. En fait, le nom véritable est très souvent tenu secret. On connaîtra plus facilement le surnom, *cognomen*.

La nomenclature romaine : *nomen*, nom du clan, *praenomen* et *cognomen* pourra être employée ici. Le prénom est un nom personnel et héréditaire : il n'existe normalement qu'un seul individu portant tel prénom à l'intérieur de tel clan, chaque groupe a sa série déterminée de prénoms ; alors que les surnoms, attachés au prénom, sont devenus à l'intérieur du clan propriété rigoureuse de la famille.

L'hypothèse la plus simple est celle qui divise une société en deux moitiés, en deux phratries, à l'intérieur de chacune desquelles la descendance se compte en une seule ligne, masculine ou féminine ; la distinction entre les générations engendrant une deuxième, la distinction entre les sexes, une troisième division.

Dans cette hypothèse, si la descendance est comptée en ligne utérine, un père appartenant à la génération 1 du groupe A engendrera un fils qui appartiendra à la génération 2 du groupe B ; le petit-fils sera un A3, appartenant à la même phratrie et, dans le cas le plus simple, à la même classe d'âge que son grand-père maternel[1].

La grosse difficulté consistera à distinguer l'alliance de la parenté. Les A sont tous alliés aux B, mais ils ne sont pas tous parents des B ; dans certains cas même, ils ne le sont absolument pas. Pour noter cette distinction, Morgan, puis Rivers, ont distingué entre consanguinité et affinité. Dans une société où la descendance se

---

1. *Cf.* les tableaux de M. LEENHARDT, in *Notes d'ethnologie néo-calédonienne*, Paris, 1932 ; et *Gens de la Grande Terre*, *op. cit.*

compte en ligne utérine, les parents de ma femme sont mes alliés et je ne suis que l'allié de mes enfants ; dans une société où la descendance se compte en ligne masculine seule, ma femme n'est qu'une alliée de mes enfants. D'une part, parenté proprement dite, consanguinité ; de l'autre, simple alliance, ou affinité.

A	B
1	1
2	2
3	3

Lorsque la descendance n'est comptée que dans la ligne masculine, la femme ne transmet rien, aucun totem, aucun héritage. Lorsque seule compte la filiation par les femmes, l'homme est une sorte de parasite de la descendance. La difficulté consiste à combiner les deux descendances. Chez les Waramunka, on a résolu le problème en décidant que les femmes n'avaient pas d'âme, donc qu'elles ne se réincarnaient pas, qu'elles ne transmettaient rien. En droit souabe, à la différence du droit saxon, la femme n'hérite pas et on n'hérite pas d'elle.

Généralement, les deux lignes, masculine et féminine, sont comptées, mais offrent une importance différente. Ce n'est qu'en droit indo-européen tardif et aussi en droit polynésien, que les deux lignes sont comptées exactement de la même façon. Encore chez les Latins, l'agnation compte seule ; nous ne serions pas parents de nos mères si nos ancêtres n'avaient pas connu la famille germanique.

Toutefois, la division en deux phratries originelles n'est qu'une hypothèse, la plus simple ; on se trouvera plus souvent en présence de plusieurs clans répartis entre plusieurs phratries ou en présence de grandes familles indivises, utérines ou masculines, chacune ayant à sa tête un chef qui tient tous les siens dans sa main, *in manu*. La famille individuelle, qui joue un si grand rôle dans nos sociétés, est ici beaucoup plus effacée. D'où l'existence de la PARENTÉ CLASSIFICATOIRE, c'est-à-dire d'une parenté où un même terme désigne non pas un seul individu, mais toute une classe de parents. La parenté classificatoire n'existe chez nous que pour désigner les cousins, les oncles ou les tantes, nous distinguons entre frères et cousins. Mais dans les sociétés qui observent une parenté classificatoire, j'appelle frères tous les hommes de la même famille et de la même génération que moi, j'appelle femmes toutes les sœurs de ma femme, c'est-à-dire toutes les filles qui appartiennent à la même famille et à la même génération ; réciproquement, ma femme appelle tous mes frères : mes maris. Les membres de deux classes de parenté sont tous dans un rang égal et du même genre les uns par rapport aux autres. La parenté classificatoire décrit des positions symétriques à l'intérieur d'un groupe, ou dans deux groupes qui s'affrontent. Ici interviennent toutes les discussions sur le mariage par groupes.

La parenté classificatoire est souvent réciproque : petit-fils et grand-père s'interpellent par le même nom, père et fils se nomment par le même nom, plus exactement il n'existe qu'un seul terme pour désigner la relation « père-fils ». *Cf.* l'allemand *Enkel*, de *avunculus*, « petit oncle », « petit ancêtre ».

Les termes de parenté varient encore selon le sexe qui parle et le sexe dont on parle.

On ne peut entreprendre une étude de la famille sans avoir observé et décrit toutes les positions de droit possibles dans la société.

La parenté classificatoire explique un certain nombre de coutumes fréquentes dans les sociétés dites primitives. Le tabou de la belle-mère qui a survécu jusqu'à nous, s'explique fort simplement à partir du schéma ci-dessus : un A 2 ne peut épouser qu'une B 2 ; la belle-mère est une B 1, elle appartient à la génération interdite de la phratrie permise ; d'autre part, le gendre lui doit le sang de sa femme, il est de ce fait en état de dette perpétuelle à son égard. Une autre position curieuse est celle du neveu utérin dans le cas d'une descendance en ligne masculine : un A 2 épouse nécessairement une B 2, fille d'un B 1, il épouse donc la fille de son oncle utérin ; dans certaines sociétés, le neveu doit faire ce qu'il peut pour son oncle utérin et futur beau-père ; cela va jusqu'à des rapports homosexuels chez les Papous Kiwai ou chez les Marind Anim, où l'enfant est élevé entièrement chez son oncle utérin. Ailleurs, aux Fidji, le neveu utérin, *vasu*, a tous les droits sur son oncle utérin, il peut le dépouiller entièrement[1].

Dans chaque cas, on s'efforcera de distinguer entre parenté de fait et parenté de droit. Cette distinction permettra de trancher sans difficulté la fameuse question de la promiscuité primitive : en fait, il n'y a pas de promiscuité primitive, mais simplement un droit à la connubialité. Les cas où il y a promiscuité véritable sont des cas de licence sexuelle absolue, obligatoire, mais limitée à certaines fêtes très solennelles, à certains jours de l'année. En Australie et dans l'ensemble malgache, les pires formes de l'inceste sont prescrites au cas de ces fêtes ; elles sont strictement interdites tout le reste de l'année.

L'étude de la famille se fera à partir de biographies et d'autobiographies. Ces biographies permettront le recours à la méthode généalogique qui, elle-même, révélera le type exact de nomenclature des parentés dans la société étudiée. La méthode généalogique consiste à recueillir tous les termes de parenté employés par un individu déterminé à l'égard des différents membres de sa famille dont on connaît le lien de parenté exact avec l'informateur. Ces termes,

---

1. *Cf.* MAUSS (M.), *Parentés à plaisanterie*, École pratique des Hautes Études, V^e section, annuaire 1927-1928, Melun, 1928.

reportés sur l'arbre généalogique de la famille étudiée, feront aussitôt apparaître différentes classes de parents ; la classe des pères comprendra tous les frères du père, la classe des frères englobera tous les cousins en ligne paternelle ou en ligne maternelle, etc.[1] L'histoire de plusieurs individus appartenant au même groupe permettra de reconstituer ensuite l'histoire du groupe lui-même. En outre, on obtiendra ainsi de précieux renseignements sur la propriété et ses modes de transmission, sur les héritages, etc.

On ne partira jamais du mariage qui, on le voit d'après ce qui précède, loin de fonder la famille, n'en est le plus souvent qu'une conséquence ; c'est un effet, ce n'est pas une cause. La famille individuelle ne devient que tardivement la famille de droit ; le clan, la grande famille indivise, sont beaucoup plus importants. La place de la famille individuelle s'est beaucoup accrue chez nous récemment.

L'observation des groupes politico-domestiques représentera souvent l'essentiel du travail de l'observateur : les faits importants ne se déroulent en effet ni à l'échelle individuelle, ni à l'échelle tribale, mais avant tout à l'échelle des segments dont est composée la société.

Dans nos pays occidentaux, il serait difficile de retrancher une province sans atteindre gravement la vie de la société tout entière. Mais ailleurs, dans certains régimes politico-domestiques, on peut couper d'immenses masses, la société subsiste : un clan malais peut émigrer tout entier, la tribu reste ; une grande famille quitte le clan, le clan demeure. Ce caractère segmentaire existe bien aussi chez nous, mais à l'échelle de l'individu ; ce sont des individus, non des groupes, qui se segmentent.

---

1. *Cf.* Rivers (W. H. R.), *Kinship and Social Organisation*, Londres, 1914. Richards (A. I.), « The Village Census in the Study of Culture Contact », *Africa*, 1935, p. 20-33.

Notre hypothèse de travail, qui suppose une société divisée en deux clans exogames amorphes, écarte la horde de Lewis Henry Morgan[1], que caractériseraient la parenté et le mariage promiscuitaires. Morgan a cru à la promiscuité primitive, sans aucune distinction entre gens d'une même génération. Selon lui, à ce stade social, chacun pouvait épouser sa sœur, chacun avait des droits absolus aux relations sexuelles avec toutes ses sœurs, qui étaient aussi ses femmes. En réalité, Morgan a généralisé à partir d'un cas précis, celui de la parenté *punalua* des îles Hawaï, où l'on n'est que possesseur temporaire de sa femme, celle-ci pouvant être enlevée par n'importe lequel de ses frères.

La thèse de l'antériorité de l'exogamie sur le clan, la société étant divisée simplement en deux classes matrimoniales, a encore été représentée par Graebner.

Nous avons longtemps cru nous trouver en présence de sociétés divisées en deux clans exogames amorphes : ainsi toutes les sociétés du Sud-Est australien, croyions-nous, étaient divisées en «faucons» et en «corbeaux». Pratiquement, nous savons aujourd'hui qu'il n'existe pas de société qui ne connaisse que deux clans exogames amorphes. La société qui se rapprocherait le plus de cet état de choses est celle des Todas du sud-est de l'Inde : or, si les Todas sont bien divisés en deux groupes rigoureusement exogames, ils représentent un des points culminants de ce qu'a dû être la civilisation dravidienne — ils parlent une langue dravidienne —, il est donc impossible d'employer ici le terme de primitif[2].

---

1. MORGAN (L. H.), *Systems of Consanguinity and Affinity of the Human Family*, Smithsonian Contributions to Knowledge, XVII, Washington, 1871.
2. Sur les Todas, *cf.* RIVERS (W. H. R.), *The Todas*, Londres, 1906.

Chacun de ces clans est toujours divisé en au moins trois générations. C'est le type d'organisation que nous trouvons le plus fréquemment aussi bien dans les sociétés australiennes que dans toute l'Amérique du Nord et du Sud et aussi dans la plus grande partie de l'Afrique. Tout l'ensemble aztèque a fonctionné de phratrie à phratrie. Les potlatchs en Amérique du Nord se donnent de phratrie à phratrie plus encore que de clan à clan. L'exogamie est encore plus régulière à l'intérieur de la phratrie qu'à l'intérieur du clan, la phratrie reste toujours exogamique. Toutefois, à Athènes, elle n'offrait pas ce caractère, et son existence, de ce fait, a été plus difficile à déceler.

Nous nous trouvons donc le plus souvent en présence de phratries divisées en clans, en sous-clans et en familles indivises. À l'intérieur de ces divisions jouent une parenté de droit et une parenté classificatoire qui est une parenté de fait. Organisation donc toujours assez compliquée.

On a cru longtemps que toutes les tribus australiennes étaient liées par un langage par gestes, un langage secret. Il existe en effet un langage par gestes développé dans les tribus australiennes. Mais le premier souci d'un voyageur australien arrivant dans une tribu nouvelle est de dire quelle est sa phratrie et, à l'intérieur de celle-ci, quelle est sa classe matrimoniale. Aussitôt qu'il est ainsi situé, il a droit aux appellations de classe, ce qui donne à toutes les sociétés australiennes l'aspect d'une même famille.

Tout ceci peut se concevoir d'une façon rigoureusement et exclusivement juridique. D'une manière générale, nous ne parlerons pas d'exogamie, mais de dégénération, de hiérarchie des formes collectives de la famille, par opposition à la forme individuelle qui demeure seule aujourd'hui.

Le clan peut être décrit comme une vaste famille, à égalité des différentes générations composant ce clan et non pas à égalité totale du clan. La notion de fraternité est présente dans le clan, mais surtout la notion de l'identité du sang qui coule et qui coule à différents âges.

C'est la *Zippe* germanique, qui correspond au terme sanscrit *sapa*, «le groupe qui a droit à une maison d'assemblée». Dans tout le monde indo-européen, cette maison d'assemblée est la maison de la grande famille indivise et la *Zippe* est la grande famille indivise en droit germanique.

Le clan se désigne par la notion d'une consanguinité parfaite, tout le monde a le même sang, la même vie. En arabe, le terme qui désigne le clan est aussi celui qui se traduit par «la vie», «le sang». Il y a chez les gens qui appartiennent au même clan une même nature. L'expression de cette communauté de vie, de sang, d'âme, c'est le nom : *gentiles sunt inter se*, *qui eodem nomine sunt*[1]. Tous les Fabii sont des gens du même sang, tous les Jules sont aptes à être César. Le clan, c'est la vie, c'est le sang.

Le premier signe du clan, c'est le *nom*. Là où il y a nom, il y a au moins famille et très souvent clan. On trouvera des clans nommés et des familles innommées. Le clan suppose un sang commun, une vie commune, une descendance commune. C'est toujours un nom générique et non pas un nom individuel, le nom individuel est une invention récente.

Ce nom générique s'exprime généralement par un *blason*. Blason qui peut être tout à fait élémentaire, ne consister qu'en un simple tatouage ou prendre d'énormes proportions. Tout le Nord-Ouest américain décore rigoureusement tout de son blason.

---

1. Cicéron, *Top.*, 6, 29.

Le clan se manifeste encore par la croyance à une descendance commune de l'homme et d'une espèce déterminée d'animaux ou de plantes, qui forme le *totémisme*. Toutefois, on peut trouver des clans sans totems, mais non des totems sans clans. Le lien au totem est un lien très général, mais pas absolument nécessaire. Dans certaines sociétés, les totems de phratrie comptent seuls. Le totémisme se marque par la parenté de substance entre l'homme et l'espèce révérée, l'animal ou les plantes. C'est la même vie qui coule. Les liens sont des liens de culte[1].

Nom, blason, totem, voici trois caractéristiques quasi idéologiques du clan.

Le clan se manifeste encore par des liens de droit. Tout d'abord par une certaine fraternité, une certaine égalité, entre ses membres. Durkheim, il est vrai, n'a peut-être pas assez distingué les générations dans le clan, a exagéré un peu cet amorphisme. Mais enfin, l'amorphisme existe, à l'intérieur d'une même génération la fraternité est absolue : tous les frères sont frères, tous les pères sont à quelque degré des pères. Chez les Sioux, tout le monde est rangé des deux côtés, par classes d'âge et par sous-totems. Donc fraternité relative et égalité relative de tout le clan, et même de toute la phratrie : tous les fils du chérif sont chérifs et sont frères.

Le clan possède encore souvent un territoire commun il possède toujours son sanctuaire, commun à tous ses membres. Le clan berbère se caractérise par la présence de sa fête.

L'existence de droits, y compris des droits de propriété, que possèdent en commun tous les membres du clan, aboutit à des résultats remarquables. Le clan est un endroit dans lequel il n'y a pas de règlement public des conflits. La vengeance du sang n'existe pas

---

1. Sur le totémisme comme culte, voir plus loin.

à l'intérieur du clan, puisque le clan est le sang; c'est un accident. Le clan a droit de basse et haute justice sur tous ses membres, nul étranger n'a le droit de regard sur ses jugements.

La vengeance du sang s'exerce de clan à clan, les compositions se paient de clan à clan. C'est ce qu'on a appelé, d'un mauvais terme, la responsabilité collective; en fait, ce qui existe, c'est deux collectivités qui peuvent être en état de guerre, qui exercent leur vengeance et reçoivent leurs compensations.

Il existe encore d'autres caractères du clan, moins nécessaires, mais assez particuliers. Nous sommes ici en présence de sociétés segmentaires, chaque clan a son indépendance, indépendance que marque la possibilité d'entrer dans le clan par tous les systèmes de parenté artificielle, en particulier par l'adoption. Dans un grand nombre de cas, le clan comporte un nombre d'âmes déterminé, un nombre de prénoms déterminé, un nombre d'animaux qui vivent avec le clan.

Enfin se pose la question des droits éminents et des droits individuels.

Le clan, les clans, peuvent être de diverses sortes. Les clans primaires, qui correspondent aux phratries, sont partout plus ou moins effacés. Par ailleurs, certains clans ont des institutions locales extrêmement déterminées : clan patrilocal ou matrilocal. Suivant que la descendance se compte par le père ou la mère, le clan sera à descendance masculine ou à descendance utérine. L'exogamie est tout à fait générale, et les clans endogames sont l'exception : un clan endogame correspond presque toujours à une caste, comme les familles royales. Normalement, le degré de parenté est une impossibilité au mariage.

Le clan peut encore être *local*, ou simplement *nominal*, groupant en ce cas des individus dispersés dans différentes agglomérations où on les reconnaît à leur patronyme. Les grands clans totémiques sont toujours à quelque degré nominaux et non pas locaux. Mais il existe aussi des clans locaux très importants, comme le clan écossais. Ailleurs, un clan ne comprend qu'un très petit nombre d'individus, par exemple chez les Arunta d'Australie. Le clan qui paraît aujourd'hui sans importance dans certaines régions peut avoir joué un rôle historique considérable.

La doctrine qui veut que l'exogamie soit une caractéristique du clan a été soutenue par Frazer et par Durkheim[1]. En fait, l'exogamie n'est pas forcément une exogamie de clan, car bien souvent, le clan a dégénéré et n'est plus qu'une simple parentèle.

La descendance dans le clan se compte généralement en une seule ligne posant le problème de la descendance utérine et celui de la descendance masculine. On appelle clan à descendance utérine un clan dont la souche est formée par les femmes, ce qui ne veut pas dire que les femmes sont maîtresses du clan, mais qu'elles en sont le moyen de propagation. Descendance utérine ne veut pas dire prédominance des femmes, mais ligne et souche du clan. Une grosse erreur consiste à confondre matriarcat et descendance utérine, alors que la personne qui commande dans une famille à descendance utérine, c'est normalement l'oncle utérin, le frère de la mère. On reconnaît une descendance utérine au rôle important de l'oncle utérin, ou du neveu utérin. Les théoriciens de la fin du XIXe siècle ont cru que le monde a débuté par la parenté utérine, ils ont cru que la forme primitive de la parenté était la parenté par les femmes. La question, qui a été longuement débattue, ne présente qu'un intérêt purement théorique. Dans la pratique, les divisions principales s'établissent à partir des sexes et à partir des générations : il faut que mon père ne soit pas de la même souche que ma mère et il faut que

---

1. FRAZER (Sir J. G.), *Totemism and Exogamy*, Londres, 1910. DURKHEIM (E.), « Sur l'organisation matrimoniale des sociétés australiennes », *L'Année sociologique*, 1903-1904, p. 118-147.

ma mère n'appartienne pas à la même génération que moi, sans quoi j'aurais le droit d'être son époux. Donc, dans toutes les sociétés, à partir de la division en sexes, il y a toujours à la fois descendance utérine et descendance masculine; seulement les deux descendances ne sont pas comptées de la même façon. Le problème sur lequel on a débattu pendant plus de trente ans est inexistant. Il peut y avoir hérédité par les femmes et hérédité par les hommes, mais on n'hérite pas les mêmes biens des deux lignes : en pays ashanti, l'enfant hérite le sang de sa mère, l'esprit de son père[1].

Des divisions plus graves peuvent résulter des distinctions entre les âges. Les classes d'âge recoupent les différences entre les phratries ou entre les clans.

Dans un grand nombre de cas, on se trouvera en présence d'une société divisée en un petit nombre de clans répandus sur une surface plus ou moins vaste. En vertu de la règle d'exogamie, dans chaque endroit, on trouvera plusieurs clans représentés, chaque clan s'efforçant de garder une importance prépondérante, ce sont des questions d'intérêt à la fois public et privé, fondamentales. Les alliances de clan à clan sont très souvent perpétuelles. Il est entendu qu'un clan A va normalement chercher ses femmes dans un clan A' de la phratrie opposée. Dans tout l'ensemble iroquois, un « ours » épouse une « louve ». Lorsqu'on se trouvera en présence d'une majorité d'ours et d'une descendance utérine ours, on pourra parler de clan utérin. Ici les hommes accaparent les femmes chez eux; ailleurs, les oncles utérins s'attachent leurs neveux et futurs gendres.

Ces droits sur les personnes se traduisent par des droits de propriété; telle propriété s'éteint avec telle ligne. L'essentiel, c'est la propriété, c'est la vengeance

---

1. *Cf.* RATTRAY (R. S.), *Ashanti*, Oxford, 1923.

du sang. La question est de savoir si le fils abandonne sa mère pour combattre dans le clan de son père, ou inversement.

L'état social s'exprime encore lors du deuil, par l'arrivée des deuilleurs, qui sont dans un cas les parents utérins, dans l'autre les parents masculins. L'ensemble utérin, dont on ne soupçonnait pas l'importance, peut ainsi apparaître lors des funérailles.

Il faudra encore, dans ces clans nominaux, distinguer la grande famille du clan. Ce qui compte, ce n'est pas la quantité d'individus, mais le nombre de références aux gens, leur comput de la parenté.

Enfin, très souvent, on constatera le croisement des deux sortes de clans, entraînant le croisement de deux descendances. Dans la même société, Krœber s'est trouvé en présence de deux sortes de clans, les uns se transmettant par le sang, les autres par l'esprit[1].

Les clans, d'autre part, peuvent être articulés, divisés en sous-clans, qui se subdivisent eux-mêmes. C'est ce qu'a observé Haddon au détroit de Torrès et qu'il a décrit sous le nom de *linked totems*, totems enchaînés et par succession : hiérarchie de clans et de noms et de divisions de clan, correspondant à une hiérarchie du monde, à une véritable cosmologie[2].

Ces formes de classification se retrouvent dans le monde Pueblo, dans le monde sioux et iroquois[3], dans presque toute l'Amérique. Il semble bien qu'une pareille cosmologie existait au Mexique et au Pérou, la première mention de totem est dans Garcilaso de la Vega.

On peut donc se trouver en présence d'une série de

1. Kroeber (A.), « The Arapaho », *American Museum of Natural History Bull.*, XVIII, 1904, p. 1-229 et p. 279-454.
2. Haddon (A. C.) éd., *Reports of the Cambridge Anthrop. Expedition to Torres Straits*, vol. V et VI, Cambridge, 1904-1908.
3. Hewitt (J. N. B.), *Iroquoian Cosmology*, 1re partie, 21st An. Rep. of the Bureau of Amer. Ethnology (1899-1900), Washington, 1904.

totems, c'est-à-dire d'une série de sous-clans. Séries compliquées, où les sous-clans sont souvent comparés aux branches d'un arbre : il s'agit de situer l'oiseau sur l'arbre. La division en sous-totems peut aussi aboutir à reproduire l'animal mythique du groupe : chez les Zuñi, «Œil droit du jaguar» se place normalement derrière «Narine droite» et à droite d'«Œil gauche»; sur le terrain, les membres du clan dessineront le jaguar sacré. La même disposition se retrouve dans les réunions du conseil iroquois, le rang est très net. La division en sous-clans plus ou moins nombreux peut donc aller jusqu'à localiser l'individu.

Enfin, un clan peut s'effacer, par exemple lorsque tous ses sous-clans se sont eux-mêmes élevés à la dignité de clans. L'exogamie disparaît toujours beaucoup plus difficilement que le totem : souvent le clan ne subsiste que par son nom, qui donne à ceux qui le portent un vague sentiment de parenté. Ailleurs, il subsiste sous forme d'organisation militaire : comices par centuries et comices par tribus à Rome correspondent dans un cas aux *gentes*, dans l'autre à l'armée. La question de l'organisation militaire intervient ici, avec la société des hommes.

Le clan local est plus souvent patrilocal que matrilocal. Il provient assez souvent de l'un de ces sous-clans, dont les mâles seront restés groupés, excluant, pour ainsi dire, la descendance utérine. L'exogamie est ici exclusivement locale. On peut avoir un nom et une appartenance locales paternelles, en même temps qu'un nom maternel.

Le système d'organisation apparaîtra nettement lors des réunions des Anciens, ou des séances de la maison des hommes, où tous les hommes se réunissent dans la maison de leur phratrie. On peut alors dire que le Parlement siège en permanence. Le Sénat romain et la réunion des *gentes* représentées par les *patres* correspondent à ces sessions.

Aux membres du clan par le sang se joindront les esclaves, libérés ou non, les clients, les captifs, etc.

Très souvent, l'organisation militaire de la tribu comporte des divisions par rangs d'âge et par clans. C'était le cas de l'armée polonaise jusqu'au xve siècle.

Enfin se pose la question des rapports entre le clan et la tribu.

LA FAMILLE[1]

La grande famille ou famille indivise (*joint family*) est une concentration du clan, ou plus exactement du sous-clan. On n'est pas parti du couple originel, on est parti de masses plus ou moins grandes, qui se sont concentrées peu à peu ; l'évolution s'est faite par la détermination de cercles concentriques de parenté toujours de plus en plus étroits. Il ne faut donc pas expliquer la parenté indivise par une multiplication du ménage, mais au contraire expliquer la famille conjugale à partir de la parenté indivise.

---

1. AGINSKY (B. W.), *Kinship Systems and the Forms of Marriage*, Memoirs of the American Anthrop. Association, Menasha, Wis. nº 45, 1935. CRAWLEY (E.), *The Mystic Rose. A Study of Primitive Marriage*, Londres, 1902. EVANS-PRITCHARD (E. E.), « The Study of Kinship in Primitive Society », *Man*, XXIX, nº 148, 1929. FIRTH (R.), *We, the Tikopia. A Sociological Study of Kinship in Primitive Polynesia*, Londres, 1936. FRAZER (Sir J. G.), *Les Origines de la famille et du clan*, *op. cit.*; *Totemism and Exogamy*, Londres, 1910. HARTLAND (E. S.), *Primitive Paternity*, Londres, 1909, 2 vol. HOWITT (A. W.), *The Native Tribes of South East Australia*, Londres, 1904. HUTCHINSON (Rev. H. N.), *Marriage Customs in Many Lands*, Londres, 1897. KOHLER (J.), *Zur Urgeschichte der Ehe*, Zeitschrift für vergleichende Rechtswissenschaft, XVII, 19, p. 256-280. MALINOWSKI (B.), *La Vie sexuelle des sauvages du nord-ouest de la Mélanésie*, *op. cit.* MORGAN (L. H.), *Systems of Consanguinity and Affinity of the Human Family*, *op. cit.*; *Ancient Society...*, Londres, 1877. THURNWALD (R.), *Banaro Society. Social Organization and Kinship System of a Tribe in the Interior of New Guinea*, Memoirs of the American Anthrop. Association, vol. III, nº 4, 1916. WESTERMARCK (E.), *Histoire du mariage humain*, trad. fr., Paris, 1895; *Les Cérémonies du mariage au Maroc*, trad. fr., Paris, 1921.

La grande famille consiste en un groupe de consanguins portant le même nom et vivant ensemble sur un territoire déterminé. On obéit à l'homme le plus âgé de la génération la plus ancienne, c'est le frère cadet et non le fils qui hérite : aussi le roi du Nepal qui voulait laisser le royaume à son fils devait-il massacrer tous ses frères. C'est ce que l'on appelait autrefois chez nous la communauté taisible, la communauté tacite, dont les membres mettent tout en commun sous la direction du patriarche. Les fils sont dotés par la communauté et non par leur père ; le patriarche est un administrateur des biens, généralement inaliénables.

La description de la grande famille par Maine dans son *Ancient Law*[1] a été un grand moment dans nos études. Maine a découvert l'identité de la famille au Pendjab et en Irlande. Nous constatons après lui l'existence de la grande famille dans presque tout le monde indo-européen. La *zadruga* des Balkans se retrouve dans tous les pays celtes nord. À Rome, le groupe d'agnats était très fort, qui englobait tous les descendants d'un même ancêtre mâle, y compris les femmes, mais non les fils de celles-ci.

Les caractères de la grande famille sont les mêmes que ceux du clan. Nous retrouvons la présence d'un nom commun ; l'association de chaque génération à l'intérieur de la famille ; et à l'intérieur de chaque génération, une absolue égalité : tous sont frères qui appartiennent à la même génération par rapport à l'ancêtre, tout le monde est fils de l'ancêtre à quelque degré. Cela se marque dans le mariage, dont une forme aberrante, mais très forte, est la polygynie sororale ou la polyandrie fraternelle[2].

Le trait le plus important dans la famille indivise est la notion de l'ancêtre commun, dont le patriarche

---

1. MAINE (Sir H. J. S.), *Ancient Law*, Londres, 1861.
2. Cf. GRANET (M.), *La Polygynie sororale et le sororat dans la Chine féodale*, Paris, 1920.

est le représentant vivant. La grande famille se distingue ici nettement du clan, à l'intérieur duquel le culte des ancêtres est assez rare.

À l'intérieur de la grande famille, l'hérédité se fait par génération. L'égalité entre les gens de chaque génération est absolue en dehors de l'autorité du patriarche : il n'y a pas de partage par souches, pas de représentation de souches, il n'y a que des partages par tête à l'intérieur de chaque génération. Généralement, à ce stade, il n'y a plus d'exogamie autre que celle de la grande famille.

L'indivision de la propriété est générale, la propriété reste investie dans le patrimoine. Dans la mesure où il y a partage, le partage est égal. En réalité, il n'y a pas d'héritage à l'intérieur de la famille, celle-ci est perpétuelle, alors que la famille individuelle se reforme à chaque génération.

À l'intérieur de la grande famille, le patriarche répartit les travaux des champs, gère les biens immobiliers et parfois les biens meubles. Parfois aussi, on constate la présence du pécule individuel, plus ou moins restreint. L'égalité entre tous ne signifie pas réciprocité entre tous ; ce qui existe n'est pas un communisme proprement dit, mais une réciprocité totale : les membres du groupe attendent la communauté non des biens, mais des services.

Enfin, l'adhésion au groupe égalitaire est relativement libre, les membres de la famille peuvent rompre leur lien d'agnation pour constituer une nouvelle famille.

La présence de la grande famille est décelée sur le terrain par l'existence de la grande maison enclose de murs, ou de la longue maison.

Les caractères généraux demeurant les mêmes, ces grandes familles peuvent être en ligne masculine ou en ligne féminine ; ou encore observer les deux descendances. Dans une grande famille malaise, les filles mariées demeurent sur place et reçoivent la visite nocturne de leur mari, c'est le mariage furtif. On peut donc distinguer deux sortes de grandes familles : famille paternelle indivise, type de la famille indo-européenne, où le plus ancien agnat, le plus ancien des mâles présents de la souche, commande ; famille maternelle indivise, exemple : une partie de la famille germanique. Selon le cas, les droits de propriété immobilière se transmettront par la souche masculine ou par la souche féminine ; la propriété mobilière étant plus attachée à l'individu. Mais l'agnation n'exclut pas nécessairement la cognation, une descendance en ligne masculine n'exclut pas la reconnaissance de l'héritage en ligne féminine.

Dans la famille maternelle indivise, le patriarche est le représentant de la femme la plus âgée de la génération la plus ancienne : à Madagascar, c'est le Premier ministre, époux de la reine ; ailleurs c'est son frère, oncle utérin le plus âgé. Mais le comput de la descendance en ligne maternelle ne veut pas dire qu'il y a famille matriarcale, famille où les femmes commandent. Cela veut dire simplement que la hiérarchie des hommes se recrute en ligne utérine.

On reconnaît aisément la présence de la famille maternelle à la position des oncles maternels. L'oncle utérin est le protecteur, normalement le tuteur. La position de la femme se marque encore dans la disposition intérieure de la maison : à l'intérieur de la longue maison, chaque ménage a son appartement : or, dans la famille maternelle, le mari n'est pas chez lui, parfois même il ne fait que rendre visite à sa femme la nuit, en se cachant.

La propriété des enfants, dans la famille maternelle, appartient au grand-père, ou à l'oncle maternel. Le mari est une espèce de locataire, de *locum tenens*, souvent, de son fils ; le mari est lieutenant de son fils et aussi de son beau-père.

La polyandrie est régulière dans certaines sociétés à descendance utérine : chez les Scythes et dans tout le monde numidique, c'est-à-dire libyque; elle existe encore au Tibet, où une femme a plusieurs frères comme maris, chaque famille comprenant plusieurs femmes.

Généralement l'administration des biens se fait par le frère aîné de l'une des femmes de la maison et non par un mari.

La famille paternelle ne présente pas un tableau très différent, en ce sens que dans les deux cas, ce sont toujours les hommes qui sont les porte-épées : le rôle des hommes ne diffère pas, seule leur place change. Au cas d'une descendance agnatique, ce sont les femmes qui sont étrangères à la famille, elles ne sont que les reproductrices d'enfants. La famille agnatique indivise n'a laissé pour ainsi dire que cette parentèle en droit romain, alors que le *genos* en Grèce devait être quelque chose d'intermédiaire entre le clan, la grande famille et la famille patriarcale, avec prédominance de la grande famille. Cette famille des agnats était importante surtout dans l'ensemble indo-iranien et dans tout l'ensemble celtique, alors qu'en droit germanique originel, la famille maternelle indivise a joué un rôle de premier plan. Cette grande famille agnatique existe encore dans certaines sociétés en Amérique du Nord : dans ce cas, la femme n'est pas parente de ses enfants, elle est simplement leur cognate, achetée par le mari pour avoir des enfants. D'où une conception erronée du mariage, où la femme serait l'esclave du mari.

Dans la famille agnatique, la femme n'est propriétaire que de ses biens propres, de ses paraphernaux ; mais sur ces biens, elle possède les droits les plus étendus. L'erreur consiste à croire qu'il n'existe qu'un seul droit, applicable à tous les biens et à tous les propriétaires, quels qu'ils soient. La pluralité des droits est au contraire la règle.

À l'intérieur de la famille paternelle, tout se passe comme dans la famille maternelle, avec partage par tête et non par souche, entre individus d'une même génération. Il n'y a pas communisme, mais réciprocité directe ou indirecte.

À l'intérieur de la grande famille paternelle peut exister la polygynie sororale, c'est-à-dire l'obligation d'un mariage général d'une famille contre une famille d'un autre clan ou d'une autre phratrie. Cette polygynie sororale correspond à la polyandrie des familles maternelles. Le lévirat en est une survivance.

La grande famille indivise est encore inscrite sur le sol très nettement en droit islandais par l'enclos, le clos normand. Le fils a le droit d'établir une maison dans le clos de son père, mais il n'a pas le droit de vendre cette maison. Le clos est une enceinte en pierres ou en bois, le kraal est un kraal de clan, de village ou de grande famille, jamais de famille individuelle.

En matière de cheptel, la propriété est indivise, le cheptel appartient au groupe des agnats. La propriété immobilière est indivise lorsqu'il s'agit du tréfonds, elle n'est pas nécessairement indivise lorsqu'il s'agit d'établissements à la surface, notamment des champs ni surtout des jardins.

Généralement, la solidarité est absolue en matière criminelle à l'intérieur de la grande famille. En droit contractuel, les potlatchs ont lieu de grande famille à grande famille, plus souvent que de famille individuelle à famille individuelle. Ces conceptions se traduisent encore par les traditions d'hospitalité.

Nous arrivons enfin à la forme de famille qui nous paraît la plus ancienne et qui est en réalité la plus récente au point de vue juridique : la FAMILLE CONJUGALE. C'est Rome qui a reconnu l'existence en droit de la famille individuelle, tout en continuant d'ignorer la parenté par la femme.

La famille conjugale de fait existe partout, les individus savent toujours quel est leur père véritable, quelle est leur mère véritable, et les distinguent encore après la mort de ceux-ci ; les relations d'affection et autres sont toujours plus étroites entre parents et enfants véritables. Mais la famille conjugale, en droit, est rarement reconnue.

On constatera dans la plupart des cas la coexistence de fait de la famille conjugale et de la grande famille indivise : la famille conjugale de fait existe depuis l'Australie. C'est la famille de droit qui subit ces immenses amplitudes de variations que nous venons de décrire. Il faudra donc observer la famille de fait et en fait. Chez les Eskimo et dans une grande partie du nord de l'Asie, l'organisation varie suivant les saisons : la famille individuelle s'isole en été, pour la chasse ; en hiver, tous les membres de la grande famille se rassemblent dans la grande maison commune. Un groupe australien se compose normalement de trois ou quatre ménages vivant sous trois ou quatre abris et se déplaçant au fur et à mesure de l'épuisement du terrain de chasse. Les grandes concentrations de clans, de phratries ou de tribus n'ont lieu qu'à des époques précises de l'année, pour des buts précis.

Au jour du deuil, la famille individuelle disparaît complètement : les utérins viennent chercher les uns, les masculins prennent les autres. La femme peut être tenue pour responsable de la mort du mari.

La famille conjugale est-elle en ligne paternelle ou en ligne maternelle ? En Chine, je n'ai aucun parent, sauf mes ancêtres paternels ; la femme adore la tablette des ancêtres du mari et non pas des siens ; les enfants ne sont parents que dans la ligne paternelle. Le matriarcat, forme également aberrante, existe dans l'Inde, en particulier dans les hautes castes des brahmanes ; il est régulier en Micronésie.

Dans la famille conjugale, on étudiera plus particulièrement le rôle du père : a-t-il droit de vie et de mort sur ses enfants ? Infanticides, exposition. Dans toutes les sociétés, le père a toujours tendu à transmettre ses droits à ses fils en leur conservant les droits qu'ils tenaient de leur mère. C'est l'histoire de toutes les familles royales, l'histoire de tous les mariages. Presque partout, on observera des conflits entre descendance agnatique et descendance cognatique.

LE MARIAGE

Le mariage est le lien de droit qui unit deux personnes à l'effet de fonder une famille, de fait ou de droit — en principe une famille de droit, mais tous les degrés sont possibles entre le mariage proprement dit et un état de fait qui aboutit à un état de droit en ce qui concerne les enfants. C'est la sanction d'une certaine morale sexuelle. Dans les sociétés qui nous occupent, le mariage n'est pas la source de la famille, il n'en est qu'un moment, qu'un incident. Nous sommes seuls à vivre sous le principe conjugal, l'ensemble de l'évolution du droit domestique se ramène à une évolution vers la famille conjugale. Le mariage part de presque rien pour aboutir à presque tout, l'*usucapio* en cette matière n'a été aboli qu'au VIIIe siècle.

On négligera la question, problématique, de la promiscuité primitive et on s'attachera à distinguer entre le fait et le droit. L'idée du mariage pratiqué exclusivement par groupes très larges (groupes de frères, groupes de sœurs) est une idée fausse ; ce qui existe, c'est la possibilité de rapports sexuels qui peuvent aboutir à des états de fait, mais toujours occasionnels et strictement réglés ; jamais à des états de droit. Le mariage par groupes n'a jamais lieu qu'entre petits groupes limités par l'âge et par le sexe ; dans le cas le plus courant, moi et mes frères devons épouser les filles de notre oncle maternel ; l'état de droit est antérieur à l'état de fait.

Lewis H. Morgan[1] avait cru trouver à Hawaï le

---

1. MORGAN (L. H.), *Systems of Consanguinity and Affinity of the Human Family*, *op. cit.* ; *Ancient Society*, *op. cit.*

mariage par groupes sur une très large échelle : il était parti de la parenté *punalua*, où un homme peut donner à toutes les femmes de sa génération le nom de «femme»; et où les rapports sexuels sont possibles à l'intérieur d'une génération. À partir de là, Morgan avait conclu à la promiscuité primitive. En fait, la licence sexuelle est obligatoire à Hawaï pendant tout le premier mois de l'année et pendant une semaine de très grandes fêtes; hors de là, elle est interdite. D'autre part, il n'existe pas à Hawaï de distinction entre le mot «femme» et le mot «sœur»; enfin, le mariage entraîne pour le roi l'obligation d'épouser sa sœur consanguine : incestueuse par essence, la dynastie royale reproduit l'image du Ciel et de la Terre, supprimant toute question de lignage et d'hérédité. Ce qui constituait pour Morgan la preuve du mariage par groupes ne correspond donc qu'à une licence sexuelle limitée à des époques déterminées; et, d'autre part, à un mariage incestueux du roi.

Toute la réglementation du mariage, et notamment l'institution des classes matrimoniales, a pour but d'établir des interdictions matrimoniales entre les générations. Presque toutes les sociétés noires connaissent au moins quatre classes matrimoniales, correspondant à deux générations dans chaque phratrie. Dans certaines sociétés, la classification, plus compliquée, aboutit à restreindre les possibilités de mariage à des groupes très étroits, ceci afin d'assurer la réincarnation de tel ancêtre d'une manière absolument certaine. On peut avoir ainsi jusqu'à huit classes matrimoniales.

L'institution des classes matrimoniales est beaucoup plus répandue qu'on ne le croit habituellement[1].

---

1. *Cf.* les travaux de LEENHARDT (M.) sur la Nouvelle-Calédonie et GRANET (M.), *Catégories matrimoniales et relations de proximité dans la Chine ancienne, op. cit.* Sur l'Australie, voir travaux publiés dans la revue *Oceania*.

On reconnaît l'existence de pareilles classes à la position très particulière qu'occupe la belle-mère et aux parentés à plaisanterie[1]. Les classes sont soit affrontées, soit décalées, pour permettre l'existence d'une gérontocratie, les hommes âgés se réservant les jeunes filles[2]. Une question importante est de savoir si l'organisation de ces classes est liée ou non au totémisme ; très souvent, les deux phratries portent un nom de totem[3].

On n'opposera pas de manière absolue exogamie (c'est-à-dire prohibition de l'inceste) et endogamie, l'exogamie familiale correspondant presque toujours à une endogamie de clan ; nous ne connaissons plus que l'interdiction de nous marier à l'intérieur de notre souche. Infraction aux lois de l'exogamie, l'inceste est un crime public ; il inspire l'horreur, même commis involontairement (Œdipe). Parfois cependant, l'inceste sera recherché, car seul il permet une absolue pureté de sang (famille royale à Hawaï ; pharaons).

En ce qui concerne polygamie et monogamie, la monogamie absolue n'existe qu'en droit. La polygynie sororale (au Tibet), la polyandrie fraternelle (en Afrique), s'expliquent presque toujours par des raisons économiques. La polygynie est normale dans les régions où mari et femme ne peuvent avoir de rapports sexuels de la naissance au sevrage de chaque enfant.

La question de la permanence du mariage retiendra plus longuement l'attention de l'observateur. Le lien qui unit les époux est un lien de droit ; mais de quelle nature ? est-ce un contrat de vente, de gage, de location ? Dans les mariages de choix, on retient les

_____

1. Sur les parentés à plaisanterie, *cf.* Mauss (M.), *Parentés à plaisanterie*, Paris, 1928.
2. *Cf.* Brown (A. R.), *The Mother's Brother in South Africa*, South African journal of Science, 1925 ; et articles dans les revues *Man* et *Journal of the Royal Anthropological Institute*.
3. *Cf.* Frazer (Sir J. C.), *Totemism and Exogamy..., op. cit.* ; Junod (H.-A.), *Mœurs et coutumes des Bantous*, Paris, 1937.

enfants avant leur naissance; il s'agit en réalité de prestations de phratrie à phratrie. Généralement, le mariage établit des rapports entre les beaux-parents des deux côtés. Il existe de curieuses inégalités de responsabilités et de curieuses différences en droit public et en droit privé, les droits de l'homme sur la femme ne correspondant pas aux droits de la femme sur l'homme. Cette question de la division des droits, parallèle à la division du travail, reparaît à l'égard des enfants.

Cérémonies du mariage

Le mariage est un acte privé qui ne change rien à l'état civil des conjoints. Les rites du mariage ont pour but d'écarter les inconvénients pouvant résulter de la cohabitation de deux êtres différents. Le «prix d'achat» de la fiancée correspond plus exactement à un prix de location; l'on concède à un homme d'une famille une femme appartenant à une autre famille et qui permettra à l'homme d'assurer sa descendance. La cérémonie elle-même est un moment de crise qu'il faut surmonter. Dans un certain nombre de cas, la défloration est rituelle, effectuée par le prêtre, en public, par exemple à Samoa. Ailleurs, il y a simplement transport de la mariée chez le marié; les rites de fiançailles sont alors très longs (exemple en Afrique du Sud). La nuit de noces n'est pas nécessairement la nuit du mariage, il y a souvent de nombreux essais. En Mélanésie, la promenade des filles correspond à ce que les explorateurs appelaient autrefois «la prostitution régulière». Tout ceci ne veut pas dire qu'il n'y ait pas de cérémonie du mariage. Le fait de la cohabitation, d'une présence féminine à côté d'un mâle, de la naissance d'enfants, tout cela apporte un changement dans le statut religieux des conjoints, soit que le mari vienne habiter chez sa femme, soit que la femme soit enlevée par le mari.

En ce qui concerne l'engagement, on distinguera : les classes matrimoniales ; qui a le connubium, avec qui. Les formes contractuelles par parents interposés sont fréquentes dès l'Australie (Davy y voit l'origine possible de tous les contrats). Description des fiançailles, qui peuvent commencer avant la naissance des conjoints. Les tabous des fiançailles, les prestations que l'homme doit fournir à ses futurs beaux-parents constituent l'essentiel du mariage dans toutes les sociétés qui relèvent de l'ethnographie. C'est le principe du servage du fiancé, Jacob chez Laban ; Jacob a servi dix ans pour obtenir un contrat qui lui assure des enfants. Les épreuves du candidat à la fille royale sont considérables dans tous les sultanats du monde noir. Tabous de la fiancée ; de la belle-mère ; du beau-père[1]. Le mariage est un moment des fiançailles, souvent postérieur aux premiers rapports sexuels. Le mariage par capture, ou par enlèvement combiné, est fréquent ; il existe déjà chez les Kurnai d'Australie ; la bataille des garçons d'honneur, qui a encore lieu dans beaucoup de campagnes françaises, en est une survivance. Coutume des Valentins. Ces rites symbolisent le passage d'une famille à l'autre et la violence qui accompagne nécessairement ce passage. On notera les rituels pour l'enlèvement, les rituels de communion : repas en commun, visites alternatives des deux familles. Tous ces rites ont pour but de mettre progressivement en face l'un de l'autre les mariés. Viennent ensuite les tabous du marié, ce que l'on appelle le mariage furtif, où le marié ne peut rendre visite à sa femme qu'à la dérobée. Enfin, tous les rites du seuil, les rites d'introduction aux ancêtres. À Madagascar, la notion du contrat est nette. Noter l'absence de dot et éviter l'emploi de ce terme ; on parlera plutôt de gages donnés par le mari à la famille de la femme,

---

1. *Cf.* CRAWLEY (E.), *The Mystic Rose. A Study of Primitive Marriage*, Londres, 1902.

d'un prix pour la jouissance de la femme. Les phénomènes religieux sont généralement secondaires. Noter
les conditions de lieu, de temps : on épouse souvent la
femme que le sort vous a désigné, qui vous est prédes-
tinée.

Vie matrimoniale

Offre-t-elle un caractère durable ou temporaire[1] ?
Se déroule-t-elle dans la famille de la femme ou dans
celle du mari ? Règles religieuses concernant les mens-
trues, l'allaitement, la chasse, la guerre, les actions
interdites à l'intérieur du ménage ; il est rare que le
mari et la femme mangent ensemble. Position de la
femme à l'intérieur du ménage, division sexuelle du
travail, existence des biens masculins et des biens
féminins. Ici, la femme est entièrement propriétaire ;
là, elle ne possède rien. Éviter l'idée de la femme bête
de somme, esclave de son mari, mais distinguer les
femmes esclaves véritables, ou captives, des autres.
L'étude de la position qu'occupe la première femme
pose la question du concubinat, de la jalousie entre
co-épouses ; infanticides, avortements, etc.

Le mariage doit s'étudier de manière statistique :
adultère (l'institution du sigisbée est régulière en pays
noir) ; prêt de la femme, échange, location ; réglementation de l'adultère et mariage temporaire, par
exemple en cas d'absence prolongée du mari chez les
Dioula du Soudan. Droit de l'hôte, droit du prince,
etc. cas prévus d'infidélité. La solidarité entre mari et
femme au point de vue criminel et civil est souvent
très faible. Rapports du mari avec sa belle-famille et
notamment avec ses beaux-frères (*cf.* Barbe-Bleue).

---

1. *Cf.* YATES (T. J. A.), « Bantu Marriage and the Birth of the
First Child », *Man*, XXXII, 1932, n° 159. Chez les Dogons du Soudan français la femme ne pouvait jadis venir chez son mari qu'après
la naissance du troisième enfant. PAULME (D.), *Organisation
sociale des Dogons*, Paris, 1940.

Divorce

Qui peut dissoudre le lien conjugal ? Chez les Noirs, c'est plus souvent la femme ; chez les Sémites, l'homme. En quels cas ? La répudiation est la forme habituelle du divorce. Le divorce coïncide généralement avec une restitution des biens donnés par le mari à ses futurs beaux-parents. Étude statistique des cas de divorce. La méthode biographique rendra service ici. Sort des enfants.

Veuvage

Le veuvage de l'homme est généralement sans importance, celui de la femme est beaucoup plus grave, la femme souvent accusée du meurtre de son mari. La femme est le sujet, plus encore que l'objet, du deuil. Les cas de sacrifice de la veuve, de suicide de la veuve, ne sont pas rares. Interdits pesant sur la veuve. Dans un grand nombre de cas, la veuve est consacrée au mort pendant la durée du premier enterrement, jusqu'à la levée du deuil[1]. Très souvent, la femme est un objet d'héritage, le fils hérite des femmes de son père (à l'exception de sa mère). La distinction régulière entre biens masculins et biens féminins empêche presque toujours tout droit d'héritage du mari sur les biens de la femme, de la femme sur les biens de son mari.

Phénomènes moraux dans le mariage

Les phénomènes strictement juridiques s'entourent toujours d'un halo de phénomènes qui ne sont pas rigoureusement sanctionnés ; c'est ce qu'on appelle la

---

1. *Cf.* HERTZ (R.), « Contribution à une étude sur la représentation collective de la mort », in *Mélanges de sociologie religieuse et de folklore*, Paris, 1928.

morale. Dans notre société, la morale se confond avec le droit, surtout en matière de mariage et de vie sexuelle ; mais la pudeur, la morale, sont choses toutes de convention ; des actes que nous jugeons malséants, ailleurs sont au contraire commandés par la coutume : il est moral pour une jeune fille des Salomon de choisir son galant. Il est donc indispensable d'abandonner de prime abord toute explication subjective d'un ordre moral. La Nouvelle-Calédonie connaît des tabous très violents à l'égard des sœurs. Presque partout, pendant son initiation, le jeune homme n'a pas le droit d'être vu des femmes, il vit dans la brousse, s'enfuit à l'approche des femmes. Dans un grand nombre de cas, il est interdit de toucher une femme, car il importe que substance masculine et substance féminine ne soient mises en contact qu'à bon escient. Cette idée de substance a été indiquée par Durkheim. Par opposition à ces *maxima*, certains faits de licence peuvent aller très loin : prostitution des prêtresses dans ce que l'on appelle les «couvents» de Guinée, ces prêtres pouvant être du sexe masculin. La prostitution d'hospitalité est en réalité une communion d'hospitalité. Dans certaines cérémonies, tous les garçons essaient toutes les filles[1]. La prostitution, au sens où nous entendons ce mot, est très rare, sans doute d'origine sémitique. Les rapports invertis entre femmes sont exceptionnels, entre hommes assez rares, sauf en Nouvelle-Guinée où ils atteignent un maximum (chez les Marind Anim, rapports du neveu utérin avec son oncle et futur beau-père). Les cultes phalliques. Enfin, les associations militaires, par exemple Épaminondas et les Sept contre Thèbes.

---

1. *Cf.* MALINOWSKI (B.), *La Vie des sauvages du nord-ouest de la Mélanésie, op. cit.*

La propriété [1]

La grande distinction, qui domine notre droit, entre droits personnels et droits réels est une distinction arbitraire, que les autres sociétés ignorent dans une large mesure. À la suite du droit romain, nous avons accompli un énorme effort de synthèse et d'unification ; mais le droit et particulièrement le droit de propriété, *jus utendi et abutendi*, ne part pas d'un principe unique, il y arrive. En droit romain, l'esclave est encore une *res mancipi*, il n'est pas un homme, il n'est pas une personne. Partout, l'observateur se trouvera devant un pluralisme de droits de propriété, un grand nombre de choses qui ne sont pas directement palpables étant susceptibles de propriété au même titre que des choses tangibles, propriété réelle et non pas de fiction : je suis propriétaire de l'arbre dans lequel j'ai niché mon âme ; et aussi le totem me possède ; une tribu australienne peut être propriétaire d'un *corroboree*. D'autre part, la propriété des femmes n'est pas la même que la propriété masculine, la propriété des biens meubles n'est pas celle des immeubles, etc.

---

1. Boas (F.), *Property Marks of Alaskan Eskimo*, Amer. Anthrop., n. s. 1, 4, p. 601-614. Kruyt (A. C.), *Koopen in Midden Celebes*, Mededeel d. Koninkl. Akad, d. Wetenschapen. Afdeel. Letterk. Deel 56, série B, nᵒ 5, 1923, p. 149-178. Ossenbruggen (E. van), *Over het primitief Begrip van Grondeigerdom*, Indische Gids, 1905, p. 161-192 et p. 360-392. Schapera (I.), *A Handbook of Tswana Law and Custom*, Oxford, 1938. Schurtz (I.), *Die Anfaenge des Landbesitzer*, Zeitschrift f. Sozialwissenschaft, 1900, p. 244-255 et p. 352-361. Tschuprow (A. A.), *Die Feldgemeinschaft, eine morphologische Untersuchung*, Strasbourg, 1902 (étudie la communauté agraire ; sources russes) ; voir également *Bulletin du Comité d'études historiques et scientifiques de l'A. O. F.*, XVIII, 4, 1935, consacré principalement à l'étude de la propriété foncière au Sénégal. *Les Coutumiers juridiques de L'A. O. F.*, t. I, Sénégal ; t. II, Soudan ; t. III, divers, Publications du Comité d'études historiques et scientifiques de l'A. O. F., Paris, 1936-1939. On consultera encore tous les livres déjà cités sur l'organisation sociale et politique et sur l'organisation domestique.

Propriété du roi, de la tribu, du clan, du village, du quartier, de la famille indivise peuvent se superposer sur un même objet. Il faudra donc étudier les choses comme elles se présentent, sans idée préconçue, sans vouloir ramener les droits indigènes au Code civil, sans employer la terminologie européenne : ne jamais parler de location, de titre, de meuble ni d'immeuble.

On laissera entièrement de côté la question de savoir si la propriété est collective ou individuelle. Les termes que nous mettons sur les choses n'offrent aucune importance, on trouvera des propriétés collectives administrées par un seul individu, le patriarche, dans une famille indivise ; il n'y a aucune contradiction à ce que le patriarche ne soit que l'administrateur, ici administrateur souverain, là soumis à un contrôle étroit.

Presque partout on observe une distinction entre propriété et possession. L'*usucapio* est un mode d'accession à la propriété assez fréquent, qu'on trouve par exemple à Madagascar. Le droit d'usage se distingue souvent du droit foncier, l'occupation de la possession. Il sera nécessaire d'abandonner, en matière de droits réels, un grand nombre d'associations d'idées particulières à notre société, par exemple en matière de location (louage de choses, de services…).

On procédera par l'inventaire de toutes les choses susceptibles de possession à l'intérieur du domaine, en se faisant donner toutes les explications possibles par les anciens, par les prudents ; l'observateur se bornera à décrire ce qu'il voit, ou ce qu'on lui rapporte, dans les termes de la langue indigène, en distinguant les états de droit des états de fait ; il cherchera les titres juridiques ou les notions qui y correspondent mais qui ne sont pas toujours formulées de manière consciente : en pays noir, on trouvera presque partout un sens très vif de la notion d'usage, de la prescription, comparables aux notions qu'on trouve dans l'ancien droit français. On aura encore recours à la méthode des cas d'espèce : l'histoire d'une parcelle de terrain, ou d'un meuble, permettra l'étude détaillée des modes d'acquisition, de démembrement et de transmission, de la propriété, de la possession ou de l'usufruit.

L'analyse du droit se fera par la confrontation des renseignements ainsi obtenus. On notera une indistinction très générale entre droits réels et droits personnels, droits et obligations s'imbriquant étroitement. Le droit à une danse, à un chant, est plus héréditaire que le droit à une terre. La notion de chose juridique, de cause juridique, est à la fois très différente par certains côtés, assez proche par d'autres, de notre conception.

L'indistinction est encore générale entre droits mobiliers et droits immobiliers, les immeubles par nature étant comme chez nous les plus importants.

Presque partout, la propriété offre un caractère religieux très fortement marqué ; elle est même protégée par un système de tabous, les mêmes sanctions interdisent l'approche des objets sacrés. D'où une certaine rareté du vol. Rapports des droits de propriété avec le deuil, avec le culte des ancêtres, etc.

On s'abstiendra, nous le répétons, d'opposer de manière absolue propriété commune et propriété individuelle ; ainsi le gibier que tue le chasseur ne lui appartient pas, telle partie noble de l'animal revient de droit au chef de famille, telle autre à la belle-mère du chasseur, etc.

Enfin, la propriété ne suit pas une ligne théorique, elle suit toutes les lignes de la structure sociale, en différant suivant les objets auxquels elle s'applique *et* suivant les personnes, suivant le sexe, l'âge, la classe matrimoniale, etc., du propriétaire.

Immeubles

Dans notre droit, nous sommes propriétaires, avec le sol, de l'air, de la lumière et du sous-sol. Dans tout le monde noir, ces notions sont soigneusement distinguées : le propriétaire du sol n'est pas nécessairement le propriétaire de l'arbre planté sur ce sol, le propriétaire de l'arbre n'est pas toujours le propriétaire des fruits. Il faut donc étudier cette cascade de droits éminents. Une connaissance préalable de l'ancien droit français ou du droit anglais sera ici très utile. En Angleterre, il n'y a qu'un propriétaire, c'est le roi, toutes les tenures sont du roi; les unes sont des tenures foncières complètes : tenures du manoir ou du lord, qui comprennent la propriété du sol et celle du sous-sol, avec intransmissibilité de ce sol tant qu'il y a des héritiers légitimes; les mines sont la propriété du seigneur et non pas comme en France une concession de l'État.

On rencontrera souvent une forme de propriété qui est le bail emphytéotique, le bail pour une durée très longue. Les formes de propriété à Madagascar sont très remarquables à ce point de vue[1].

Le droit foncier est le droit le plus développé, même chez les nomades, qui sont propriétaires de leurs territoires de transhumance. Quoique fortement enraciné au sol, ce droit est soumis à de nombreux démembrements. Le droit foncier est avant tout un droit d'usage qui peut être grevé, par exemple dans toute la Guinée, de servitudes comme la chasse, privilège du roi et des nobles. La propriété du fonds est distincte de la propriété de la surface, on peut être simplement propriétaire de la récolte des semailles à la moisson : *arva per annos mutant*, dit Tacite des Germains. La propriété foncière, d'autre part, est intransmissible : liée à la famille, au clan, à la tribu, beaucoup plus qu'à l'individu, elle ne peut pas sortir de la famille pour être cédée à un étranger. On observe des survivances de pareil état de choses dans

---

1. JULIEN (G.), *Institutions politiques et sociales de Madagascar...*, Paris, 1909.

le droit normand, la vente à réméré et le droit de parage sont encore en vigueur à Jersey.

L'observateur étudiera avec un soin particulier la nature du lien qui unit le groupe propriétaire à l'objet possédé. En pays ashanti, c'est le sang des femmes qui circule dans le sol[1]. Dans tout le Soudan, on trouvera l'institution du maître de la Terre, représentant des premiers occupants ; la propriété est liée au mythe de la Terre mère, de la terre où résident les ancêtres qui sont maîtres d'accorder l'abondance ou d'imposer la famine. On observera les sentiments qu'éveille chaque propriété chez son propriétaire[2] : sentiment du chef envers ses sanctuaires et envers ses dieux. Noter toutes les règles qui font que telle chose est transmise à tel individu, ou est gérée par tel individu. Suivant les années, suivant les saisons, le droit peut varier d'individuel à collectif en raison de sa nature, le droit de pâture est commandé par le système d'assolement et de jachère. La propriété varie donc non seulement suivant la nature de l'objet et suivant son possesseur, mais aussi selon le temps.

On distinguera normalement la propriété collective familiale (*hof, curia*), la propriété patriarcale de la maison (*haus*), la propriété individuelle des arbres et des vergers (*gaard*), le droit du tenancier sur son champ pendant qu'il cultive ce champ (*akker*), droit de propriété éminent sur le quartier, temporaire sur le champ ; enfin la propriété des communaux (*wald*), sur lesquels s'exerce le droit de vaine pâture, droit individuel mais que tous possèdent. La double morphologie est la règle en pays noir, où le champ est propriété de la famille agnatique, le jardin propriété individuelle, le même terrain pouvant être champ ou jardin suivant le moment de l'année[3].

---

1. RATTRAY (R. S.), *Ashanti Law and Constitution*, Oxford, 1929.
2. FIRTH (R.), *We, the Tikopia...*, Londres, 1936.
3. PAULME (D.), *Organisation sociale des Dogons*, Paris, 1940.

Une servitude n'est pas forcément un démembrement de la propriété, elle peut être à l'origine une manifestation du droit supérieur, par exemple, du chef. D'autre part, il existe normalement une servitude de passage de tous les fonds au profit de tous les fonds. Les servitudes de la rue, du tas d'ordure, les servitudes d'irrigation (très importantes) et de fumure sont générales.

Modes d'acquisition de la propriété. Dans nos sociétés, tout est à vendre, mais seulement depuis une date récente, cent cinquante ans environ. Ailleurs, le mode normal de transmission de la propriété est le mode successoral. En pays ashanti, comme dans toute la Guinée, les femmes héritent des femmes, les hommes héritent des hommes ; la terre étant propriété rigoureusement féminine, il ne peut y avoir de bien foncier vendu au dehors de la famille maternelle sans une véritable *detestatio sacrorum* : il faut que les dieux permettent au bien de passer dans une autre ligne. Le retrait lignager est une institution fréquente, mais qu'on trouve généralement sous la forme d'une interdiction de vente à l'extérieur de la famille. La location et la vente sont rares, la donation souvent provisoire, à titre de lieutenance. Dans le monde malgache, on trouve encore des attributions de propriété pour prestation publique, la part attribuée au conquérant, comme en droit germain : le soldat hova en pays non hova a droit à un champ sur lequel il vit, *hetra* du mot sanscrit *ksatria*, qui désigne la caste guerrière.

Le gage, l'hypothèque, sont des prises sur l'individu, non sur ses biens ; un débiteur donnera en gage son fils, non sa terre. La famille rachètera l'individu mis en gage, car c'est elle la propriétaire véritable.

La dépossession foncière qui a suivi l'arrivée des Européens en territoire colonial est un phénomène essentiel, qui entraîne dans de nombreux cas une redistribution de la propriété, avec apparition de la propriété foncière là où elle était inconnue ; mais l'imposition d'un nouveau régime foncier sans une connaissance approfondie du régime précédent présente de graves inconvénients.

Meubles

Les meubles sont beaucoup moins nombreux que les immeubles. Dans notre société, les meubles correspondent à une seule forme de propriété, toujours la même ; il n'en est pas ainsi partout, la maison peut être le type du meuble, et non de l'immeuble. La qualité du propriétaire influe sur la nature de la propriété et l'on retrouve ici la grande division signalée plus haut entre biens masculins et biens féminins. En France, encore maintenant, l'armoire de la mariée est hors de la communauté, même s'il n'en a pas été spécifié ainsi par contrat. Il n'y a rien qui ressemble à un capital dans les sociétés qui intéressent l'ethnographie, sauf les récoltes, les outils et les biens paraphernaux. La malle est commune à toute l'Asie et à l'Amérique du Nord-Ouest : dans cette malle sont rangés les masques, les sabres magiques, les vêtements de cérémonie — en un mot, les principaux meubles ; et chez les Kwakiutl, la prise d'une malle aboutissait à la dégradation du propriétaire, qui perdait la face.

On constatera très souvent la présence de droits féodaux : droit du seigneur à la première gerbe, à la dîme ; cet état de choses correspond à des titres de propriété bien plutôt qu'à des obligations. Sur un même objet pourront s'exercer les droits du prince, du chef, des prêtres, des ancêtres, des différents membres de la famille, enfin des cotribaux. La possession entraîne normalement l'obligation au partage, la possession est une possession partagée, l'indivision des meubles étant la règle générale : posséder un objet déterminé, c'est aussi être comptable de cet objet.

La nature du droit variera encore suivant la nature de la chose possédée : toute l'Afrique du Sud connaît le *lobola*, dette presque infinie du mari envers ses beaux-parents et qui ne porte jamais que sur du bétail. Les droits de chasse et de pêche correspondent à des droits de consommation individuelle ou collective.

Le lien entre le propriétaire et l'objet possédé est caractéristique d'un certain type de propriété. Très souvent, l'âme du possesseur est fixée dans l'objet, par l'apposition d'une marque, d'un blason, ou par des relations magiques. On étudiera le droit à l'objet trouvé (il reste rarement entre les mains de son inventeur) ; les conditions de l'emprunt, les modalités du droit d'usage et cette curieuse institution, si répandue, qui est le droit de destruction légale (*muru*, *potlatch*).

Les compositions pour les vendettas entraînent les plus gros échanges de biens, le chef de famille étant non propriétaire absolu mais simple trésorier des biens familiaux ; la position est la même pour le chef de clan, pour le chef de tribu.

La monnaie, qu'on rencontrera fréquemment, est toujours à quelque degré individuelle ; elle circule entre clans et gens déterminés, correspond à un titre sur les choses qu'elle représente[1].

Enfin, les rapports de droit sont normalement perpétuels, le lien juridique unissant généralement non pas un individu à une chose ou à une autre personne, mais une famille à un bien ou à une autre famille : tous les fils classificatoires sont tenus de payer les dettes de tous leurs pères classificatoires.

Un autre titre de propriété est celui qu'on a sur l'esclave. Hors des sociétés européennes, l'esclave est un individu adopté par la famille, que ce soit en Afrique noire ou chez les Iroquois, où un vieillard adoptait couramment le meurtrier de son fils. On distinguera des esclaves proprement dits les serfs et les captifs.

---

1. Sur la monnaie, voir plus haut p. 190.

Dans le *servage*, une population tout entière se trouve dominée par un peuple de conquérants devenus propriétaires du sol; les anciens occupants doivent alors cultiver la terre pour le compte de leurs maîtres, c'est l'origine du colonat et du métayage. On reconnaît pareille situation à la moindre indépendance dans le culte de la population soumise; à son absence de blason; parfois à l'absence d'âme, les nobles seuls ayant droit à une âme personnelle. Dans tout le monde nilotique, on trouve cette distinction signalée par Roscoe entre Bahima, pasteurs conquérants qui ne cultivent pas, et Bahera, agriculteurs conquis, qui travaillent pour le compte de leurs maîtres[1]. Les grandes dynasties de sultanats établies au Niger installaient un ordre de ce genre. Les rapports entre maîtres et serfs sont à étudier au point de vue individuel et au point de vue collectif.

Les *captifs* sont des prisonniers de guerre ou des prisonniers pour dette; normalement le captif de guerre devient ce qu'on appelle un captif de case, incorporé à la famille, qui épouse une femme également captive; le captif est généralement invendable, mais il a perdu l'honneur. C'est la forme courante de l'esclavage en Afrique là où n'a pas pénétré l'influence sémite; et où les négriers blancs ne recrutaient pas de personnel pour les plantations d'Amérique.

Enfin, l'esclavage tel qu'on l'entend généralement ne serait pas une institution primitive; l'achat d'un individu et sa réduction en une chose est un effet du droit asiatique des villes et des grands royaumes, attesté dès les plus anciens textes de lois sumériens. Comme la prostitution, l'esclavage aurait son centre entre l'Égypte et la Chine[2].

On remarquera que l'esclave est mieux traité dans

---

1. Roscoe (J.), *The Soul of Central Africa*, Londres, 1922.
2. *Cf.* Nieboer (Dr H. J.), *Slavery as an Industrial System*, La Haye, 1900.

les sociétés dites primitives qu'en Égypte ou dans la Grèce antique. Les droits de l'esclave étaient inexistants à Rome, où il était tenu pour une chose, *res mancipi*. En pays noir, l'esclave a des droits et des obligations : chez les Mossi, s'il réussit à s'échapper, il est libre. L'esclave a droit aux fruits de son travail, à un pécule, aux aliments ; il a une femme (l'enfant issu du maître et d'une femme captive libère sa mère) ; il a des droits vis-à-vis des tiers, il peut hériter, être émancipé, adopté, etc.

Droit contractuel[1]

À la base des questions concernant le contrat, nous trouvons la théorie de H. Sumner Maine, adoptée par Durkheim : les sociétés qui nous ont précédés sont des sociétés où le germe du contrat ne se trouve pas dans le consentement des parties, mais dans leur état civil ; où il ne s'agit pas seulement dans le contrat de choses ou de services, mais du statut civil, politique ou familial, des contractants : les contrats se passent ès qualités et non ès volontés, l'individu qui ne rend pas un potlatch est écrasé sous le poids de la honte et perd sa noblesse. C'est seulement dans notre société que les contrats se passent abstraction faite des quali-

1. Davy (G.), *La Foi jurée…*, Paris, 1922. Grierson (H. P. J.), *The Silent Trade…*, Édimbourg, 1903. Huvelin (P.), « Les tablettes magiques et le droit romain », *Annales internationales d'histoire*, 1900. Lasch (R.), *Das Marktwesen auf den primitiven Kulturstufen*, Zeitschrift f. Sozialwissenschaft, 1906, p. 619-627, p. 700-715 et p. 764-782. Maine (H. S.), *Ancient Law*, Londres, 1861, trad. fr., Paris, 1874. Maunier (R.), « Recherches sur les échanges rituels en Afrique du Nord », *L'Année sociologique*, n. s., t. II, 1924-1925, p. 11-97. Mauss (M.), *Essai sur le don, forme archaïque de l'échange*, *op. cit.* Sapir (E.), « Some Aspects of Nootka Language and Culture », *American Anthropologist*, 1911, XIII, p. 15-29. Schmidt (W.) et Koppers (W.), *Gesellschaft und Wirtschaft der Völker*, Ratisbonne (s. d.).

tés du contractant qui doit simplement être capable de s'obliger. Pour comprendre les droits contractuels primitifs, on pensera à la situation du mineur dans notre droit ou à celle, jadis, de la femme mariée qui ne pouvait pas s'engager sans l'autorisation maritale.

D'autre part, on remarque une évolution très nette de l'obligation publique et collective vers l'obligation privée et individuelle. Presque partout, sont responsables de l'engagement non seulement les contractants, mais tous les individus qu'ils représentent. Le chef contractant est le trésorier et le représentant de son clan ; aujourd'hui encore, le clan écossais se trouverait déshonoré s'il ne participait pas aux fêtes que donne son chef. Le contrat, même passé par des individus, engage tacitement des collectivités selon leur statut. Une erreur commune est de croire l'état contractuel étranger aux sociétés autres que la nôtre ; en fait, il est impossible de concevoir des droits qui soient entièrement non contractuels. Nous faisons l'erreur inverse en croyant que tous nos actes sont contractuels, que le mariage, par exemple, est un contrat, alors que le contrat de mariage est mentionné en marge de l'acte de mariage proprement dit : le mariage a tous les aspects du contrat, ce n'en est pas un, c'est un acte de droit public en même temps que de droit privé.

Nos contrats se font par rapport à la chose ou par rapport au service demandé, sans supposer d'autre lien entre les contractants. Ailleurs, normalement, le contrat entraîne une alliance : je contracte avec vous, parce que je suis d'une manière quelconque votre allié ; à la base de tout contrat, il y a une alliance par le sang, pacte du seuil, mariage... La notion de l'alliance est encore très nette dans le droit sémitique ; on connaît la théorie de l'alliance dans la Bible : le mot « circoncision », que l'on traduit imparfaitement par « signe », veut dire en réalité « sceau » ; la circoncision est le sceau de Dieu. Sont gens de l'alliance les gens qui portent le sceau de Dieu ; c'est entre eux qu'il y a contrat. L'alliance à l'intérieur de laquelle doit se faire le contrat correspond à une notion fondamentale du très ancien droit romain.

D'autre part, un contrat toujours à *praestare*, c'est-à-dire à mettre en mains, à rendre, une chose ou un service. Dans un cas, la prestation sera totale, je vous devrai toutes les choses que je possède et tous les services possibles, je suis lié à vous pour la vie, c'est la suite de l'alliance ; dans l'autre cas, la prestation sera partielle, vous devez autant que je donne. Beaucoup plus répandue à l'origine, la prestation totale existe encore chez nous entre époux, à moins qu'il n'en soit spécifié autrement au contrat de mariage.

Pour étudier les obligations, on se reportera aux définitions du droit romain. Définition de Paul au *Digeste : obligationum substantia non in eo consistit, ut aliquid corpus nostrum vel aliquam servitutem nostram faciat, sed ut alium nobis obstringat ad dandum aliquid vel faciendum vel praestandum*[1]. On remarquera qu'il ne s'agit pas seulement d'une chose, il s'agit de l'obligation à livrer la chose ; il y a là une grande découverte du droit romain. D'autre part, la formule des *Institutes* de Justinien, III, 13 : *Obligatio est juris vinculum, quo necessitate astringimur alicujus solvendae rei secundum nostrae civitatis jura* apporte une énorme révolution : «*secundum nostrae civitatis jura*», ce n'est plus l'état religieux ou militaire, mais l'état civil qui détermine le droit ; d'où la possibilité de faire estimer un dommage par le juge, ce dommage fût-il mortel. La théorie de l'obligation s'est développée dans des proportions considérables à Rome, nous n'en sommes pas encore sortis. Alors que le Code allemand et le Code suisse consacrent deux titres entiers, de chacun plus de soixante articles, à la res-

1. *Digeste*, 44, 7.

ponsabilité civile, nous en sommes réduits sur cette question à la jurisprudence de la cour de cassation, tout entière fondée sur l'article 1384 du Code civil.

Principes d'observation. On ne cherchera dans les sociétés étudiées aucun des contrats classiques du droit occidental : achat, vente, location… Chez nous, l'achat suppose une vente irrévocable ; ailleurs la règle sera la vente à réméré. On sait qu'aujourd'hui encore en droit anglais, le bien familial n'est pas susceptible de vente. Les ventes au marché, en public, sont impossibles dans une société qui ignore le marché ; or les Celtes n'auraient connu le marché que vers le IIIe siècle av. J.-C., les Germains seulement vers le IVe ou Ve siècle de notre ère. De nombreux contrats, la location de services par exemple, sont inconnus sous la forme où nous les concevons : la notion du salariat est étrangère à ces questions, elle l'était même à Rome. Il ne faut donc pas chercher le contrat là où nous le mettons, il faut le chercher là où nous ne l'avons pas. Le contrat, nous l'avons dit plus haut, est un cas de l'alliance : on cherchera le contrat dans l'amitié, dans le mariage (le mariage est un contrat d'alliance entraînant la concession d'une femme ou d'enfants), dans l'hospitalité. En pays nordique, le contrat d'hospitalité entraînait le droit aux femmes jusqu'à une époque très rapprochée. Une danse, un masque peuvent être objet de contrat. Les contrats personnels (tel le contrat d'hospitalité) sont l'essentiel dont les contrats réels ne forment que l'accessoire.

Les contrats offrent encore un caractère perpétuel et collectif ; ils sont passés entre tribus ou clans, plus souvent qu'entre individus isolés. Il suit de cela que le contrat équivaudrait le plus souvent à un traité ; c'est la thèse qu'a développée M. Davy dans sa *Foi jurée*.

Enfin, dans le contrat apparaît toujours l'idée de l'ordre : payer, *pagare*, pacifier. Cette notion de la paix qui résulte de l'exécution du contrat, et du pacte qui lie les contractants, c'est-à-dire la promesse de paix dans l'exécution du contrat, est une notion fondamentale même dans nos mœurs. La notion d'infraction au contrat est avant tout la notion d'un trouble public et pas seulement privé.

Pour étudier les contrats, on aura recours à la méthode des cas, en s'efforçant d'étudier tous les contrats. Travail souvent difficile, car un droit s'applique globalement, et non article par article. Il faudra décrire l'état d'âme, les dires, les gestes, les prestations, de chacune des parties.

Un certain nombre de principes sont communs à tous les contrats : le contrat a toujours pour objet une chose ou une cause, *res, causa* ; et le contrat a toujours une cause légitime. Mais, à la différence de ce que nous connaissons, le contrat peut varier suivant les contractants : le contrat se passe entre familles, entre classes, entre clans, le contrat interne ayant pour seul but de permettre le contrat externe. Je suis obligé de fournir mon chef de tout ce que je peux ; moyennant quoi, il dépense tout ce qu'il a pour la guerre où je me bats pour lui. La responsabilité publique du chef de clan, par exemple chez les Betsileo, est illimitée ; et aussi, la servilité de l'ensemble du clan vis-à-vis de ce chef. Il n'y a pas moyen de faire autrement, nous ne pouvons pas tous être porte-drapeau, l'un portera le drapeau, les autres suivront. D'autre part, la non-exécution du contrat entraîne presque partout une procédure criminelle d'exécution du défaillant. On sait l'évolution sur ce point du droit romain. Dans la plupart des cas, ne pas exécuter son contrat, c'est donner une prise sur soi, l'obligation naissant toujours *ex delicto*, jamais *ex pacto*. On notera l'absence très générale de la notion de faute (*culpa*), l'absence générale de quasi-délit : on est responsable qu'il y ait ou non intention de nuire. Le quasi-délit, commis sans intention nocive, suppose l'acceptation d'une compensation en place de vendetta. Enfin, le droit contractuel offre un caractère coutumier, ce qui n'empêche pas que le contrat soit attesté d'une manière quelconque. On constate par exemple l'usage d'une taille dès l'Australie. Dérivant du statut des parties, le contrat n'a pas besoin d'être écrit : je sais ce que je dois à mon chef de clan et je sais ce qu'il me doit. À l'intérieur de la famille le contrat est inutile, chaque membre étant, de par son état, en contrat perpétuel vis-à-vis de tous les autres. Conséquences d'un état déterminé, en tant que telles, certaines obligations n'ont pas besoin d'être formulées ; c'est ce qu'on appelle encore aujourd'hui l'état moral de la famille, l'état moral du mariage. Il n'y a pas besoin de contrat explicite à l'intérieur de la famille où le contrat est à l'état de nature. Enfin, l'échange de promesses que n'accompagnent pas des formalités extérieures n'est pas sanctionné (*cf.* l'évolution du droit romain sur ce point[1]). Nous croyons habituellement que le consentement des deux parties est la cause génératrice suffisante du contrat, que le contrat peut être passé tacitement sans même qu'un commencement d'exécution vienne donner la preuve de son existence ; mais cette notion du lien volontaire fait abstraction complète de la capacité du contractant : un enfant n'a pas le droit de s'engager. Seuls les contrats passés publiquement, à la Bourse par exemple, sont faits oralement avec le minimum de formalités.

On distinguera les contrats en contrats de prestation totale et contrats où la prestation n'est que partielle. Les premiers apparaissent dès l'Australie, on les trouve dans une bonne partie du monde polynésien (pourtant très avancé) et dans toute l'Amérique du Nord : la prestation totale se traduit par le fait, pour deux clans, d'être en état de contrat perpétuel, chacun doit tout à tous les autres de son clan et à tous ceux du

---

1. Sur le formalisme en général et en particulier dans le droit romain, voir IHERING (R. VON), *Esprit du droit romain…*, trad. fr., 2ᵉ éd., Paris, 1880, 4 vol.

clan d'en face. Le caractère perpétuel et collectif qu'offre un tel contrat en fait un véritable traité, avec étalage nécessaire de richesses vis-à-vis de l'autre partie[1]. La prestation s'étend à tout, à tous, à tous les moments ; c'est ce que l'on appelle la largesse dans l'hospitalité. Pareil contrat peut encore être purement individuel, avec des formes remarquables : l'Australie connaît déjà le marché, passé par l'intermédiaire des femmes, ce sont les femmes qui vont échanger les biens les plus précieux, et pour cela traversent le territoire d'autres tribus ; armés, les hommes pourraient franchir ces territoires ; plus souvent, ils préfèrent envoyer leurs femmes qui sont les épouses de classe matrimoniale des contractants et ont avec eux des liens sexuels. Dans d'autres cas, deux hommes appartenant à des groupes différents ont échangé leurs cordons ombilicaux ; ils peuvent contracter, à condition de ne jamais se voir. Ces interdits d'intimité, prononcés à l'égard de gens qu'unissent les liens les plus étroits, sont tout à fait remarquables.

Généralement, les contrats *maxima* se passent entre beaux-frères ; il en est ainsi, par exemple dans le monde sioux, où tout se passe dans ces thèmes de prestations totales : j'initie tous mes neveux utérins, ou tous mes neveux masculins, ou tous mes gendres de classe matrimoniale. Le contrat est lié ici au mariage, à l'initiation, à l'hospitalité, aux droits post-matrimoniaux, etc. Payer, c'est faire la paix. On voit alors apparaître une curieuse notion, qui est la notion de la circulation désintéressée des richesses : *res* vient de *ra* (*tih*), ce qui fait plaisir. L'intérêt est ici esthétique et culinaire, on assiste à une frairie perpétuelle.

Pour chaque contrat, on notera quels sont les contractants : individus, collectivités, individus représentant une collectivité… La capacité varie suivant

1. *Cf.* MALINOWSKI (B.), *Argonauts of the Western Pacific, op. cit.*

l'objet du contrat : il est très rare qu'un individu puisse contracter en son nom personnel sur ses immeubles. Modalités du contrat : il est obligatoire ou non ; transmissible ou non, comment. Nature, formalisme et publicité du contrat. Le formalisme est la règle, le contrat est tout à fait solennel, avec des engagements terribles dans le potlatch, où les gens du clan s'engagent tous ensemble.

On notera encore le rôle de la monnaie et des gages : le don est la forme normale d'engagement ; le don est un gage contre celui qui reçoit[1]. On lit au *Digeste* : « *dona naturaliter ad remunerandum* », les dons sont naturellement faits dans l'espoir qu'ils seront récompensés ; l'ingratitude est encore une cause de révocation de donation en droit français.

Enfin, modes d'acquisition des contrats. Les contrats sont transmissibles par voie successorale : mon père meurt, j'hérite de tous ses potlatchs.

Droit pénal[2]

Le droit pénal comporte un double objet : étude des infractions aux devoirs sociaux ; étude des réactions à ces infractions[3]. C'est un cas de la théorie des

1. *Cf.* MAUSS (M.), *Gift, Gift*, Mélanges Charles Andler, Strasbourg, 1924.
2. GLOTZ (G.), *La Solidarité de la famille dans le droit criminel en Grèce*, Paris, 1904. HUVELIN (P.), *La Notion de l'injuria dans le très ancien droit romain*, Lyon, 1903. KULISCHER (E.), *Untersuchungen über das primitive Strafrecht*, Zeitschrift f. vergleichende Rechtswissenschaft, XVI, 3, p. 417 et 469, 1903 ; XVII, p. 1-22, 1904. STEINMETZ (S. R.), *Ethnologische Studien zur ersten Entwicklung der Strafe...*, 2 vol., Groningen, 1928. WESTERMARCK (E.), *Der Ursprung der Strafe*, Zeitschrift f. Sozialwissenschaft, octobre et novembre 1900. *Zum ältesten Strafrecht der Kulturvölker*, Leipzig, 1905 (questions posées par Mommsen à différents juristes sur le droit pénal).
3. Sur l'origine religieuse du droit pénal, *cf.* MAUSS (M.), « La religion et les origines du droit pénal », *Revue de l'histoire des religions*, 1897, n⁰ˢ 1 et 2.

sanctions ; la société réagit contre tout ce qui l'offense. En tant que réaction du groupe, le droit pénal ne correspond pas à un phénomène de structure sociale, mais à un phénomène fonctionnel : le jury, élément fonctionnel, s'opposant aux juges et aux prisons, éléments structurels.

Le crime se définira comme la violation du droit provoquant cette réaction ; la peine, comme la réaction *publique* de la société contre ces infractions.

On trouvera donc dans la vendetta, ou guerre privée, qui traduit cette réaction, un mélange de public et de privé difficile à analyser : l'incrimination est publique, l'application du châtiment plus souvent privée. On remarquera encore une absence totale de l'élément de volonté, le crime public correspond souvent à une faute privée (exemple dans la solidarité conjugale).

Des différences remarquables séparent le droit français des droits primitifs sur ce point : ni les méthodes d'incrimination, ni les méthodes d'imputabilité de la faute, ni les méthodes d'infliction de la peine ne sont semblables. On notera l'absence d'autorité constituée pour l'administration de la peine : les juges seront les vieillards du clan, ou les chefs religieux ; nul n'exerce cette seule fonction. On notera encore l'absence générale de code pénal, sauf à Madagascar ; l'absence de la notion de responsabilité au sens où nous l'entendons ; le caractère automatique de la répression, le coupable se châtiant souvent lui-même (le meurtrier se tue, ou s'enfuit) ; enfin, le caractère automatique de la répression : sans que la peine ait été prononcée, son application se déclenche publiquement, elle est le fait de la société tout entière, par exemple dans le cas de la lapidation.

Principes d'observation. Avant toute chose, on s'efforcera de trouver les légistes et les autorités en matière de procédure pénale : féticheurs, donneurs d'ordalies, etc. Ici encore, on procédera par inventaire des cas, on dépouillera les archives judiciaires où les indigènes peuvent être amenés à exposer leur coutume ; il arrive que le procès devant les autorités européennes soit le procès de la sanction infligée par les juges indigènes (société secrète le plus souvent) pour une infraction demeurée ignorée de l'administration[1]. L'étude des palabres en pays noir sera un excellent mode d'investigation. L'étude des proverbes, des dictons, des légendes et des contes donnera encore d'utiles exemples d'infractions et de réactions à ces infractions.

On notera les modalités d'application des peines ; la majorité des crimes ressortissant à la magie, ces peines sont souvent édictées par la société secrète.

Le droit pénal est un droit public. Les crimes sont tous de nature religieuse et correspondent à la violation d'interdits : un assassinat sera une violation du tabou du sang. D'où nature religieuse de la peine correspondante.

Les infractions, correspondant à des concepts différents des nôtres ne sont pas les mêmes que les nôtres. Ainsi, l'enjambement d'un homme par une femme, d'un supérieur par un inférieur, etc. est toujours un crime grave. Crimes commis sur des animaux. Sur les crimes du roi, voir Frazer[2].

Il existe encore des possibilités de transaction, de composition, entre des droits différents. Au cas de vendetta, par exemple, le meurtre du criminel peut être remplacé par son adoption, le père du mort adoptant le meurtrier de son fils et le traitant comme son propre fils. D'autre part, le mélange de public et de privé est constant, il est très net par exemple dans le duel judiciaire.

---

1. *Cf.* TALBOT (P. A.), *The Peoples of Southern Nigeria*, Londres, 1926, 4 vol.
2. FRAZER (sir J. G.), *Lectures on the Early History of the Kingship*, Londres, 1905.

Enfin à chaque instant, on distinguera le droit interne du droit externe : le droit appliqué à l'intérieur de la famille ou du clan n'est pas le droit qui s'applique à l'égard d'un étranger.

On classera les infractions suivant leur gravité du point de vue indigène. La notion de faute, la recherche de l'intention de nuire, sont presque toujours absentes. L'élément objectif, matériel, de l'infraction compte seul ici. Le crime commis à l'intérieur du groupe sera traité différemment du crime commis à l'extérieur : ici interviennent des notions religieuses, le crime étant en rapport avec les croyances concernant les esprits des morts, avec l'exogamie, etc. Le vol est généralement taxé bien plus durement à l'intérieur du village.

Le crime variera encore selon le criminel et selon la victime. Il existe des crimes d'étiquette, de magie, de simple infraction. Un étranger est suspect en tant que tel et normalement tenu pour criminel.

Les crimes privés, commis à l'intérieur de la famille, n'entraînent souvent aucune sanction. D'autre part, la notion de mort naturelle demeure inconnue, la mort est imputée à la charge d'un sorcier ou d'un ennemi ; la veuve est souvent tenue pour responsable de la mort de son mari par les proches de ce dernier.

La peine présente partout un caractère religieux, automatique, violent, irraisonné. Elle s'applique là où nous ne la chercherions pas : par exemple dans la mutilation du cadavre d'un homme tué par la foudre, la foudre exprimant la colère céleste. Très souvent, la peine n'est pas prononcée par le juge, mais appliquée par la foule avant même le prononcé du jugement : lapidation, lynchage, etc. Le crime étant une offense contre les dieux, la peine prend le caractère d'une offrande expiatoire[1].

La peine publique est essentiellement variable,

1. *Cf.* WESTERMARCK (E.), *L'Origine et le développement des idées morales*, trad. fr., Paris, 1928.

aussi bien dans son mode d'infliction (qui l'inflige, où, quand, à l'égard de qui est-elle prononcée...) que dans sa nature : la condamnation à mort peut être remplacée par le bannissement, à peine moins grave, ou par une compensation pécuniaire ; l'amende apparaît aussi rare que la compensation pécuniaire est régulière ; la compensation peut encore être remplacée par l'offre d'une femme, dont naîtra dans le groupe offensé un enfant en qui revivra le souffle de la victime. Noter les peines infligées aux animaux.

Dans la peine privée, ou vendetta, on étudiera le vengeur, le vengé, la victime et leurs rapports. La peine privée ne comporte pas d'incrimination. À l'origine de la responsabilité civile, on trouvera tous les procédés possibles de compensation. Le combat à armes courtoises, qu'entraîne souvent l'application de la peine privée, peut dégénérer en ordalie, mais en ce cas, l'infliction de la peine est publique.

On étudiera encore les procédés de rémission de la peine ; le droit d'asile, de grâce ou d'oubli ; le temps d'épreuve imposé dans l'application d'une peine déterminée, etc.

La responsabilité est une notion tardive : d'abord vient la poursuite de la vengeance, le désir d'infliger une peine égale à celle qu'on a subie ; la recherche du coupable véritable ne vient qu'ensuite. C'est la personne morale, famille ou clan, à laquelle appartient le meurtrier qui compte ; donc la première démarche consiste à déterminer le clan ou la tribu coupable ; les procédés divinatoires sont déjà employés dans ce but par les Arunta d'Australie ; alors que la torture est une coutume récente, du domaine de la procédure. D'autre part, si la responsabilité, à l'origine, est très faible en droit civil, c'est qu'elle admet d'être divisée en parts égales, par exemple entre frères en cas d'esclavage pour dettes au Soudan. En droit religieux, au contraire, la responsabilité collective est très forte, elle peut remonter en ligne ascendante, ou peser indéfiniment sur tous les descendants du coupable ; les duels des seconds sont fréquents.

Enfin, l'application du droit pénal se complique du fait qu'une société ne connaît pas un droit unique, mais applique une superposition de droits : le droit du chef du village est dominé par le droit du chef de canton, lui-même inférieur au droit du roi.

Le mélange de public et de privé est partout la règle dans l'application de la peine : un exemple typique de pareil mélange est le cas du voleur dans l'ancien droit romain. Agissant en tant qu'organisme judiciaire, la société secrète tantôt vengera l'un des siens, tantôt agira sous l'influence de l'opinion publique.

Organisation judiciaire et procédure[1]

L'organisation judiciaire étudie les moyens mis par la loi à la disposition des particuliers pour faire reconnaître et respecter leurs droits en justice. Le mélange privé-public est ici fondamental.

L'étiquette joue un rôle essentiel dans toute l'organisation judiciaire, la marche du procès est commandée par l'emploi de certains mots consacrés, de certains gestes ; le formalisme est absolu : au procès germanique, il n'y avait pas un geste indifférent ; celui des adversaires qui, par mégarde, touchait un des échevins pendant le débat, perdait, de ce seul fait, son

1. HARRISON (J. E.), *Themis. A Study of the Social Origins of Greek Religion*, Cambridge, 1912. GLOTZ (G.), *L'Ordalie dans la Grèce primitive*, Paris, 1904. MEYER (F.), *Wirtschaft und Recht der Herero*, Berlin, 1905. PECHUEL-LOESCHE (E.), *Die Loango Expedition*, Stuttgart, 1907. RATTRAY (R. S.), *Ashanti Law and Constitution*, Oxford, 1929. SPIETH (J.), *Die Ewe Staemme...*, Berlin, 1906 ; *Die Religion der Eweer in Süd Togo*, Göttingen et Leipzig, 1911. UBACH (E.) et RACKOW (E.), *Sitte und Recht in Nordafrika*, Stuttgart, 1923. *Cf.* aussi : *Reports of the Cambridge Anthrop. Expedition to Torres Straits*, Cambridge, 1904-1909.

procès. Les Éwé du Togo connaissent une procédure du serment qui reproduit exactement la procédure du *sacramentum* romain.

Généralement, le débat se présente sous un aspect différent de celui auquel nous sommes habitués ; la question n'est pas de savoir si, en assassinant, vous avez agi intentionnellement ou par mégarde, la question est de savoir si *votre* clan a tué *mon* fils ; on cherchera de préférence à connaître le meurtrier pour tuer *son* fils : c'est ce que nous trouvons encore dans *Colomba*. La recherche de la vérité et la recherche de l'intention n'occupent pas le premier plan ; ce qui ne veut pas dire qu'on les ignore entièrement.

D'autre part, la détermination n'est pas atteinte par des moyens d'enquête comme chez nous. Un homme meurt, c'est que sa femme l'a empoisonné, ou l'a trompé ; on administre le poison d'épreuve à la veuve, si elle succombe c'est qu'elle était bien coupable. Mais on n'enquête pas sur les conditions exactes de la mort du mari. C'est encore le principe qui commande l'application du code militaire, l'ancienne règle romaine de la décimation. La peine est destinée à effrayer les coupables, le sort du coupable véritable est beaucoup moins important.

La procédure se présentera le plus souvent comme dominée par la coutume. On se référera à des précédents, à des principes toujours concrets. Elle offrira d'autre part des variations très fortes suivant les possibilités respectives des parties en présence.

L'enquêteur s'efforcera de procéder par cas, en notant directement les faits observés. Si l'on ne possède pas une connaissance préalable des principes du droit coutumier, éviter les légistes indigènes, leurs explications apporteraient une confusion superflue.

On distinguera les procédures tout à fait publiques des procédures relativement privées. La procédure publique présentera un aspect différent selon qu'on se trouvera parmi des peuples à royauté, ou parmi des peuples à chefferies, ou à hiérarchie de sociétés secrètes. Mais là même où existe une organisation royale, subsiste, en plus de l'organisation de clan ou de village, l'ancienne organisation populaire ; trois étages d'organisation judiciaire se superposent donc : peuple, chefs et confréries juridiques, la cour. Tout le monde noir connaît la palabre, où le cercle est formé par le peuple entier, ou par les représentants du peuple entier ; les séances de palabre sont toujours solennelles. Ces organisations sont entièrement comparables à celles qui ont précédé les organisations grecque et latine : c'est l'agora, c'est le forum. Tout est rendu en public. Cette assemblée du peuple, qu'on trouve en Afrique, en Malaisie, en pays annamite, etc. ferait croire à la justice populaire ; mais cela ne veut pas dire que le peuple est là tout entier, ni qu'il y possède un pouvoir[1].

L'assemblée judiciaire se tient dans un lieu sacré, ou qui devient sacré. La tenue de l'assemblée s'accompagne d'un sacrifice, qui attire la présence des esprits. On étudiera tout ce qui concerne cet emplacement sacré ; on notera l'orientation, la division de l'assemblée par clans, par villages, par familles ; la présence ou l'absence des femmes, les rites divinatoires, les sacrifices, etc. Le tribunal se réunit à jour donné (mais le *fokonolona* malgache fonctionne tous les jours), sa venue est solennelle, il peut être itinérant. On étudiera l'ajournement du procès ; sa venue ; les sessions du tribunal qui coïncident ou non avec les jours de marché. Y a-t-il des jours fastes et des jours néfastes pour rendre la justice ? Observer les plaignants, les défenseurs, les accusés, le héraut, les juges, les assesseurs. Si possible, faire prendre en sténographie les discours en langue indigène et les traduire *in extenso*. Bien étudier l'éloquence de chacun. L'élo-

1. *Cf.* RATTRAY (R. S.), *Ashanti Law and Constitution, op. cit.*

quence, dans toute la Polynésie et en Mélanésie, consiste très souvent à beaucoup parler, le plaideur qui parle le plus et le plus vite, gagne son procès.

Qui rend la justice ? Dans tout l'ensemble éwé, au Togo, le roi n'est que le chef de la palabre, probablement à l'imitation des Portugais, peut-être même avant les Portugais, des Normands. Dans tout l'ensemble ashanti, il y a des délégués du roi, le roi est avant tout le chef de cette justice populaire[1]. C'était encore la fonction du roi germanique. On observe souvent un dédoublement de la puissance royale : roi de la guerre et roi de la paix, roi du jour et roi de la nuit.

Enfin, l'organisation judiciaire peut comporter des fonctionnaires véritables. Une grande partie de l'Afrique noire connaît les prêtres donneurs du poison d'épreuve, les prêtres spéciaux qui président aux ordalies ; le maître de la Terre ; les avocats, les hérauts (s'enquérir de leurs frais et épices).

Étudier les commentaires du procès ; très souvent, comme précédent juridique, on cite des proverbes, des adages de droit. Noter proverbes et adages.

La justice privée peut être rendue en public, au sein des sociétés secrètes. La société secrète rend sa sentence, l'accomplissement public en est un acte juridique et non un simple assassinat. La société des hommes est souvent l'exécutrice de cette sentence. En Mélanésie, la sentence peut même être exécutée par une société secrète à l'intérieur de la société des hommes. C'est donc secret, mais privé-public dans une assemblée qu'il faut connaître et décrire.

La vendetta, qui s'exerce souvent avec des co-jureurs, constitue une transaction entre la forme politique du combat et sa forme judiciaire. Combat, c'est encore sous cette forme que se présente chez nous le débat judiciaire. Le mot querelle vient de *querela*,

---

1. *Cf. ibid.*

« plainte ». On étudiera les parties, leur plainte. Deux grandes possibilités s'offrent ici : constitution d'un tribunal ; ou réaction sans attente, telle que l'ont décrite Durkheim et Fauconnet, les offensés partant en guerre contre le clan du coupable ou le lapidant aussitôt sans discrimination. En Australie, aucune mort n'est tenue pour naturelle : on interroge le cadavre par un mode quelconque de divination et c'est le mort lui-même qui est censé entraîner ses parents dans la direction de la tribu coupable. Sur ce point, de grandes différences séparent le droit africain ou même le droit asiatique de l'ensemble des institutions de l'Amérique du Nord. Le procès, en Amérique du Nord-Ouest, se présente sous la forme de la querelle privée : une assez grande paix règne normalement à l'intérieur de la tribu ; mais les conflits éclatent de tribu à tribu, ou de phratrie à phratrie. Lorsqu'un membre d'une tribu se trouve lésé par un individu appartenant à un clan de la phratrie opposée, ce n'est pas seulement le clan ou la famille de l'offensé qui s'ébranlent, mais la phratrie tout entière. On trouvera ici constamment mélangées la peine privée et la peine publique, la peine immédiate et la peine différée.

Le jugement qui intervient après ce débat, là où il y a jugement, consiste à définir le perdant. Si je perds, c'est que je suis coupable ; l'ordalie se confond avec l'instruction et avec la peine, la veuve qui succombe au poison d'épreuve a assassiné son mari. C'est un mode de raisonnement, pas particulièrement mystique.

Les méthodes divinatoires sont encore un procédé d'épreuve : le plaignant emporte ses runes, par lesquelles il cherche à enchanter les juges, le peuple et tout particulièrement son opposant[1]. Il dévoue aux puissances infernales le coupable, c'est le rituel de la *devotio* latine.

_____

1. *Cf.* SPIETH (J.), *op. cit.*

Le jugement et l'infliction de la peine se confondent très souvent. C'est beaucoup plus précis, beaucoup plus rapide que chez nous. Là où il y a délibération, on cherchera à y assister. En tout cas, observer l'exécution du jugement, même civil. Une fois acceptée la somme fixée pour la composition, l'affaire est enterrée, les autorités publiques n'ont plus à intervenir.

Dans tout ceci, le mélange du civil et du criminel, du privé et du public, apparaît constant, très difficile à doser.

BIBLIOGRAPHIE

Études de sociologie et d'ethnologie juridiques publiées sous la direction de René MAUNIER, Paris, 33 volumes parus.

KÖHLER (J.), *Einführung in die Rechtswissenschaft*, Leipzig, 1902. Du même : nombreux articles dans la *Zeitschrift für Rechtswissenschaft*.

POST (A.), *Afrikanische Jurisprudenz...* t. I, Oldenbourg, 1887 ; *Die Geschlechtsgenossenschaft der Urzeit und die Entstehung der Ehe...*, Oldenbourg, 1875 ; *Die Grundlagen des Rechts und die Grundziige seiner Entwickelungsgeschichte...*, Oldenbourg, 1884 ; *Grundriss der ethnologischen Jurisprudenz...*, 2 vol., Oldenbourg, 1894-1895.

SCHULTZ-EWERTH (E.) et ADAM (L.) ed., *Das Eingeborenenrecht...*, vol. 2, Ostafrika, von B. ANKERMANN, Stuttgart, 1929.

STEINMETZ (S. R.), *Rechtsverhaeltnisse von eingeborenen Voelkern in Afrika und Ozeanien*, Berlin, 1903.

VOLLENHOVEN (C. van), *Het Adatrecht van Nederlandsch Indië*, La Haye, 1931 (corpus du droit indonésien ; l'enquête sur le droit *adat* des îles de la Sonde comporte trente volumes).

8. Phénomènes moraux

Tous les droits sont des phénomènes moraux, mais la morale n'est pas tout entière comprise dans le droit[1]. Conscience claire, organique, à réactions précises, le droit correspond à des attentes préalablement définies de toute la collectivité, y compris coupables et perdants. Tout comme les faits religieux, esthétiques... les faits juridiques s'enveloppent d'une masse diffuse, informe, apparentée au droit sans être du droit à proprement parler. Autour de la religion, il y a la magie, la divination et surtout les superstitions populaires ; autour du droit, il y a la morale.

Le droit ne se confond pas avec la morale, même chez nous. Étudier le droit n'est pas étudier la morale. La morale est l'art de vivre en commun, reconnu à la présence de la notion de bien. Cette présence de la notion de bien, de devoir, de faute, peut être très claire dans un grand nombre de cas, la morale n'en demeure

---

1. Pas d'ouvrages généraux à indiquer sur ce sujet. Voir néanmoins BENEDICT (R.), *Patterns of Culture*, Londres, 1935, qui étudie sous cet angle trois sociétés : les Pueblos du Nouveau-Mexique ; les Mélanésiens de l'île Dobu ; les Kwakiutl de Vancouver.

pas moins quelque chose de relativement diffus. Il y a là un grand nombre de sentiments et d'actions régulièrement prévisibles, attendus, à réactions utiles, mais qui ne sont formulés qu'occasionnellement, et qui ne sont pas appliqués avec une solennité particulière. Dans notre société, la morale est intérieure, nous sommes en tête à tête avec notre conscience, nous l'interrogeons, elle nous donne tort, ou, plus souvent encore, elle nous donne raison : c'est l'examen de conscience.

Ce caractère intérieur de la morale existe très peu dans les sociétés dites primitives, où la morale apparaît tout aussi fixée, tout aussi publique, que notre droit. Il y a des gens qui meurent d'une insulte qu'ils n'ont pas pu venger ; après leur mort, les enfants vengent l'insulte faite à leur aïeul. Toute la Malaisie, toute l'Indochine malaise et non malaise, tout Madagascar, connaissent l'*amok* ; connaissent des paniques collectives, où le village s'enferme, interdit à quiconque d'entrer. Cela veut dire ou bien qu'un habitant du village a commis un péché ; ou que les autres ont péché ; ou qu'on attend une attaque.

Certaines sociétés sont essentiellement guerrières : dans le monde de la chasse aux têtes (Malaisie et une partie de l'Indochine), il est impossible au jeune homme de se marier avant d'amener une tête humaine aux parents de sa future. Ailleurs, d'autres sociétés se montreront pacifiques[1]. Une bonne partie de la Polynésie observe le *muru*, expédition vengeresse qui traduit le droit de regard des parents utérins sur les enfants d'une femme de leur clan, mariée dans un autre clan. Dans les îles de l'Amirauté, les Manus expliquent ainsi le *ngang* : « Une femme du groupe A va vivre, après son mariage, dans une maison du groupe B, maison que hantent des

---

1. Tels les Gagous étudiés par TAUXIER (L.), *Nègres Gouros et Gagou*, Paris, 1924.

revenants (*ghosts*) de ce groupe. Elle donne un enfant à ces revenants. Par leur insouciance, ils laissent mourir l'enfant devenu un homme. Se sentant outragés, les hommes du groupe A — du groupe de la mère du mort — viennent détruire la maison et les coupes faites avec les crânes de ces revenants qui ont laissé mourir l'un des leurs, l'enfant d'une femme de leur groupe[1]. »

L'essentiel du travail d'observation consistera ici en l'établissement de statistiques morales et judiciaires. Thurnwald a pu établir qu'aux Salomon, le nombre des morts violentes était égal au nombre des morts naturelles[2].

Ces statistiques porteront par exemple sur l'esclavage ; sur le nombre des divorces, des congédiements, des séparations... On notera les greniers pleins, les greniers vides, les greniers vidés au moment des initiations ou des sorties de deuil.

On pourra encore étudier la morale d'une société en étudiant sa littérature et plus spécialement ses proverbes. L'étude du sanscrit commence toujours par les proverbes ; l'élève qui sait ses proverbes sait une langue concrète, possède une moralité, une sagesse concrètes.

Chaque proverbe appellera un commentaire[3]. Il faudra noter *in extenso* les histoires concernant ce proverbe, les fables où il se trouve inséré... Rapports fréquents entre les proverbes et les dires divinatoires, par exemple dans le culte du Fa, au Dahomey[4].

---

1. MEAD (M.), *Kinship in the Admiralty Islands*, Anthrop. Papers of the Amer. Museum of Nat. History, vol. XXXIV, 2ᵉ partie, New York, 1934, p. 314.

2. THURNWALD (R.), *Forschungen auf den Salomo Inseln und in dem Bismark Archipel*, 1912.

3. Sur les proverbes africains, voir DELAFOSSE (M.), *L'Âme nègre*, Paris, 1922.

4. *Cf.* MAUPOIL (B.), La *Géomancie à l'ancienne côte des Esclaves*, Paris, 1943 (1946).

Ces proverbes sont souvent en vers, ils se rattachent à une épopée ou à un poème lyrique. Dans toute l'Afrique noire, les gens parlent par proverbes. La morale est une sagesse, *sophia*. L'étude de ces proverbes entraînera des questions infinies ; les contes, les épopées, les drames, les comédies, forment un répertoire sans limites.

Les proverbes ont souvent trait aux rapports entre les âges et les sexes, aux rapports entre les choses et les hommes. L'observateur choisira un principe de classification quelconque, en s'efforçant simplement d'être aussi complet que possible.

Au terme de pareille enquête, on pourra définir la tonalité morale de la société observée, en s'efforçant de rester dans l'atmosphère de cette société : il est bien d'exercer la vendetta, il est bien de pouvoir offrir une tête humaine à sa fiancée. La notion de droiture morale, de rectitude est claire en Polynésie, où le mot *tika* est le même qu'en bengali.

Aux notions de morale se mêlent très souvent des notions de bonheur, de vertu, de chance, de gloire ou d'infamie : si j'ai de la chance, c'est que je suis dans mon droit ; et je suis dans mon droit puisque j'ai de la chance. Ces raisonnements sont réversibles et nullement contradictoires, ce sont des méthodes de raisonnement, qui valent les nôtres.

On notera les différences morales entre les milieux : morale de cour, morale du peuple. La morale des femmes n'est pas celle des hommes, la morale des vieux n'est pas la morale des jeunes, la morale sexuelle n'est pas la morale générale. Toutes ces différentes morales s'enchevêtrent par âges, par générations, par clans, par phratries, par sociétés secrètes, par classes… Tout ceci peut être étudié dans les recueils d'étiquette. Ainsi pourront apparaître des caractéristiques d'urbanité, de culture, de délicatesse, de douceur ; ou au contraire, des traits de violence et de brutalité.

C'est l'ensemble des cas qui permettra de faire un peu d'éthologie collective [1].

L'observateur étudiera les réactions simplement morales, sans être criminelles ou civiles, les peines morales. La mise en quarantaine est un châtiment sévère. Le refus d'une initiation peut aboutir à une catastrophe. Presque partout, perdre la face équivaut à perdre la vie, car l'intéressé se laisse mourir de désespoir.

La notion du bien et du mal est généralement très claire. Nous savons aujourd'hui combien l'enfant de nos sociétés est sensible à ces notions : il possède son bien et son mal à lui. La notion de justice, de loi morale, est nette dans le monde éwé où le nom même de Mahou, le Grand Dieu, signifie « loi ».

On notera encore tous les tabous linguistiques ; ces cas de respect ou de familiarité qui nous paraissent également excessifs. Dans le groupe sioux, il est impossible de prononcer le nom d'un parent quelconque de sa femme ; le mari, en parlant de son beau-père ou de sa belle-mère, emploiera une périphrase telle que : « Ces alliés qui habitent de l'autre côté, là-bas. »

On distinguera enfin la morale publique de la morale privée ; on notera l'attachement au sol, l'amour du pays : très souvent, l'individu détaché de son village meurt. Le mal du pays était autrefois un cas de réforme régulier en France.

Cette étude de la morale sera la base réelle d'une bonne éthologie collective : ce que l'on appelle morale est trop souvent de l'éthologie.

---

1. *Cf.* BRINTON (D. G.), *The Basis of Social Relations. A Study in Ethnic Psychology*, New York et Londres, 1902.

9. Phénomènes religieux

Tout le cours ici publié part de l'étude des phénomènes matériels pour aboutir à l'étude des phénomènes idéaux. Aussi le chapitre sur le droit y précède-t-il celui sur la religion. Le droit, où entrent des choses, des personnes et des actions — *res*, *personae*, *actiones* —, contient encore du matériel. L'erreur fondamentale de la sociologie mentaliste est en effet d'oublier que dans la vie collective il y a des choses, il y a des faits matériels; la philosophie qui prend la mentalité comme une chose donnée en soi oublie qu'elle n'est donnée que par rapport à des phénomènes matériels. Le droit lui-même demeure engagé dans la gestion des choses et des personnes. Sans doute, sous son aspect moral, il est déjà mental : si je suis propriétaire d'une maison, c'est que vous reconnaissez que j'en suis propriétaire, phénomène moral — mais il y a la maison. Par ailleurs, un grand nombre de phénomènes juridiques concernent non seulement les choses, mais les rapports des hommes avec les choses. Ainsi dans le droit, dans la morale, subsistent, avec des gestes matériels, une administration des mouvements; administration encore présente dans la religion, où toutefois la masse des phénomènes mentaux apparaît relativement pure — relativement, car une mentalité n'est jamais « pure », mais enfin, il s'agit toujours de séparer l'âme du corps dans la mesure du possible. Voilà pourquoi l'étude de la religion vient en dernier. Saris doute, l'idée religieuse s'exprime toujours d'abord linguistiquement ; puis par des rites, très souvent d'ordre matériel. Mais enfin, il y a ici tendance vers la pureté.

Nous n'insisterons pas longtemps sur l'importance des phénomènes religieux. Dans la plupart des sociétés humaines, l'observateur se trouvera en présence d'*homo religiosus*, l'homme religieux ; c'est ainsi que les membres des sociétés extra-européennes se caractérisent : ils cherchent eux-mêmes sur eux-mêmes. Dans notre société, où la religion n'est plus qu'une catégorie parmi les autres, *homo religiosus* a cédé la place non à *homo faber*, mais à *homo economicus* : il ne s'agit pas de faire, il s'agit d'être payé pour faire — ou pour ne pas faire. *Homo economicus* est d'ailleurs une création récente, il daterait de Mandeville et de la *Fable des abeilles*, venant après Gresham et Pepys : *homo economicus* nous vient d'Angleterre. Comparez, en France, les habitants des villes à ceux des campagnes : les paysans se préoccupent de leurs vaches, condition *sine qua non* de leurs revenus ; mais ils gardent le souci de leurs vaches en tant que vaches ; alors que la préoccupation dominante des habitants des villes est d'ordre économique, même dans leur activité esthétique. Inversement, j'évoque le souvenir de ce Hopi, chef de la confrérie du Feu, que j'ai vu à Washington ; cet homme, recordman de la course à pied, me disait : « Je peux courir ainsi parce que je n'arrête pas de chanter mon chant du feu » ; il était convaincu qu'un feu intérieur le brûlait. Des faits du même ordre ont été observés en Australie. Pareille croyance n'exclut d'ailleurs pas des connaissances exactes : l'homme du paléolithique choisissait soigneusement les pierres qu'il allait tailler en pointes de flèches ; les « primitifs » modernes possèdent des connaissances précises en ethnobotanique, en ethnozoologie. Dans tous leurs gestes, il y a une activité technique et scientifique à laquelle s'ajoute, là où nous n'en mettons pas, une activité religieuse. Dans leur activité technique, ils mettent aussi, il est vrai, une activité morale : c'est pour nourrir ses enfants que l'homme chasse ; mais les deux aspects sont distincts dans son esprit et puisqu'il les distingue, nous devons les isoler. Quoi qu'il en soit, à son activité technique, il ne joint aucune activité économique. Cette superposition soit de la valeur économique, soit de la valeur religieuse ou de la valeur morale, à une activité purement technique, est un grand fait des sociétés humaines. Il permet de doser les activités humaines.

Dans ce dosage résidera l'essentiel du travail de l'observateur, qui s'efforcera avant tout de noter les rapports de la religion avec tous les autres faits sociaux. Il le fera sans partir de l'idée que ceux qu'il observe ignorent le principe de contradiction ; sont des animistes ou des naturistes ; ou qu'ils connaissent le génitif parce qu'ils calculent leur parenté en ligne masculine — c'est possible mais les observations compteront toujours beaucoup plus que les appréciations de l'observateur.

Certains ont nié l'existence du principe de contradiction chez les « primitifs ». Il semblerait plutôt que les catégories fonctionnent dans l'esprit humain de façon bizarre : là où nous, Occidentaux, nous voyons des contradictions, les autres n'en voient pas — c'est tout. N'oublions pas que, jusqu'au XVIe siècle, à la suite de Platon, on a cru que si l'homme pouvait voir c'était parce que son œil possédait la faculté de lancer un rayon lumineux sur les choses qu'il voyait, que la lumière avait une source intérieure ; récemment encore, les savants officiels refusaient la thèse de Louis de Broglie, parce qu'il était « impossible »

qu'une physique fût à la fois corpusculaire et ondula-
toire. La théorie des couleurs a changé complètement
au moins deux fois depuis soixante ans. Bien d'autres
concepts que nous jugeons encore contradictoires
pourront se concilier dans l'avenir. En fait, le jeu des
catégories permet de poser des concepts et tout revient
à l'élaboration des concepts[1]. Les notions des « primitifs » sur lesquelles leurs esprits travaillent sont,
comme les nôtres, destinées à former des concepts de
force : un Australien n'essaiera pas de forcer un émou
à la chasse sans tenir un cristal de roche dans la
bouche ; concept que nous jugeons mauvais, mais
l'Australien est assuré d'avoir raison : il a forcé
l'émou — *parce qu*'il tenait son cristal de roche. Aristote a eu tort de croire que son analyse logique de la
langue grecque pouvait à elle seule constituer l'analyse d'une logique universelle ; mais il a vu juste en
disant que le jugement était destiné à former les
concepts. Étudier une société quelconque, aussi à
fond que possible, ne permettra jamais à personne
de conclure d'une façon générale sur la mentalité
humaine ; mais la découverte de nouveaux concepts,
de nouvelles catégories, n'en constitue pas moins un
apport précieux pour l'histoire de la pensée humaine.

On ne trouvera nulle part de religion très « primitive ». Les éléments australoïdes des langues fuégiennes
paraissent certains ; l'anthropologie des Fuégiens présenterait également des caractères australoïdes. La
question des Pygmées apparaît très complexe : les Pygmées de Malacca ne présentent certainement rien de
primitif ; ceux du Gabon et de l'Ogooué posent un problème, car ils offrent un mélange étonnant de primitif
et de non primitif ; les Pygmées de l'Ituri dansent de
véritables *corroboree* australiens. Les Veddas parlent

---

1. *Cf.* DENNETT (R. E.), *Notes on West African Categories*,
Londres, 1911.

cinghalais, ce qui écarte aussitôt toute idée de «primitif». Reste ceux des îles Andaman, étudiés par Brown[1]. Les Pygmées seraient beaucoup plus avancés que les Australiens, ces derniers demeurés assez primitifs, quoiqu'ils s'étagent entre l'aurignacien et le néolithique : les Australiens possèdent des pierres polies ; et leurs pierres éclatées offrent un type microlithique ou néolithique. Tylor avait cru trouver du préchelléen chez les Tasmaniens, mais il s'agissait d'instruments en cours de fabrication. Les fouilles de miss Bates dans le Sud-Ouest australien donnent des résultats précis : paléolithique supérieur, presque néolithique. Sans doute, on trouvera dans ces régions des phénomènes plus élémentaires que dans une grosse part de l'humanité, mais le caractère «primitif» de ces phénomènes reste tout relatif. Les Australiens sont aussi vieux que les Européens par rapport au pithécanthrope, tous les hommes vivants sont aussi vieux les uns que les autres. Donc, ne pas chercher le primitif. Des fouilles pratiquées chez les Todas de l'Inde, qu'on a cru longtemps les plus primitifs des hommes, ont révélé un très beau bronze.

Une civilisation se définira par sa plus ou moins grande richesse d'objets, d'outils et d'idées. Une société pauvre reste sur le petit nombre d'outils et d'idées qui lui suffit.

Avant tout, ne pas poser la question sur le plan théorique, ne pas chercher à savoir si l'idée est antérieure au rite, ou le rite antérieur à l'idée ; l'animisme antérieur au naturisme, ou le contraire. Le totémisme est-il un phénomène universel ? — le fait paraît probable ; mais tout peut-il s'en déduire ? certainement pas. Des problèmes nouveaux, des concepts nouveaux sont apparus peu à peu. On demandera si l'individuel prime le collectif. Mais comment concevoir une société

---

1. BROWN (A. R.), *The Andaman Islanders*, Cambridge, 1922.

qui ne soit pas composée d'individus; et comment, d'autre part, imaginer un homme qui ne parle pas au moins une langue, qui n'ait pas ses idées, qu'il croit très originales — et qui sont celles de tous ceux qui l'entourent.

L'étude des rapports entre l'individuel et le collectif retiendra au contraire longuement l'attention de l'observateur. Dans le chamanisme, par exemple, il cherchera à déterminer si le chaman sait d'avance l'animal qu'il va trouver au cours de son voyage dans l'au-delà, l'esprit d'ancêtre qui va le choisir; une réponse affirmative voudra dire que l'homme est mû par des règles qui lui imposent tel et tel totem[1].

---

1. Principaux manuels :
CHANTEPIE DE LA SAUSSAYE (P. D.), *Manuel d'histoire des religions*, trad. sur la 2ᵉ éd. all. sous la direction de Henri Hubert et Isidore Lévy, Paris, 1904. FRAZER (Sir J. G.), *Le Cycle du rameau d'or.*, trad. fr. en 12 vol. (d'après la 3ᵉ éd. anglaise), Paris, 1921-1935. HASTINGS (R.), *Encyclopoedia of Religion and Ethics*, Édimbourg, 1908-1909. LOWIE (R. H.), *Primitive Religion*, New York, 1924. RADIN (P.), *La Religion primitive*, trad. fr., Paris, 1940. SOUSTELLE (J.), *Les Phénomènes religieux*, Encyclopédie française, VII, «L'espèce humaine», fasc. 16 et 18, Paris, 1936.

Exemples de grandes monographies sur les religions primitives :
BOAS (F.), *The Eskimo of Baffin Land and Hudson Bay*, Bull. of the Amer. Museum of Nat. History, 1901, v. XV (1902). BOGORAS (W.), The *Chukchee*, II. Religion, The Jesup N. P. Expedition, Memoirs of the Amer. Musem of Nat. Hist., VII, 2, New York, 1907, p. 276-536. CALLAWAY (H.), *The Religious System of the Amazulu*, 2ᵉ éd., Londres-New York, 1897. CASO (A.), *La Religion de los Aztecas*, Mexico, 1936. CODRINGTON (R. H.), *The Melanesians. Studies in their Anthropology and Folklore*, Oxford, 1891. CROOKE (W.), *The Popular Religion and Folklore of Northern India*, Westminster, 1896. DORSEY (J. O.), *A Study of Siouan Cults*, Washington, 1897. HADDON (A. C.), *Reports of the Cambridge Anthrop. Expedition to Torres Straits*, vol. V et VI, Cambridge, 1904. JOCHELSON (W.), *The Koryak*, I. Religion and Myths, Jesup North Pacific Exped. Memoirs Amer. Mus. of Nat. Hist., VI, I, New York, 1905 (1906). JUNOD (H. A.), *Mœurs et coutumes des Bantous*, éd. fr., Paris, 1936. KOCH-GRUNBERG (Th.), *Von Roroima zum Orinocco...*, Berlin, 5 vol, 1917-1924. KOPPERS (W.), *Unter Feuerland*

De la même façon que l'esthétique se définit par la notion de beau, que les techniques se définissent par l'efficience technique, de la même façon que l'économique se définit par la notion de valeur, le droit par la notion de biens, *les phénomènes religieux ou magico-religieux se définissent par la notion de sacré*. Dans l'ensemble des forces que l'on appelle mystiques — nous dirons *mana* —, il s'en trouve un certain nombre qui sont tellement *mana* qu'elles sont sacrées ; elles constituent la religion *stricto sensu*, par opposition aux autres qui forment la religion *lato sensu*. Mon voisin éternue, je lui dis poliment : « À vos souhaits » ; c'est de la religion *lato sensu*. Si véritablement je crois à la gravité de l'effet, au danger que présente l'éternuement (qui exprimerait le départ de l'âme), lui dire ces mots équivaut à une insulte : religion *stricto sensu*. La différence serait comparable à celle qui sépare le clair du clair-obscur.

Indianern. Eine Forschungsreise zu den südlichsten Bewohnern der Erde (mit M. Gusinde), Stuttgart, 1924. Kruyt (A. C.), *De Toradjas van de Sa'dan, Masoepoe-en Mamasa-rivieren*, Tidjschr. v. h. Konink. Bataviasch Genootsch. v. Kunsten en Wetens Wetenschapal. Deel XXIII, I, 1923, p. 81-173 ; II, 1924, p. 259-401. Leenhardt (M.), voir notamment *Gens de la Grande Terre, op. cit.* (Nouvelle-Calédonie). Lumholtz (C.), *Unknown Mexico…*, Londres, 1903. Preuss (K. Th.), *Religion und Mythologie der Uitoto*, Göttingen et Leipzig, 1921 et 1924 (Colombie). Rivers (W. H. R.), *The Todas*, Londres, 1906. Seligmann (C. G.), *The Melanesians of British New Guinea*, Cambridge, 1910. Seligmann (C. G. et B. Z.), *The Veddas*, Cambridge, 1911. Spencer (B.) et Gillen (F.), *The Northern Tribes of Central Australia*, Londres, 1904 (long c. r. par M. Mauss in *L'Année sociologique*, VIII, 1903-1904, p. 242-252). Spieth (J.), *Die Religion der Eweer im Süd-Togo*, Leipzig, 1911. Strehlow (C.), *Die Aranda und Loritja Stämme in Zentral Australien*, Francfort-sur-le-Main, 1908-1909. Swanton (J. R.), *Social Condition, Beliefs and Linguistic Relationship of the Tlingit Indians*, 26th An. Rep. of the Bureau of Amer. Ethnology, 1905 (1908), p. 391-512. Thilenius (G.), *Ergebnisse der Sudsee Expedition*, 1908-1910, série A, Mélanésie, t. II à III ; série B, Micronésie, t. IV à XI, Hambourg (depuis 1933).

La notion de *mana* apparaît tout à fait universelle. Le *nkisi* des habitants de l'Angola, décrits par Dapper[1], n'en diffère nullement, non plus que l'*orenda* des Indiens d'Amérique. C'est Codrington qui a signalé l'existence de la notion de *mana* chez les Mélanésiens. Mais le mot lui-même est un mot technique polynésien adopté par les Mélanésiens de l'île Banks. *Mana* veut dire autorité, en même temps que chose spirituelle[2] : est *mana* la chose ou l'esprit qui exerce un pouvoir sur l'individu, mais cet esprit est considéré comme un peu matériel. Idée qui nous paraît contradictoire, parce que nous sommes arrivés à la notion de contradiction entre l'esprit et la matière ; mais il faut songer que le concept de la matière n'a pas toujours existé.

Les *difficultés de l'observation* apparaissent considérables. Elles tiennent d'abord au caractère coutumier d'un très grand nombre de faits religieux. Des cérémonies entières peuvent se dérouler sous les yeux d'un étranger, il ne les verra pas. Le professeur Dubois, dans son livre sur les Betsileo[3], montre comment, dès que l'indigène s'approche de sa maison, tout devient religieux ; rien à l'intérieur de l'habitation n'est purement laïque, chaque chose occupe une place fixe, le père s'assied toujours au fond, à droite ; la maison tout entière est orientée. De même dans la hutte tchouktchi, tout est rigoureusement classé. L'observateur devra imaginer des gens qui vivent toute l'année comme vit un Juif polonais le jour du Grand Pardon : il n'y a aucun acte qui soit religieusement indifférent à l'intérieur de la maison. La maison romaine, avec ses *penetralia*, présentait un aspect

---

1. DAPPER (O.), *Description de l'Afrique...*, Amsterdam, 1686.
2. Sur la ressemblance entre *mana* et *mens*, *cf.* MEILLET (A.), *De Indo-Europea radice* men-« *mente agitare* », Paris, 1897.
3. DUBOIS (P.), *Monographie des Betsileo*, Paris, 1938.

assez similaire. Les sociétés les plus simples peuvent être en même temps les plus compliquées.

L'importance des phénomènes religieux varie beaucoup d'une société à l'autre. Certaines sociétés, très peu religieuses, peuvent n'en posséder pas moins beaucoup de *religiones*. Selon Festus (texte sans doute emprunté au Livre des pontifes), *religiones stramenta erant*, « les religions c'étaient des nœuds de paille » — c'étaient des tabous ; et sans doute aussi les nœuds de paille avec lesquels étaient nouées les pièces du *Pons Supplicius*, c'est-à-dire du pont que les pontifes devaient entretenir sur le Tibre. *Religio* se rattache à la même racine que *religare*, « relier » ; et il s'agissait de nœuds de paille.

En dépit du caractère coutumier que présente la religion, elle n'en est pas moins ce qu'il y a de plus conscient dans l'esprit de ceux qui observent ses pratiques, surtout dans les couches populaires où un sens du concret contrebalance ce sens des notions abstraites. *Substantia*, la « substance », ne diffère pas étymologiquement de *subsistentia*, les « subsistances ».

La meilleure *méthode d'observation* sera la méthode philologique, qui consistera à rassembler le plus de textes possibles. Pour cela, bien connaître la langue, afin de pouvoir noter les nuances. En général, les observateurs des religions primitives s'imaginent que dans les sociétés autres que la leur, il n'y a pas de nuance ; alors que tout est en nuances ; que malentendus, sous-entendus, jeux de mots interviennent à chaque instant (« *Tu es Petrus…* »). La religion est le point sur lequel se marqueront les plus grandes différences selon que l'enquête aura été conduite de manière extensive ou de manière intensive[1].

---

1. Comme exemples d'enquêtes menées par la méthode philologique, voir : CALLAWAY (H.), *op. cit.* RIGGS (S. R.), *Dakota Grammar, Texts and Ethnography*, Washington, 1893. DORSEY (J. O.),

Une méthode proche de la méthode philologique est celle qui consiste dans l'étude approfondie de documents figurés. Une étude de la symbolistique peut conduire très loin[1].

L'enquêteur travaillera de préférence sans interrogatoire. Lorsqu'un indigène aura chanté devant lui, ou récité un texte, il reprendra ce texte, en se faisant expliquer par l'informateur chacun des mots, chacun des vers, en demandant l'exégèse complète du texte. C'est très long. Un mythe contient des faits de droits, des faits économiques, des faits de technique. N'oublions pas que l'Iliade débute par la description du bouclier d'Achille.

Au cours d'une cérémonie locale, étudier tous les assistants ; l'idéal serait d'obtenir de chacun le récit de ce qu'il chante, de ce qu'il joue. Si l'on ignore la langue, les observations peuvent être intéressantes, elles demeureront fragmentaires. Mais la seule connaissance de la langue demeurera insuffisante si l'observateur ne sait pas reconnaître les formules rythmées, les vers, qui sont un moyen mnémonique.

Une fois réuni tout ce matériel extérieur, il faudra trouver le magicien qui livrera le recueil de ses for-

---

op. cit. MOONEY (J.), *The Cherokee Ball Play*, Washington, 1890 ; *Myths of the Cherokee*, Washington, 1900. GREY (Sir G.), *Polynesian Mythology and Ancient Traditionnal History of the New Zealand Race, as Furnished by their Priests and Chiefs*, Auckland, 1885. SPIETH (J.), *Ewe Stämme*, Berlin, 1906. GADEN (H.), *Proverbes et maximes peuls et toucouleurs*, Paris, 1932. STREHLOW (C.) et LEONHARDI (VON M.), *Die Aranda und Loritjastämme in Zentral australien*, Veröffentlichungen des Frankfurter Museums für Völkerkunde, 1908.

1. Voir notamment PREUSS (K. Th.), *Die Nayarit Expedition, Textaufnahmen und Beobachtungen mexikanischen Indianern unternommen und herausgegeben*, Leipzig, 1912 ; *Die Nayarit Expedition : I. Die Religion der Cora Indianer*, Leipzig, 1912 ; *Die religiosen Gesänge und Mythen einiger Stamme der mexikanischen Sierra Madre*, Leipzig, 1908. LUMHOLTZ (C.), *Symbolism of the Huichol Indians*, New York, 1900.

mules, avec le commentaire nécessaire. Ce travail doit être fait, de préférence à l'enquêteur étranger, par le technicien indigène autorisé : seul importe le point de vue indigène. À la limite, l'idéal serait de transformer les indigènes non pas en informateurs, mais en auteurs. Ainsi La Flesche, Iroquois pur et membre du Bureau d'ethnologie américain pendant quarante ans, a été chargé par les Indiens Osage de publier tout le rituel Osage. Hewitt, qui nous a révélé la notion d'*orenda*, est un Iroquois[1].

En matière de religion, plus qu'en aucune autre, une longue intimité seule permettra d'obtenir quelques renseignements. Donc nécessité d'une longue enquête souvent très difficile pour les grandes tribus ou les grandes nations.

Les enregistrements matériels appelleront le maximum de commentaires, chacun d'eux ne sera jamais que le prétexte et le point de départ d'une enquête psychologique : ainsi, on ne recueillera jamais une peinture sans demander le mythe de cette peinture ; sans poser les questions indispensables de technique et d'esthétique. L'un des effets du phénomène religieux est qu'il entraîne toujours un phénomène esthétique. L'enquête s'appuiera naturellement de dessins, photos, films, etc.

Ne pas craindre les répétitions, les entrecroisements, les recoupements. La même histoire reparaîtra dans les mythes, dans les objets, dans la divination. Mais c'est de cette répétition même que surgira lentement l'aspect caractéristique de la société étudiée. L'esprit d'une civilisation compose un tout de fonctions ; c'est

---

1. LA FLESCHE (F.), nombreux travaux sur les Indiens Osage publiés dans les US Bureau of American Ethnology. Voir notamment : *The Osage Tribe* : *Rite of the Chiefs* : *Sayings of the Ancient Men*, US Bureau of American Ethnology, Washington, 1921. HEWITT (J. N. B.), *Iroquoian Cosmology*, Bureau of American Ethnology, 1900, Washington, 1904.

une intégration différente de l'addition de la totalité des parties ; seuls, de multiples recoupements permettront l'approche de cette intégration.

L'enquêteur étudiera chacun des groupes religieux spéciaux : magiciens, devins, hauts dignitaires de la société des hommes ; ainsi que les différentes classes religieuses. Chez les Maori, les gens sont divisés en gens de trois « paniers » — l'expression se retrouve dans le bouddhisme : au sommet, le *warekura*, la maison des secrets, maison des *ariki*, des aristocrates, « ceux qui savent les secrets » ; les inférieurs, les simples *tohunga*, en savent moins et le peuple en sait encore moins. Lorsqu'on constate la présence de plusieurs couches d'initiation, il faut étudier toutes les couches.

Le catéchisme apparaît comme l'un des livres les mieux écrits en français, mais ce n'est pas toute la religion. Il sera intéressant d'obtenir le texte du catéchisme, de la bouche d'un initié ; il sera plus intéressant encore de trouver les auteurs du catéchisme.

D'autre part, l'enquêteur peut avoir assisté par hasard à une cérémonie déterminée d'un clan déterminé ; il lui faudra savoir si dans le clan voisin ne s'est pas déroulée une autre cérémonie, peut-être complémentaire de la première. L'observateur aura le souci d'être complet, de voir tous les acteurs, de connaître tous les rites, tous les mythes. Pour cela, il procédera par groupes, par âges, par sexes, par classes ; par culte privé et culte public ; par lieux. Un bon catalogue des lieux sacrés donnera de solides éléments de base pour une enquête ultérieure. Un calendrier religieux sera indispensable ; ainsi le culte des Pléiades est très répandu en pays sud-tropical, où l'ascension des Pléiades marque les changements de saison. Le bouddhisme est divisé en deux saisons. Chez les Eskimo, la religion d'hiver diffère de la religion d'été.

Au terme de l'enquête seulement, quand sera dressé l'inventaire général, quand seront rassemblés tous les textes, tous les objets, toutes les fiches décrivant les différentes cérémonies, l'observateur pourra parler de la religiosité, de l'âme, des dieux, du rapport entre les uns et les autres, de superstitions, de contradictions, de l'absence ou de la présence du sentiment religieux. Une des plus belles phrases en matière de religion vient de la bouche de l'avant-dernier des Moriori qui habitaient l'île de Chatham à l'ouest de la Nouvelle-Zélande. Les Moriori étaient décimés par des grippes qu'on leur avait apportées; pour pouvoir mieux les soigner, le gouverneur de Nouvelle-Zélande ramena les survivants sur la grande île, où ils pouvaient être ravitaillés plus facilement; l'avant-dernier était un prêtre : «Mes compatriotes sont tous morts, dit-il, parce que nous étions tous très *tapu*; et qu'une fois exilés, nous ne pouvions plus observer nos *tapu*.» C'est l'état d'esprit du martyr qui se laisse supplicier plutôt que de renoncer à sa foi.

Les phénomènes religieux peuvent se diviser en trois groupes : religion *stricto sensu*, religion *lato sensu*, avec magie et divination; enfin, les superstitions.

La religion *stricto sensu* se caractérise par la présence des notions de sacré proprement dit et d'obligations, exactement comme se caractérisent les phénomènes juridiques : on n'est pas un homme avant la circoncision.

La notion d'obligation n'intervient pas dans la religion *lato sensu*, magie et divination : vous n'êtes pas obligé de vous faire tirer les cartes; mais vous vous attendez à un certain nombre de rites, vous savez que la dame de cœur, le valet de trèfle, jouent chacun un rôle précis. Tout ceci est fixé. Magie et divination peuvent avoir leurs codes.

Enfin, comme un grand halo autour de ces noyaux que forment magie et religion, se présente le folklore, les croyances populaires. Il y a des croyances populaires même chez les Australiens. C'est ce que l'on appelle, d'un terme qui n'est pas toujours heureux, les superstitions ; par exemple, porter une pomme de terre sur soi pour que la synovie se trompe et aille dans la pomme de terre plutôt que dans le genou. Cette magie populaire n'est pas celle des magiciens.

On peut diviser autrement : entre rites et pratiques, mythes et représentations ; enfin, structures et organisation. Il y a partout une organisation religieuse, comme il y a une organisation juridique.

Interviennent encore les divisions en classes d'âge ; en sociétés secrètes ; en prêtres et non prêtres ; en clans ; en totems.

Quoi qu'il en soit, dans tout groupe de phénomènes sociaux, on trouve toujours un groupe d'hommes, qui a ses pratiques et ses représentations. La description est terminée quand les trois ordres ont été observés de manière exhaustive et que les rapports entre les trois apparaissent avec évidence.

Enfin, grâce à ces divisions et en étudiant l'organisation du groupe qui accomplit tel ou tel rite, on peut déterminer l'intensité et l'extension de chaque religion : cultes tribaux ; cultes nationaux, quand la société est composée de plusieurs tribus — ainsi, au Soudan les fêtes par roulement ; de même chez les Pueblo, tout se passe comme dans nos campagnes où les foires se transmettent. Enfin religion internationale.

On a encore pu noter l'adaptation du christianisme aux religions chamanistiques et son adoption par les clans shoshones et sioux[1] ; la propagation, immédiate, a abouti à des massacres depuis la frontière du Nouveau-Mexique jusqu'au-delà de la frontière canadienne et dans la vallée du Missouri.

Des cultes spéciaux peuvent se propager à des distances considérables.

---

1. *Cf.* Mooney (J.), *The Ghost Dance Religion and the Sioux Outbreak of 1890*, US Bureau of American Ethnology, 14th Annual Report, 1892-1893.

On distinguera enfin les cultes privés des cultes publics ; et dans le privé, les cultes rigoureusement individuels. Les cultes privés sont souvent aussi obligatoires que les autres.

Phénomènes religieux « stricto sensu »

Partant des faits extérieurs visibles, enregistrables, nous arrivons à l'étude des phénomènes mentaux et moraux. Ajoutons aussitôt que, phénomène le plus mental de tous, la religion n'est pas que mentale, bien au contraire, puisque le caractère obligatoire des faits religieux se marque avant tout dans l'observation des rites, positifs et négatifs. L'enquêteur notera ces rites et en demandera l'explication. Son premier travail consistera donc à enregistrer des faits évidents, des pratiques sociales. Par la suite, il s'efforcera de déceler les rapports qui, unissant entre eux différents rites, correspondent à des cultes. Une des erreurs les plus fréquentes consiste en effet à détacher les pratiques religieuses les unes des autres pour les étudier isolément, alors que tous les rites sont les membres d'un culte, de même que tous les mythes sont les membres d'une mythologie. L'existence de cultes déterminés apparaîtra grâce à l'étude des différents groupes qui, à différents moments de l'année et dans différents lieux, accomplissent des rites précis.

Les deux procédés qu'on emploiera pour l'observation des cultes seront le calendrier religieux (on notera les différents rituels observés au cours de l'année[1]) ; et l'histoire de chaque groupe d'individus. Les biographies que l'enquêteur aura demandées à chacun de ses

---

1. Exemple : MOONEY (J.), *Calendar History of the Kiowa Indians*, 17th An. Rep. of the Bureau of Amer. Ethn. 1895-1896, Washington, 1902. SELER (E.), *Die bildlichen Darstellungen der mexikanischen Jahresfeste*, Berlin, 1899.

informateurs serviront ici de repères utiles. Dans la mesure du possible, on interrogera non seulement les vieillards et les jeunes gens, mais aussi les femmes ; la sociologie des femmes offre un champ d'enquêtes presque inexploré, malgré les efforts en ce sens de Malinowski et de ses élèves.

Tous ces phénomènes religieux sont relativement obligatoires : ainsi, un jeune garçon ne sera pas admis dans la classe des adultes avant l'initiation. Mais ce caractère obligatoire n'entraîne pas une uniformité constante : les familles sont plus ou moins grandes, les clans plus ou moins segmentés, donc les sociétés plus ou moins évidentes et plus ou moins permanentes.

Une première distinction permettra de séparer les cultes publics des cultes privés, tel le culte familial ou le culte individuel. Ces derniers sont nombreux, une partie de la vie des jeunes gens pendant les rites d'initiation leur est notamment consacrée. Toutefois, on n'oubliera pas qu'un grand nombre de cultes essentiellement publics, par exemple le culte du roi, sont souvent au même moment extraordinairement secrets. Nous ne savons pas tous les secrets de la cour d'Abomey, ni ceux de la cour chinoise, la plus ancienne du monde. Par ailleurs, un grand nombre de cultes privés sont rigoureusement obligatoires. Les Hindous distinguaient entre les cultes domestiques et les cultes publics — la division suivie ici reproduit en fait une division des codes du rituel sanscrit —, mais tenaient les cultes privés pour aussi obligatoires que les cultes publics ; il faut que tous les Hindous aient la tête rasée, ne gardant qu'une seule touffe de cheveux, sous peine de perdre la caste, de ne plus être hindou. Enfin, certains cultes sont publics-privés, d'autres sont privés-publics : l'Hindou ordinaire est tenu de sacrifier chaque matin à son feu domestique, de même que le brahmane est obligé d'offrir tous les jours au feu public un sacrifice plus important. La division n'en est pas moins utile, qui met aussitôt l'observateur en présence des acteurs du rituel.

Cultes publics

L'ensemble des cultes publics d'une tribu est constitué par la somme des cultes qu'observent les différents clans composant cette tribu. À l'intérieur de cette première division en publics et privés, nous classons les cultes suivant leur caractère plus ou moins élémentaire. La forme la plus élémentaire du culte public paraît bien être le totémisme.

LE TOTÉMISME[1]

Nous ne remontons à rien de plus élémentaire. Ce qui ne signifie pas que le totémisme est essentielle-

---

1. Sur l'exposé de la question, voir :
BESSON (M.), *Le Totémisme*, Paris, 1929. DURKHEIM (E.), *Les Formes élémentaires de la vie religieuse. Le système totémique en Australie*, Paris, 2e éd., 1925 ; « Sur le totémisme », *L'Année sociologique*, V, 1900-1901, p. 82-122. FRAZER (sir J. G.), *Totemism and Exogamy*, Londres, 1911, 4 vol. ; *Totemica*, a Supplement to *Totemism and Exogamy*, Londres, 1937. GOLDENWEISER (A.), « Totemism, an Analytical Study », *Journal of American Folklore*, avril-juin 1910. KOPPERS (W.), « Der Totemismus als menscheitsgeschlichtliches Problem », *Anthropos*, XXXI, 1936, p. 159-176. MAUSS (M.), Note dans *L'Année sociologique*, VIII, 1903-1904, p. 235-238. VAN GENNEP (A.), *L'État actuel du problème totémique*, Paris, 1920.

Systèmes totémiques :
ELKIN (A. P.), études dans *Oceania* depuis 1937. GUSINDE (Le P. M.), *Vierte Reise zum Feuerlandstamm der Ona*, Mödling-bei-Wien, 1931, 3 vol. PARKINSON (R.), *Dreissig Jahre in der Südsee* (Bismarck und Salomon), Stuttgart, 1907. STREHLOW (C.), *Die Aranda und Loritja Staemme in Zentral Australien*, Francfort-sur-le-Main, 1908-1909.

Systèmes religieux à totémisme évolué :
BOAS (F.), *Ethnology of the Kwakiutl* (based on the data collected by G. Hunt), 35th An. Rep., Washington, Smithsonian Institution, I

ment élémentaire : les Indiens d'Amérique du Nord ont un totémisme très développé, qui, en atteignant une grande hauteur religieuse, a gardé néanmoins des formes encore très élémentaires. En Amérique du Sud, les enquêteurs trouvent chaque jour de nouveaux totems, très évolués.

Nous ne débattrons pas la question de savoir si tous les hommes ont débuté par le totémisme. Il est impossible de prouver que les chelléens et surtout les préchelléens ont connu pareil culte. À partir de l'aurignacien, sa présence paraît plus probable, car les très nombreuses représentations animales datant de cette époque correspondent certainement à des cultes. Les Australiens seraient des aurignaciens et un peu des néolithiques ; les Tasmaniens étaient des aurignaciens.

Normalement, le totémisme est non pas un culte de toute la tribu, mais un culte d'au moins deux phratries, généralement de plusieurs phratries, ou même de simples clans qui ne sont plus rangés en phratries. C'est un culte *segmentaire* : nous appartenons à la même tribu ; je suis loup, vous êtes ours ; le culte de la tribu comprendra un culte du loup et un culte de l'ours. Rome connaissait un culte nettement totémique, c'était le culte des loups et de la louve-mère. Élément du culte public, le totémisme demeure segmentaire et *relativement amorphe* : l'espèce est égale-

---

et II. FLETCHER (A. C.) et LA FLESCHE (F.), *The Omaha Tribe*, 27th An. Rep. of the Bureau of Amer. Ethnology (1905-1906), Washington, 1911. LAVAL (P. H.), *Mangareva. L'histoire ancienne d'un peuple polynésien*, Paris, Geuthner, 1938. NEUHAUSS (R.), *Deutsch-Neu-Guinea*, Berlin, 1910, 3 vol. PARSONS (E. C.), *Americain Indian Life*, New York, 1923. RADIN (P.), *The Winnebago Tribe*, 37th An. Rep. of Bureau of Amer. Ethnology, Washington, 1913. SELIGMANN (C. G.), *The Melanesians of British New Guinea*, Cambridge, 1910. TEIT (J.), *The Shuswap*, Memoirs of the Amer. Museum for Nat. History (The Jesup North Pacific Exp. II, VII), New York, 1909. THALBITZER (W.), *The Ammassalik Eskimo*, Copenhague, 1923.

ment consubstantielle à chacun des individus ; exactement comme nous sommes tous des hommes, à l'intérieur de la phratrie, nous sommes tous des loups et égaux en tant que loups ; telle tribu du Soudan observe un culte totémique des crocodiles : qu'un crocodile meure, un membre du clan mourra, mais on ignore qui.

Le totémisme peut prendre des formes très variées, parfois très compliquées. Une partie des documents de Rivers sur la Mélanésie, où l'auteur croyait à l'absence de totémisme, prouve au contraire la présence de ce culte, le totémisme étant lié à l'organisation sociale d'une part, d'autre part à la forme de certains papillons correspondant aux âmes des initiés de grades différents.

Même dans le cas où le culte totémique apparaît aussi intégré dans les cultes généraux que par exemple chez les Pueblo, le culte totémique garde des aspects qui nous paraissent très élémentaires.

La question de l'extension du totémisme[1] ne nous arrêtera pas plus longuement : il est impossible de prouver si des sociétés chez lesquelles on constate l'absence du totémisme n'ont pas connu ce culte jadis ; par ailleurs, le trouver ne prouvera pas qu'il n'a pas été introduit, sous telle et telle forme, venant de tel ou tel endroit. Après l'enquête de Frazer, le nombre de sociétés relevant de l'ethnographie qui ne connaissent pas le totémisme se réduit tous les jours. L'un des rares grands groupes homogènes où il n'y en a peut-être que très peu c'est les Eskimo, dont le niveau de civilisation correspond à du paléolithique supérieur. Toute l'Amérique du Nord connaît le totémisme. L'Amérique du Sud en paraît fortement imprégnée, ainsi qu'une grande partie de l'Afrique. La discussion par Delafosse du totémisme africain apparaît comme l'une de ses

---

1. Question qui nous paraît de pure dialectique. Voir SCHMIDT (P. W.), *Origine et évolution de la religion*, trad. fr., Paris, 1931.

rares erreurs : exprimé sous forme d'une alliance, le totémisme n'en est pas éliminé pour autant. Les Pygmées n'ignoreraient pas ce culte, au dire du professeur Trilles[1]. À Madagascar, pas de totémisme chez les Malgaches, mais totémisme chez les Sakalaves qui sont bien près des Malgaches. Nous sommes certains de la présence du totémisme chez les Sakai et les Semang de Malacca. Les Andaman n'observent qu'un seul culte public et c'est le culte de deux animaux. Pour la Nouvelle-Calédonie, on a longtemps cherché en vain le totémisme ; les documents de M. Leenhardt nous apportent la preuve de son existence. En Indochine, on en connaît un certain nombre d'exemples. En Polynésie, ce culte n'existe guère qu'à Samoa et dans quelques autres endroits, mais il n'y a aucune raison pour supposer qu'il n'a pas existé autrefois : les Polynésiens appartiendraient au même niveau de civilisation que le néolithique européen, ils peuvent, arrivés à ce stade, avoir laissé tomber un certain nombre de pratiques.

Si l'extension du totémisme demeure une question secondaire, l'étude des différentes formes que peut offrir ce culte apparaît, au contraire, très importante : elle semble en effet devoir permettre l'établissement d'un certain nombre d'aires de civilisation. Ainsi, la présence tout à fait remarquable du totem oiseau en Mélanésie, où il est le totem chef, expliquerait certain totémisme polynésien : le terme de *manou* que porte le totem en Mélanésie correspond à un nom polynésien qui signifie « oiseau » et aussi « cerf-volant ».

Le totémisme se présente presque toujours sous la forme d'interdits. Les plus anciens documents que nous possédions sur la question sont ceux sur le totémisme égyptien[2] ; Hérodote note la parenté

---

1. TRILLES (R. P.), *Les Pygmées de la forêt équatoriale*, Paris, 1933.
2. MORET (A.), *La Royauté dans l'Égypte primitive* : *totems et pharaons*, Paris, 1913.

des gens du nome avec les animaux d'une certaine espèce.

Ailleurs, le totem est révélé. Toute l'Amérique du Nord et l'Asie du Nord observent des usages chamanistiques, où chacun se met en quête de son totem ; recherche collective ou individuelle, peu importe, les Américains du Nord savent quel peut être leur totem et vont le chercher.

Parlons maintenant du totémisme en lui-même. *Le totémisme est le culte d'une espèce*, généralement animale (mais il y a des totems aberrants), d'une espèce *animale ou végétale, homonyme à ce groupe*, c'est-à-dire portant le même nom. Un groupe, une espèce, un nom : et ce nom est un nom de consanguins, c'est-à-dire que tous les membres du clan ou de la phratrie se croient de même nature que les animaux totémiques : par exemple, chez les Indiens Cherokee, dans la phratrie de l'ours existe un sous-clan de la tortue : appartenant à ce sous-clan, je possède toutes les vertus de la tortue ; et toutes celles de l'ours, je suis tortue-ours ; tous les clans de la phratrie de l'ours, en plus de leur valeur spécifique, ont la valeur ours.

Le totem est généralement l'objet d'un culte ; au cas de religion du totem, il est nécessairement l'objet d'un culte. Il n'y a pas de totem s'il n'y a un culte correspondant à la fois à un nom et à un clan. En l'absence de clan, l'observateur se trouve en présence d'un culte thériomorphique, un culte d'animaux. Par exemple, l'interdiction qu'observent les Juifs vis-à-vis du porc ne veut pas dire qu'ils pratiquent le culte du porc ; ne veut pas dire que le porc était un totem pour eux, ni même le totem de leurs voisins ; tandis que le culte de la louve à Rome est un culte totémique, puisque un clan porte ce nom.

Ceci posé, l'observateur pourra se trouver en présence de totems tribaux (fait toutefois assez rare) ; de totems correspondant à des classes d'âge (dans le monde slave, le faucon était l'insigne non pas d'un clan, mais d'une classe d'âge); mais le cas le plus fréquent sera celui des totems de phratrie et de clan. On s'efforcera de dresser la table des totems : tribaux s'il y a lieu; de phratries; de clans. Dans toute l'Amérique du Nord, très souvent les clans sont numérotés rigoureusement et passent dans leur ordre; à l'intérieur du clan, des numéros sont donnés à chaque individu, exactement comme dans un régiment mobilisé. On ne pourra clore la liste des totems qu'après une visite exhaustive de la tribu.

Viennent ensuite les sous-totems; totems de famille et même totems individuels, qui forment souvent des chaînes ininterrompues; Haddon observant pareil fait en Nouvelle-Guinée a parlé de totems enchaînés, *linked totems*. On peut ainsi, dans certains cas, arriver à reconstituer toute une cosmologie à partir de chaque individu. Chez les Arunta d'Australie, la chose est encore plus compliquée : il y a un totem pour le vivant, un totem pour son âme morte et un totem pour son germe à réincarner, chacun portant un nom distinct, déterminé par le mythe, par le lieu et par le culte[1].

Le totémisme peut donc descendre jusqu'à l'individu, par exemple en Mélanésie où les jeunes gens, au fur et à mesure de leur initiation, conquièrent différentes formes de papillons. En Amérique du Nord, les totems individuels sont fréquents; Radin nous dit que chez les Winnebago, la grand-mère ordonne à son petit-fils d'aller dans la forêt, où il trouvera tel totem; s'il ne le trouve pas, c'est que la grand-mère — ou le petit-fils — s'est trompée[2].

Les totems conférés au moment de l'initiation et correspondant aux classes d'âge peuvent être ou n'être pas intégrés dans les clans. Le léopard en Afrique est l'insigne des rois. Certains totems demeurent l'insigne

---

1. Voir les études de STREHLOW (T. G.), dans la revue *Oceania*.
2. RADIN (P.), *The Winnebago Tribe*.

de grandes sociétés d'aristocrates, ou de sociétés secrètes ; le lion est l'insigne du Négus.

Il existe enfin des totems de castes, déjà rencontrés au cours de l'enquête sur la morphologie sociale et que l'observateur retrouvera ici, ce qui lui permettra de progresser dans son étude précédente.

Dans chaque cas, l'enquêteur observera le culte sous ses aspects positif et négatif ; il notera si les femmes ont des totems. En pays ashanti *(Gold Coast)*, où les femmes font partie d'un clan totémique, ligne maternelle et ligne paternelle vont parfois jusqu'à une véritable opposition : la terre se transmettant uniquement en ligne maternelle, un homme ne peut pas vendre un bien maternel ; à la rigueur, il pourrait le céder à un neveu utérin de sa mère. L'enquêteur recherchera les objets spéciaux au culte, tels que la capsule de pénis en Nouvelle-Calédonie ; il notera les dessins, les tatouages. Ces objets spéciaux, marqués du totem, souvent nombreux et très importants, par exemple les *churinga* dans toute l'Australie du Nord, peuvent être renouvelés au cours des initiations successives.

L'enquêteur cherchera en même temps à recueillir le *mythe* du totem, aussi complet que possible, pour tous les lieux où a passé le totem ou la troupe, car c'était déjà une troupe qui formait le totem (nombreux exemples dans la mythologie Arunta et dans la mythologie des Kakadou[1]). Le mythe est très souvent un mythe géographique où se trouvent mentionnés tous les accidents de la contrée. Souvent, le pays a été préfiguré par les ancêtres. On étudiera longuement les lieux sacrés où ces troupes ont essaimé des âmes ou des animaux. Les rites positifs se trouvent ainsi fortement attachés au sol et à des individus.

L'enquêteur observera ensuite les *rites négatifs* : interdits de manger le totem, de tuer le totem ; usages

---

1. Voir les études déjà mentionnées de STREHLOW (T. G.), parues dans *Oceania*.

spéciaux, même pour les étrangers qui ont tué un animal dont le corps abritait peut-être votre âme extérieure. Dans un grand nombre de cas, le totem est tellement respectable, que seuls les gens du totem peuvent donner l'autorisation d'en manger : ainsi, en Australie, ce sont les anciens des clans qui initient les jeunes gens aux nourritures constituant leurs totems. Le problème de la réincarnation de l'âme dans le totem pose l'impossibilité de casser les os de l'animal mangé — ou l'obligation de les casser ; certaines parties du corps de la bête peuvent être consommées par certains, complètement interdites à d'autres.

Le respect du sang est très généralement observé : un homme ne peut pas avoir de rapports sexuels avec une femme appartenant au même totem. Le père est normalement responsable du sang de l'enfant vis-à-vis des parents de sa femme.

Puis vient l'étude du pouvoir des individus sur le totem ; des cérémonies annuelles pour la multiplication du totem, ce que Frazer appelle la « division du travail magique ». Ici se pose également l'étude des aires du totem.

Le totem peut jouer un grand rôle dans la décoration du corps. Il correspond souvent à un véritable blason, par exemple chez les Masai d'Afrique orientale, où le blason est une marque ; il est aussi le signe d'un pouvoir spécial[1]. Rituel des cérémonies avec blasonnement.

Chez les Marind Anim, on observera, chose rare, le sacrifice totémique d'où Robertson Smith croyait pouvoir déduire toute la théorie du sacrifice[2].

Viennent ensuite les rites oraux et les danses qui représentent les incarnations, souvent particulières,

---

1. *Cf.* HOLLIS (A. C.), *The Masai, their Language and Folklore*, Oxford, 1905.
2. ROBERTSON SMITH (W.), *Lectures on the Religion of the Semites*, 3ᵉ éd. Londres, 1927.

du totem. Ainsi, chez les Papous, chaque individu se localise avec précision.

L'essentiel dans le rituel totémique réside presque toujours dans l'*initiation*. L'étude de l'initiation entraînera une étude des masques, une étude de la hiérarchie des totems ; un Arunta n'arrive à la pleine initiation de son propre totem que vers l'âge de quarante ans. L'initiation peut être faite par les gens du totem au profit d'étrangers : je suis du totem de l'ours, vous n'aurez pas le droit de manger de la viande d'ours tant que je ne vous en aurai pas donné l'autorisation ; et aussi par les gens du totem au profit de leurs cadets du même totem. Généralement les grands rituels positifs d'initiation ont lieu à des époques déterminées de l'année ; ce ne sont pas des fêtes d'un jour, ce sont des sessions, où les différents clans se rassemblent ; la tribu tout entière réunie, chaque clan, c'est-à-dire chaque totem, fait pour tous les autres ce que les autres font pour chacun. Parfois la cérémonie revêt un caractère privé, mais c'est en général sous la forme de la représentation totémique, du théâtre totémique, que tout ceci se passe. Chez les Zuñi d'Amérique centrale, les masques totémiques défilent. Le rituel de l'initiation correspond le plus souvent à une répétition du mythe, avec deux faces : l'une plus ou moins secrète, l'autre plus ou moins publique. Certaines représentations sont sévèrement interdites aux femmes et aux enfants, alors que d'autres sont organisées à leur intention. Pareil spectacle mettra normalement sur la voie du mythe. Représenter quelque chose c'est se représenter comme étant tel et tel ; on représente (en allemand : *vorstellen*) les aventures du totem. Très souvent, l'initiation comporte des promenades qui sont de véritables pèlerinages : ainsi, toutes les histoires du clan de la chenille sont rigoureusement figurées sur le terrain de la représentation par les Arunta.

La question de l'âme extérieure posera l'étude des animaux dans lesquels réside l'âme de l'individu, l'étude des arbres en relation avec l'espèce animale, l'étude des différents sanctuaires.

On notera encore les rapports du totémisme avec la notion de nourriture ; avec les idées artistiques ; avec la danse ; avec la guerre ; avec l'organisation sociale en général. Le roi a son totem personnel, qui est souvent le soleil. (Dans l'Inde, rajahs solaires et rajahs lunaires.)

On étudiera enfin les rapports entre les différents mythes tribaux : ainsi, en Amérique centrale, dans tout le groupe Pueblo, Hopi, Zuñi, le mythe totémique est toujours l'histoire de l'origine du monde : il relate la sortie des clans du trou de la Terre et détermine l'ordre dans lequel ils sont apparus.

L'ancêtre totémique peut enfin s'identifier au héros civilisateur et, éventuellement, au grand dieu.

GRANDS CULTES TRIBAUX[1]

On a reproché à l'école sociologique française d'accorder au totémisme une importance exagérée, qui lui cacherait l'existence de tout autre culte public. Reproche injustifié : le totémisme nous est simplement apparu comme un moyen commode d'étudier un certain nombre de questions. En fait, toutes les

---

1. Exemples de grands cultes tribaux :
BOGORAS (W.), *The Chukchee*, II, *Religion*, The Jesup North Pacific Exp., Memoirs of the Am. Museum for Natural History, VII, 2, New York, 1907, p. 276-536. DENNETT (R. E.), *Nigerian Studies or the Religious and Political System of the Yoruba*, Londres, 1910. DRIBERG (J. H.), *The Lango : a Nilotic Tribe of Uganda*, Londres, 1923. JOCHELSON (W.), *The Koryak*, I, *Religion and Myths*, Jesup North Pacific Exp. Mem. Am. Museum of Nat. History, VI, I, New York, 1905 (1906). MOONEY (J.), *The Cheyenne Indians*, Mem. Am. Anthrop. Ass., 1910, I, p. 357-478. RATTRAY (R. S.), *Ashanti*, Oxford, 1923 ; *Religion and Art in Ashanti*, Oxford, 1927. RIVERS (W. H. R.), *The Todas*, Londres, 1906. ROSCOE (J.), *The Bakitara of Banyoro. The Banyankole. The Bagesu and Other Tribes of the Uganda Protectorate*, Cambridge, 1923-1924, 3 vol. SPIETH (J.), *Die Religion der Eweer in Süd-Togo*, Leipzig, 1911. TALBOT (P. A.), *Life in Southern Nigeria*, Londres, 1923.

sociétés que nous connaissons observent un culte tri-
bal ; savoir si ce culte dérive du totémisme ou inversement est une question sur laquelle l'observateur
direct n'aura pas à se prononcer sur le terrain.

Les rites d'initiation comptent parmi les rituels tribaux les plus importants. Le clan ne peut pas, à lui
seul, initier ses membres ; car à l'initiation se mêlent
des rituels qui dépassent de beaucoup les cultes de
clan et qui réclament le concours de la tribu tout
entière. Ainsi, à la circoncision se mêlent le culte de la
puberté et aussi le rituel d'accession aux femmes ;
l'initiation à la virilité coïncide avec l'initiation à la
nuptialité. Une partie des rites consiste à écarter les
jeunes gens, souvent pour de longs mois, des femmes
de leurs clans, à les écarter en particulier de leur
mère ; puis à leur présenter, d'abord de loin, puis de
près, enfin de très près, les femmes des autres clans
qu'ils peuvent épouser ; mais il y a une femme qu'on
ne leur présente jamais, c'est leur future belle-mère.

L'initiation comporte trois moments distincts :
séparation, introduction à la vie masculine, rentrée.
La partie centrale du rituel correspond presque toujours à la représentation du mythe de la mort et de la
renaissance : les enfants sont avalés par un monstre
dont la voix est figurée par le rhombe ; ils renaissent
hommes, membres du clan.

L'initiation commence par une période d'isolement
à laquelle est soumis tout le groupe des jeunes garçons ; ainsi se forment les classes d'âge de la société
des hommes. L'isolement peut aller de quelques
semaines à plusieurs années. L'initiation peut même
durer toute la vie, par exemple dans le cas des sociétés secrètes. À Malekula, il y a environ dix-sept à dix-
huit grades, dont chacun demande trois ou quatre
ans pour être acquis, avec à chaque fois d'énormes
dépenses[1].

---

1. DEACON (A. B.), *Malekula, a Vanishing People*, Londres, 1934.

Les rapports avec les morts jouent un rôle important dans les rites d'initiation. Très souvent, l'âme du jeune homme se complète à ce moment. L'expression australienne qui désigne l'initiation se traduit en anglais : *making young men*, fabrication de jeunes gens. On les fabrique littéralement : une cérémonie chez les Kurnai a pour but de leur ouvrir les poings, de leur délier les pieds ; on leur apprend à respirer ; la cérémonie terminée, les jeunes gens sont des hommes. Un mythe Arunta décrit le même processus : c'était ainsi que faisaient les ancêtres, avant qu'ils soient des hommes.

L'initiation est souvent marquée par des mutilations corporelles : tatouages ; extraction des incisives inférieures (qui se rattacherait en certains cas à un culte de l'eau) ; insertion de labrets dans les lèvres ; circoncision, infibulation, etc.

L'observateur devra étudier, dans le détail, qui inflige les tatouages, les déformations. Ici apparaît la notion fondamentale du parrainage. On sait qu'en droit canon, la parenté par le baptême est considérée à l'égal de la parenté par le sang ; un parrain n'a pas le droit d'épouser sa filleule. C'est le cas ici, il existe une parenté de parrainage, une parenté basée sur l'initiation. Tous les jeunes gens initiés en même temps sont régulièrement frères, en Afrique noire au moins. En Papouasie, un véritable *fosterage* oblige le jeune homme à vivre chez son oncle, frère de sa mère et père de sa future épouse ; il sert de femme à cet oncle[1].

Le camp des initiés est situé à l'écart du village, selon la règle ordinaire qui veut que les lieux sacrés soient d'ordinaire situés en brousse (sauf en Amérique du Nord où le lieu sacré est presque toujours la place publique du village). Village, camp et brousse forment des univers distincts. Toute l'Afrique a ses

---

1. Wirz (P.), *Die Marind Anim von Hollandish Süd Neu Guinea*, Hambourg, 1922.

bois sacrés, souvent simples bosquets. Tout paysage guinéen est fait de ces bois sacrés, de ces cavernes.

Dans ce camp, les jeunes gens sont lentement initiés par leurs aînés aux rites de la tribu ; de véritables représentations leur sont données, accompagnées de toutes les révélations qu'elles entraînent. Les choses tabou leur deviennent de moins en moins tabou, alors qu'eux-mêmes deviennent de plus en plus tabou pour les non-initiés ; ils ne peuvent pas être vus par les femmes, ils ne doivent pas leur parler. Des interdits alimentaires correspondent à chaque période.

Les jeunes gens apprennent un langage secret. On leur enseigne la comédie des choses. En Australie, certaines épreuves très curieuses consistent à mettre à mort l'individu qui rirait devant certaines choses burlesques : on doit garder son sérieux devant les choses les plus comiques aussi bien que devant les choses les plus tragiques. Le rite de la couverture (le jeune homme est balancé, lancé en l'air, rattrapé dans une couverture) correspond à une véritable montée au ciel. L'initiation comprend toute une partie de mystifications et d'épreuves, tout un côté de brimades que Durkheim a bien décrites dans les *Formes élémentaires de la vie religieuse*.

Au cours de leur retraite, les jeunes gens reçoivent encore une éducation morale et technique ; une éducation militaire et civile, une éducation esthétique ; ils apprennent à danser.

L'initiation à la société des vivants s'accompagne d'une initiation à la société des morts, d'une initiation à la vie future. Des assurances sont prises à ce moment pour et contre la mort. Un des buts de l'initiation consiste souvent à constituer une âme extérieure à l'individu : ses dents sont déposées dans un sanctuaire, dans tel ou tel arbre, où résidera désormais son âme extérieure.

Enfin la sortie du rituel, ou d'une partie du rituel, d'initiation est généralement couronnée par le mariage.

Là où il y a matriarcat, l'*initiation des jeunes filles* domine l'initiation des jeunes gens. Les rites phalliques y occupent une place importante, le couronnement du rituel étant souvent une défloration publique, élément à la fois de la religion et du mariage.

Les rites de l'initiation, lorsqu'ils sont donnés indifféremment à tous les jeunes gens d'un sexe ou des deux sexes, correspondent normalement à l'initiation au *culte d'un grand dieu*; exactement comme la circoncision, chez les Juifs, est le signe de l'alliance avec Dieu à partir de Moïse.

L'enquêteur n'aura pas à se poser sur le terrain la question de l'ancienneté relative de ce culte, que certains peuples ont pu connaître et oublier par la suite; que d'autres ont pu adopter à un moment quelconque. Seuls, des textes précis permettraient de dater ces faits.

Une hiérarchie des dieux s'observe, par exemple en Australie, correspondant à la hiérarchie des phratries : Volonga, chez les Waremunga, est, si l'on peut dire, un grand dieu par moitié, dieu de la phratrie du froid; il existe un dieu complémentaire du chaud que nous connaissons moins bien. On trouve le culte du grand dieu dans un certain nombre de sociétés soi-disant primitives, qui, en fait, ne le sont à aucun degré, telles les sociétés polynésiennes; mais les Polynésiens se seraient séparés du monde asiatique à une époque probablement postérieure au bronze. La question qui se pose ici est celle des cultes nationaux et des secrets nationaux. On a dit par exemple de Yo, le grand dieu de la Polynésie, qu'il correspondrait à Jhavé; en fait, Yo s'identifie au culte de la maison des secrets, du *warekura* : c'est le culte de la dernière initiation, où l'on enseigne que derrière tous les Dieux il y a encore Yo, de même qu'après le grade le plus élevé de la société des hommes, il s'en trouve encore un.

Le culte de Yo est probablement un culte de caste,

qui peut être antérieur au *culte des rois*. Le culte du grand dieu se confond très souvent avec le culte royal. Là où existe une institution de la royauté, on trouvera presque toujours un culte du grand dieu : au Dahomey, Mahou, dieu de la justice, est aussi le dieu du ciel. En Polynésie, cette identité entre le prince et le ciel apparaît complète. Dans un grand nombre de cas, le roi ne peut toucher le sol, il est porté en palanquin, ou porte des chaussures spéciales (la reine de Madagascar, les roitelets de Guinée). Frazer a parlé des rapports entre le culte du roi et le culte du génie de la végétation ; c'est exact, mais les rapports entre culte du ciel et culte du roi apparaissent plus importants encore. On est toujours le roi de quelqu'un ; aussi l'observateur notera-t-il en certains cas de véritables cascades de rois. Le culte de Nyankompon en Gold Coast, qui offre quelques rapports avec le culte du Christ, est surtout le culte personnel du roi.

L'étude du culte du grand dieu sera souvent plus difficile que celle des rituels d'initiation, où intervient une grande partie de la population. Ici, quelques prêtres isolés gardent leurs secrets, les cérémonies sont privées. Il faudra obtenir que le grand devin de la cour, que le grand-prêtre ou le chef des eunuques, consente à parler.

Très souvent, le culte du grand dieu est faible : on l'adore, mais on ne lui rend qu'un hommage lointain. Ainsi, à Rome, où Jupiter était le dieu père, on sacrifiait beaucoup plus aux petits dieux.

Pour l'étude du culte royal, on notera : les totems royaux (léopard, lion) ; les différents insignes royaux (chapeau, chaussures, sceptre) ; tous les interdits que doit observer le roi : les nourritures qui lui sont défendues, les lieux où il ne peut pas pénétrer, etc. ; tous les interdits entourant le roi : très souvent le roi ne peut pas être blessé ; nul ne doit voir couler son sang, il ne peut pas être malade, ni vieillir, car en lui s'incarne la force de toute la nation. Ainsi s'explique la mise à mort du roi, ou son suicide obligatoire[1]. Le nom du roi peut se confondre avec celui des grands dieux. Enfin, les femmes de la famille royale occupent en général une place à part dans la société. On s'efforcera, en particulier, de définir le rôle, souvent très important, de la reine-mère.

Si petite que soit la société observée, elle pourra se trouver associée à un assez grand nombre d'autres sociétés, observant entre elles un *culte international*. Ce culte se transmet par roulement de village à village, les fêtes revenant à époques déterminées dans des endroits précis. Exemple : au Soudan français, les Dogon ; en Amérique centrale, les Pueblo. Chez les Kwakiutl d'Amérique du Nord, le dieu qui préside aux initiations est un grand dieu du cristal de roche et du tonnerre, qui vit dans le fond de la mer et qui est en outre le dieu de la congrégation des princes cannibales ; car pour être prince, il faut manger régulièrement de la chair humaine.

L'observation de ces faits, souvent très compliqués, n'ira pas sans difficultés. On prendra une série de rituels totémiques observés à l'initiation, en notant l'ordre dans lequel ils se déroulent ; cet ordre reproduit normalement toute l'histoire des totems. Le clan peut encore se déplacer pour aller célébrer ses cérémonies dans chacun de ses sanctuaires ; on notera alors tous les déplacements et l'ordre dans lequel ils s'effectuent. On étudiera donc d'une part les fêtes et la succession des fêtes ; d'autre part, les sanctuaires. Les renseignements ainsi obtenus pourront se recouper, ils ne feront jamais double emploi.

Outre les cultes des clans, des totems, des classes d'âge, des classes sociales, tous localisés avec précision, existent les *cultes des lieux* en tant que lieux. Un inven-

---

1. *Cf.* FRAZER (J. G.), *Egypt and Negro Africa. A Study in Divine Kingship*, *op. cit.*

taire sera dressé des sanctuaires, comprenant jusqu'au simple caillou marquant une croisée de pistes : sanctuaires de ville ou de village, sanctuaires de génies ; lieux hantés par un mort, abandonnés ou non lorsque le souvenir de ce mort s'est effacé. Sanctuaires de clan ; les âmes extérieures des vivants, les âmes temporairement non réincarnées des morts habitent dans tel ou tel coin mystérieux d'un bois[1]. Puis vient l'âme de la forêt, dans laquelle se réfugient les âmes des morts ; les pierres levées ; les grandes roches auxquelles on sacrifie régulièrement ; les arbres-tambours : dans certaines forêts, plusieurs sanctuaires sont formés de grands arbres fendus du haut en bas et évidés en forme de tambours. Esprits des rivières, animaux de la brousse, esprits des quartiers de mer ou de lagune…

Les *cultes agraires* supposent l'agriculture, ou plus exactement l'horticulture. Leur présence sera décelée par l'étude du calendrier agraire, de la succession des travaux des champs. On relèvera, en les commentant, toutes les formules qui accompagnent les différents moments de l'année agricole[2] : semailles, germination, maturation, moisson (la dernière gerbe) ; consommation du grain, confection de boissons fermentées, culte de la bière… L'étude de ces travaux est sans fin. Il existe encore des cultes d'animaux sauvages liés à l'agriculture. Le Moyen Âge connaissait encore le chien du seigle et le loup du blé.

Proches des cultes agraires, les *cultes des animaux domestiques* sont la règle chez tous les peuples pasteurs. Il en est ainsi du culte de la vache chez les Peuls, ou chez les Toda de l'Inde[3]. Dans l'Égypte antique,

---

1. BEST (E.), *op. cit.*

2. Très bon exemple de travail de ce genre dans LEENHARDT (M.), *Gens de la Grande Terre, op. cit.* ; voir également CROOKE (W.), *The Popular Religions and Folklore of Northern India*, Westminster, 1896, 2 vol.

3. RIVERS (W. H.), *The Todas*, Londres, 1906.

317

certains grands cultes thériomorphiques étaient en même temps des cultes locaux. Le cas peut se présenter fréquemment.

On observera encore les grands *cultes naturistes* : culte de la pluie et du soleil, culte du vent, culte du jour et de la nuit, du froid et du chaud. Il y a là un jeu d'oppositions très important.

Les *cultes astronomiques* sont très rares, sauf un, universel, le culte des Pléiades. Toute la Polynésie, tout l'ensemble de l'Amérique du Nord possèdent d'excellentes connaissances astronomiques. Les Maya de l'Amérique centrale avaient, on le sait, résolu des problèmes astronomiques considérables ; l'emplacement de la Tour des astronomes à Chichén Itza est parfait.

On rangera enfin, parmi les cultes publics, le culte des hommes et le culte de la loi (Mahou chez les Éwé du Togo) ; le culte du roi et des chefs ; le culte de la paix et de la guerre ; les rites d'alliance, les rites du palabre. À vrai dire, les faits sont plus compliqués : tous les cultes publics sont à quelque degré des cultes privés et tous les cultes privés sont à quelque degré obligatoires : le brahmane qui n'allume pas son feu tous les matins sera rapidement lapidé par le village, car c'est sa fonction de rendre un culte privé à son feu privé et non pas seulement d'honorer le feu de la commune. L'individu qui ne pratique pas son culte privé est blâmé par la communauté ; et la société qui exigera l'observance la plus stricte du culte privé sera la société la plus libérale au point de vue des cultes publics.

Cultes privés

La distinction entre cultes publics et cultes privés est une distinction utile pour l'observateur à qui elle permettra de classer et de mieux comprendre certains faits auxquels il a assisté ; elle ne doit pas l'empêcher de noter le caractère public et obligatoire de certains rites privés : le nœud de la Saint-Jean, que le cultivateur suspend à sa porte après la moisson, fait partie d'un rituel privé ; mais ce geste est public. Il en est de même pour les Rameaux. Dans tout le monde Éwé (Togo, Dahomey), le culte du *legba* est obligatoire ; chacun est tenu d'offrir des sacrifices, à dates fixes, à l'autel phallique où s'incarne son génie protecteur, qui est aussi son âme, etc. Le culte de ces petits dieux, des totems individuels, correspond au culte des *genius* à Rome. Nous connaissons encore le culte de l'ange gardien, le culte du saint patron ; cultes qu'on peut ne pas observer, mais qu'on n'est pas libre de rejeter. Il en est de même pour tous les morts divinisés, pour le culte du génie mâle et du génie femelle. Enfin, beaucoup de cultes privés sont observés en public : tel le culte des fontaines, des rochers, des carrefours, des précipices ; les mariages aux arbres, les gages de vie ; toutes les salutations, prosternations, etc.

CULTES DOMESTIQUES

Les cultes privés plus essentiellement privés sont les cultes domestiques. On suivra, pour leur étude, le plan même des manuels de rituel domestique sanscrit, dont les documents, très complets dans le texte soutra que nous possédons, remontent au IIIᵉ siècle avant notre ère[1] ; rituels de la naissance, de l'initiation, du mariage, de la mort. Ici, la méthode autobiographique rendra d'utiles services. Une dizaine d'autobiographies indigènes donnera une vue assez complète de ces rites.

Naissance. On notera les croyances concernant la conception, la stérilité, la fécondation, la réincarnation ; tout le rituel de la gestation, les tabous que chacun doit observer à ce moment. La couvade est

_____

1. *Cf.* OLDENDERG (H.), *Sacred Books of the East.*

encore indiquée dans *Aucassin et Nicolette* : « le roi gisait d'enfant. » Description du rituel de la naissance : rôle de la belle-mère, de la mère ; que fait-on du placenta, du cordon ; les nœuds sont-ils dénoués, les feux renouvelés ? Quels sont les tabous qui entourent la naissance ? L'étude des mort-nés ne sera pas négligée : que fait-on du cadavre, comment purifie-t-on la mère, croyances concernant les mort-nés et les femmes mortes en couches. Reconnaissance des enfants réincarnés : on sait souvent à l'avance que c'est Untel dont c'était le tour de renaître. (La réincarnation est généralement beaucoup moins fréquente pour les femmes que pour les hommes ; dans un grand nombre de cas, les femmes ne se réincarnent pas.) Levée des tabous de la mère, du père [1]. L'introduction de l'enfant dans la famille fait souvent partie des cérémonies au cours desquelles son nom est conféré au nouveau-né. Qui donne le nom ? En Égypte, c'est la famille du père qui donne le nom aux filles, la famille de la mère qui impose leur nom aux garçons. Toute la question de la réincarnation et de la personne se pose à partir du prénom : détermination de ce nom ; intervention de procédés divinatoires (le *Fa* dahoméen) ; étude de tous les noms : noms-sobriquets, noms destinés à tromper les génies, noms secrets [2].

Éducation de l'enfant. Interdits concernant le père et la mère jusqu'au sevrage ; port d'amulettes, etc. Généralement, le petit garçon reste avec sa mère, imprégné de substance féminine, jusqu'à l'initiation où il passe de la nature mixte à la nature mâle. À par-

---

[1]. Cf. GRANET (M.), « Le dépôt de l'enfant sur le sol », *Revue archéologique*, 1922.

[2]. Sur la notion de personne, *cf.* MAUSS (M.), « Une catégorie de l'esprit humain : la notion de personne, celle de "moi" » (Huxley Memorial lecture, 1938), *Journal of the Royal Anthropological Institute*, 1938.

tir du moment où l'enfant mange seul, quels sont ses interdits alimentaires, de conduite, etc. ? Il n'observe souvent aucun tabou à l'égard d'aucune femme jusqu'à l'initiation, qui fera de lui un être extrêmement chaste, si l'on peut dire ; les révélations nécessaires intervenant au moment de la puberté.

La division obligatoire des sexes peut aller jusqu'à l'observance de tabous très stricts vis-à-vis de toutes les personnes du sexe opposé plus âgées. En Nouvelle-Calédonie, un jeune homme ne peut parler à aucune femme qui soit son aînée, y compris ses sœurs ; il peut s'adresser à ses cadettes. L'initiation peut amener pour les hommes des changements de nom : soit un nom nouveau public, soit même un nouveau sobriquet.

La situation des *jumeaux* varie du tout au tout selon les sociétés : ici, on les tue ; là, on les divinise. Ils peuvent être plus ou moins identifiés à des méfaits du soleil ou d'autres dieux. Le Nord-Ouest américain les tient pour des espèces de dieux-saumons, en raison de l'extrême fécondité de ces poissons.

Poursuivie sur le plan biographique et appliquée à des femmes cette étude peut mettre sur la voie de ces sociétés de femmes, dont nous savons si peu de chose, hors leur existence.

Les *rites du mariage* auront déjà été étudiés à propos des cérémonies matrimoniales ; ces rites offrent comme chez nous une valeur de droit : seul le Code civil distingue entre mariage civil et mariage religieux ; on sait qu'en Angleterre, pareille distinction n'existe pas encore, le mariage purement religieux est valable civilement. Rappelons ici l'importance des fiançailles dont le rituel peut être considérable. Les sociétés qui observent la défloration rituelle exigeront la virginité de la fiancée : à Samoa, la défloration de la mariée est obligatoirement publique. Au moment du mariage, il peut se faire que le mari soit tabou à sa femme, tabou qui se prolonge dans certains cas, par exemple dans le mythe de Psyché et, dans une certaine mesure, dans le mythe de Lohengrin[1]. Rites d'appropriation du mari par la femme et de la femme par le mari.

Le *rituel de la vie de famille* se confond très souvent avec le rituel des sexes : si l'expédition de guerre a manqué, c'est la faute des femmes restées au village, qui se seront montrées infidèles. Dans le Nord-Ouest américain et en Polynésie, lorsque les maris partent en expédition maritime, les femmes vont ramer sur la grève. On pourra ici doser l'importance des phénomènes religieux à l'intérieur des cultes familiaux. Dans un certain nombre de cas, le mari peut avoir à exercer des cultes qui intéressent son fils, mais qui n'appartiennent pas au clan du père ; qui célébrera ces cultes ? L'étude des rapports entre générations pose des problèmes souvent compliqués. Rapports avec les beaux-parents. La génération la plus puissante n'est pas nécessairement la plus ancienne, par exemple dans l'institution du *vasu* aux Fidji ; *vasu* signifie « le riche » et désigne ici le neveu utérin qui a droit à la richesse de tous ses oncles ; le neveu est une espèce de dieu pour son oncle utérin. Ailleurs, c'est l'oncle qui est une espèce de dieu pour son neveu. Il faudra donc observer la position de chacun vis-à-vis de chacun à l'intérieur de la maison.

Rituel de dissolution du mariage : par le divorce, par la mort... (situation de la veuve, ou du veuf).

Certains rites occasionnels seront observés pour l'expiation de péchés ; pour l'accomplissement de vœux, par exemple après la guérison d'une maladie, lors de pèlerinages, etc.

Le *rituel funéraire*[2] a déjà été mentionné à propos

---

1. *Cf.* CRAWLEY (E.), *The Mystic Rose. A Study of Primitive Marriage*, Londres, 1902. (Voir compte rendu dans *L'Année sociologique*, 1901-1902.)

2. Sur le rituel funéraire, voir notamment HERTZ (R.), « Contribution à une étude sur la représentation collective de la mort », *L'Année sociologique*, X, 1905-1906, p. 48-137.

des cultes publics, mais il faut l'étudier également ici. L'observateur distinguera nettement entre les différentes phases du rituel funéraire proprement dit et les rituels ancestraux. Certaines sociétés observent un culte des ancêtres que d'autres négligent ; mais toutes observent un rituel funéraire. La grande erreur de l'évhémérisme latent de la science des religions est de croire que toutes les âmes des morts sont déifiées. En fait, il n'y a pas de dieu qui n'ait été figuré sous l'aspect d'un homme, mais c'est une manière de le représenter. Les Grecs connaissaient dix-sept tombeaux de Jupiter, qui est pourtant le dieu naturiste par excellence, dieu-père, dieu du ciel et mari de Juno. Aucune préoccupation de doctrine ne doit intervenir dans l'observation des rituels. Les ancêtres nommés et non nommés sont l'objet de cultes plus ou moins publics, alors que le rituel funéraire correspond à une prise de congé du mort. Sans doute, un grand nombre d'anciens hommes sont devenus des dieux ; mais un grand nombre de dieux ont été figurés comme des hommes, un grand nombre aussi ont été figurés sous l'aspect d'animaux, de plantes, etc.

Dans l'observation des rites funéraires, on distinguera trois temps : départ provisoire de l'âme ; premier enterrement ; deuxième et quelquefois même troisième enterrement ou service funéraire.

La mort correspond au départ de l'âme. L'âme s'échappe. On notera la position du mourant, les lamentations, obligatoires, qui commencent souvent bien avant l'agonie. Quelquefois, un des assistants, choisi parmi les plus âgés, aspire l'âme au moment où elle part. Toilette du cadavre, veillées, macérations, etc. Longues descriptions de semblables rituels dans la Bible. La mort peut entraîner le pillage et la destruction complète de tout ce que contenait la maison du défunt, même quand le décès ne s'y est pas produit ; toutes les propriétés du mort doivent le suivre, car elles contiennent son âme. Ainsi s'explique la richesse des mobiliers funéraires à partir de l'époque néolithique. Les interdits qui pèsent aussitôt sur les proches indiqueront la structure exacte de la famille : ce sont les parents des deux clans tout entiers qui observeront le deuil, ce n'est pas la nation.

Le cadavre est enterré dans la maison ou dans la cour ; ou il est transporté au cimetière. Parfois, le corps est exposé sur une plate-forme et soumis à la dessication par le soleil ou par le feu. Le repas funéraire peut aller jusqu'à l'endocannibalisme, qui permet de confondre le premier et le deuxième service funèbre[1].

Puis viennent les rites entre la mort et le deuxième enterrement. L'Australie, la Mélanésie, la Papouasie pratiquent le culte du cadavre : la veuve est obligée de se tenir à côté du cadavre pendant tout l'intervalle qui sépare le premier du deuxième service funéraire. On trouvera l'obligation d'exercer la vendetta avant le deuxième enterrement dans le monde de la chasse aux têtes (Inde orientale et Birmanie) ; il est impossible de célébrer le deuxième enterrement avant qu'on puisse poser une tête chassée à côté de celle du mort.

Le deuxième service correspond généralement à un congé définitif de l'âme du mort, transformée. Les rites alors célébrés répètent les rites du premier service, mais avec un caractère définitif. En sanscrit, l'âme est d'abord un revenant, un *ghost* (dans l'Inde, forment une classe à part ceux qui n'ont pas eu de double enterrement, ou qui étaient tellement mauvais de leur vivant qu'il était impossible de les transformer en ancêtres protecteurs). Le délai entre le premier et le deuxième enterrement peut aller de un à trois ans. Jusqu'au deuxième service, le défunt est encore là, il risque de hanter les vivants. Lors du deuxième enterrement, on sépare les reliques. Dans les familles princières Bantou, les boîtes crâniennes seules sont

1. *Cf.* STEINMETZ (S. R.), *Endokannibalismus*, Gesammelte kleinere Schriften zur Ethnologie und Soziologie, Groningen, 1928.

conservées. La Mélanésie, la Papouasie ont des sanctuaires de crânes. Nos ossuaires ne sont guère composés que de crânes. Rites pour la conservation de ces parties : rites de crémation, de destruction ; ouverture ou non-ouverture des os. On étudiera tous les rites qui donnent congé à l'âme, décrivent son voyage, la font entrer dans le pays des morts ; tous les rites qui mettent en relation avec l'âme ; toutes les offrandes qui lui sont faites. Rites de sortie du deuil, le retour après que le deuxième enterrement a été célébré, souvent dans des sanctuaires fort éloignés. Enfin, certaines sociétés observent à dates fixes une fête des Morts. La Toussaint est une fête celtique.

Les formes diverses d'enterrement sont des marques profondes, qui correspondent à des couches de civilisation et à des aires de civilisation. Le fait ressort très net en préhistoire : apparaissent les gens qui pratiquent les enterrements ; puis ceux qui observent la crémation ; puis les cimetières épars ; le cimetière en rang correspond au cimetière mérovingien. La chasse aux têtes peut de la même manière donner lieu à des études de répartition ; elle se pratique à l'occasion d'une naissance ou d'une mort. L'emploi de méthodes cartographiques donnera des résultats en pareille matière, surtout s'il s'appuie sur des données archéologiques.

Le culte des morts, destiné à transformer le mort en un ancêtre déterminé, est très différent du *culte des ancêtres*, qui étudie les rapports de l'ancêtre ainsi obtenu avec les génies locaux, les dieux du sol, le grand ancêtre, les petits ancêtres, les génies tutélaires, etc. Dans un certain nombre de cas, la réincarnation de l'ancêtre arrête son culte, puisqu'il revit.

On observera le sanctuaire de ces ancêtres, son emplacement : à l'intérieur de la maison, dans une caverne, dans un bois sacré. Les ancêtres sont-ils adorés individuellement ou en bloc ? Rapports avec les clans, avec les différents totems. Distinguer soigneusement entre les ancêtres hommes et les ancêtres femmes ; très peu d'ancêtres femmes sont l'objet d'un culte, sauf en Micronésie, pays matriarcal.

L'étude du culte des morts permettra de situer l'âme, surtout si elle se complète d'une étude du culte de la naissance. Rapports entre l'âme et la vie. En général, le pays des morts est un endroit de l'au-delà ; sombre, ou pas sombre, très souvent un monde inférieur, méchant ou pas méchant. La division entre enfer et paradis est rare : l'Hadès n'est nullement un lieu de punition dans l'Antiquité, les Champs-Élysées sont dans l'Hadès. Ces ancêtres se réincarnent-ils, réapparaissent-ils ? Généralement, à la cinquième génération, les ancêtres se confondent dans la troupe des âmes et leur souvenir personnel s'efface.

CULTES PRIVÉS INDIVIDUELS

Le but de toutes les classifications sociales : classes matrimoniales, classes d'âge, etc., est d'arriver, par des procédés purement ordinaux, à donner une place individuelle à chacun dans la collectivité. Tylor rapproche la façon dont l'Australie de l'Est numérote sept ou huit personnes en leur donnant des noms individuels, de la façon dont, à Rome, on s'appelait *Quintus*, le « cinquième » : je suis « patte droite » et non « patte gauche » de l'ours. La distinction dans les cultes entre privés et publics est une distinction certaine, mais qui aboutit à l'unité. Nous avons vu plus haut l'obligation où se trouve chaque individu de célébrer son propre culte. Ces cultes individuels s'attachent à des actions, à nos yeux, purement laïques : un chasseur australien est obligé pour chasser de tenir un morceau de cristal de roche dans la bouche et de marmonner sans cesse une formule. Une vieille femme indigène qui traverse les rues de Rabat conjure le sort en traçant une main de Fatma[1]. Tout cela correspond à des cultes individuels.

---

1. *Cf.* WESTERMARCK (E.), *Survivances païennes dans la civilisation mahométane*, trad. fr., Paris, Payot, 1935.

À la rigueur, chacun peut se construire sa religion personnelle.

On distinguera les *cultes* attachés aux diverses *techniques* et aux divers arts. Certains rituels sont purement linguistiques : tel individu ne peut pas prononcer tel mot ; tel autre est obligé de répéter une formule déterminée. Tout ceci, strictement individuel, mêlé d'éléments mystiques et d'éléments utiles, qu'il ne faut pas confondre avec le formalisme et l'étiquette, donne la tonalité d'une vie collective. Ainsi, les Indiens de l'Amérique du Nord sont tous très cérémonieux entre eux.

Les techniques de la marche peuvent être religieuses ; les techniques de la propreté (on est propre pour des raisons religieuses, sale pour des raisons similaires) ; il y a l'ordre des Carmes chaussés et l'ordre des Carmes déchaussés. Rituel du bain, ou de l'absence de bain ; rituel du crachat, du coup d'œil.

La chasse individuelle donne lieu à des préparatifs compliqués : enchantement des armes, départ, enchantement du terrain, culte du gibier... De même pour le rituel de la pêche : nul, en Polynésie, n'a le droit de pêcher avant l'offrande des prémices au roi, il y a une responsabilité qui porte sur tout le banc de poissons. Dans la Bible, la malédiction d'Isaïe pèse sur les hommes qui «enchantent leurs filets» ; suivant les cas, le même individu n'a pas le droit d'enchanter ses filets, ou au contraire a le devoir de le faire. Rituel de l'élevage. Rituel agraire. Rituel du repas, qui peut aboutir à de véritables manies : certaines gens se lavent trois et quatre fois les mains, avant, pendant et après le repas ; d'autres ne se laveront jamais. Les vertus de certaines eaux. Les gens qui ne se lavent qu'avec du sable. Rites d'interdits alimentaires, qui peuvent varier selon les individus : je tue un gibier, vous le mangez ; et réciproquement.

Les rites professionnels sont fréquents, surtout pour les femmes : rites de la fileuse, rites de la potière. Un homme berbère, comme un homme maori, ne peut tisser en présence d'une femme ; une infraction se traduira par une amende immédiate.

Rites de construction de l'habitation : orientation, fondations ; foyer ; poutres, porte, seuil, disposition des feuillées, etc.

Les *rituels esthétiques* peuvent encore se classer ici. Ce n'est pas en étudiant l'esthétique seule qu'on sera sûr d'avoir trouvé tous les phénomènes religieux qui la concernent, et *vice versa*. L'observateur devra s'entraîner à rompre systématiquement toutes les divisions que nous exposons ici d'un point de vue didactique. Pas plus qu'un être vivant n'est divisé, les choses ne sont divisées. Nous sommes des êtres qui formons bloc, collectivement et individuellement.

Rituels individuels observés dans certains jeux, qui peuvent avoir trait à des mythes solaires ou lunaires : les enfants qui jouent à la marelle « montent au ciel ».

Rituel de l'ornementation : porter des boucles d'oreilles doit protéger l'oreille contre toute intrusion, non seulement de mauvais son, mais contre toute intrusion mauvaise, de quelque nature qu'elle soit. Le commerce des bijoux en ambre est avant tout un commerce magique.

Rituels de l'invention musicale, de l'invention poétique et dramatique : jusques et y compris Platon, le poète n'extrait pas les choses de lui-même, c'est sa Muse qui extrait son œuvre de lui. En outre, l'œuvre esthétique est souvent révélée : les esprits sont apparus au poète ou au musicien, les génies lui ont fait « danser son tambour ». Chaque mouvement de la danse, chaque instant de la poésie offre un caractère religieux : « la mélodie *et* la danse », dit Homère. Très souvent, la danse est privée, l'individu danse pour son plaisir religieux, pour atteindre à l'extase. Un Eskimo passe des heures en hiver à inventer des poèmes pour les luttes au tambour qui auront lieu pendant l'été entre groupements éloignés ; il incante son ennemi et il arrive à trouver les vers, la musique et la danse qui le feront proclamer vainqueur au tournoi.

Le *rituel juridique* existe, par exemple, dans les runes du procès germanique. Contrats, serments, etc., qui chez nous ne sont plus du rituel mais figurent au domaine de la morale privée, entrent ailleurs dans le domaine religieux.

Rituel du repas en commun, la Cène. Manger ensemble est un moyen de réaliser une communauté.

Rituel du baiser, très important. Dans certaines sociétés, nul ne baise les enfants, nul ne parle aux enfants ; ailleurs, on s'adressera constamment à eux ; cela pour des raisons qui peuvent être de toutes sortes. Entre les âges, entre les sexes, des rapports qui paraissent d'ordre privé, sont en fait aussi d'ordre public et doivent être respectés strictement. Une femme menstruée n'a pas le droit de se trouver à tel endroit de la maison.

Rituel de l'absence et du retour : la reconnaissance du voyageur après une longue absence. Le passage des frontières (l'homme qui ajoute une pierre au cairn marquant la limite d'un pays abandonne ainsi ses péchés). Les Latins ne traversaient pas une rivière sans offrir un sacrifice ou réciter une prière.

Enfin, *rituels économiques*. Mahou Soglo, grand dieu du ciel et de la justice chez les Éwé du Togo, est aussi le grand dieu de la monnaie, le dieu des cauris : les indigènes incantent leurs cauris, incantent leurs marchandises ; Mahou, grand dieu, est ici une espèce de dieu du change. Quelque chose de ceci subsiste chez nous : l'acheteur d'un dixième de la Loterie nationale ne prendra pas son billet sans s'entourer de toutes les précautions qu'il juge indispensables.

LES RITES[1]

Nous avons étudié les cultes, c'est-à-dire l'ensemble du rituel. Un deuxième mode d'observation consistera à étudier les différentes parties du rituel, c'est-à-dire les rites en tant que rites, en les divisant par grandes catégories.

Tout rite correspond à une représentation religieuse, il y a toujours une représentation religieuse derrière un acte religieux, c'est-à-dire derrière un rite ; et cet acte est accompli par un individu déterminé, par un prêtre ou par un collège de prêtres. L'ensemble : rites, représentations religieuses et organisation religieuse, donnera le tableau des institutions religieuses de la société étudiée. Représentation et non pas idée : tous les faits de conscience, y compris les actions, étant des représentations. Tout rite correspond à une représentation.

Pour la commodité de l'étude, nous diviserons les rites en rites positifs et rites négatifs. Ne pas faire est encore une action, un acte d'inhibition est encore un acte, ce n'est pas un phénomène négatif. Pavlov a

---

1. Grandes enquêtes sur les rites :
DORSEY (G. A.), *The Cheyenne*, I, *Ceremonial Organization* ; II, *The Sundance*, Field Columbian Museum Publ, 99-103, Anthrop. Series (1905), vol. IX, 1 et 2, Chicago, 1096. FEWKES (J. W.), *Tusayan Snake Ceremonies*, I[th] An. Rep. of the Bureau of Am. Ethnology, Washington, 1897, p. 267-312 ; *Tusayan Katcinas*, 15th An. Rep. of the Bureau of Am. Ethnology, Washington, 1898, p. 245-315 ; *The Alosaka Cult of the Hopi Indians*, Amer. Anthrop., n. s., I, I, 1899, p. 522-599. LUMHOLTZ (C.), *The Huichol Indians of Mexico*, B. of the Am. Museum of Nat. History, X, 1898. PARSONS (E. C.), *The Scalp Ceremonies of Zuñi*, Memoirs of the Anthrop. Association, 1924, n⁰ 31. TEIT (J.), *The Thompson Indians of British Columbia*, Memoirs of the Am. Museum of Nat. History, v. I. Anthrop. III, The Jesup North Pacific Expedition, 1900. VAN GENNEP (A.), *Les Rites de passage*, Paris, 1909. VOTH (H. R.), *Hopi Proper Names*, Field Columbian Museum, Anthrop. series, VI, 3, Chicago, 1905, p. 65-113 ; *Oraibi Natal Customs and Ceremonies*, do, VI, 2, Chicago, 1905, p. 47-61.

maintenant prouvé l'évidence de cette assertion ; on sait aujourd'hui que les actes d'inhibition se localisent au niveau du mésencéphale, et non dans la couche corticale. Vous ne pouvez pas faire telle chose en dehors de telles conditions ; un acte d'inhibition est d'abord un acte.

Une autre division séparera les rites manuels des rites oraux, manuels s'entendant ici au sens plus général de « corporel ». Les deux divisions se recoupent. Nous aurons donc des tabous oraux et des prescriptions orales ; des rites manuels, positifs et négatifs.

Nous ne sommes pas encore suffisamment habitués à cette double division. Frazer, dans ses *Tabous et périls de l'âme*[1], met tous les tabous du même côté ; Malinowski fait de même. Mais un rite positif a normalement une forme négative ; et inversement, un rite négatif est toujours à quelque degré positif : s'effacer pour laisser passer un supérieur est un geste négatif, mais qui traduit la reconnaissance d'une supériorité, donc qui a un sens positif. À Honolulu, nul ne doit manger du poisson avant que le roi ait consommé les prémices du banc nouveau : ce rite est positif, car il a pour but de permettre au roi d'être le premier à désacraliser le poisson. Un catalogue brut de tabous est sans intérêt, il faut toujours donner les motifs d'un rite, qui est un acte collectif, mais un acte intentionnel ; il faut toujours s'efforcer de connaître les intentions. Le collecteur ne se tiendra pour satisfait que lorsqu'il aura recueilli le mythe qui explique le rite négatif.

Rites manuels[2]

On entreprendra l'étude des rites à partir des faits les plus aisément observables, par la description de

---

1. FRAZEP (Sir J. G.), *Tabous et périls de l'âme*, trad. fr., Paris, 1927 (2e partie du cycle du *Rameau d'or*),

2. FLETCHER (A. C.), *The Hako : a Pawnee Ceremony*,

tout ce qui peut être décrit. Travail complexe, souvent très difficile : un jeune garçon qui danse s'est préparé dans telles conditions, danse dans telles conditions, sortira dans telles conditions. Tout ceci doit être étudié à la fois positivement et négativement : qui a-t-il personnifié et à quel titre, avec qui dansait-il, etc. C'est l'essentiel pour tous les cultes publics et aussi pour les cultes privés. On décrira tous les objets du rituel, toutes les fêtes publiques, tous les individus qui assistent à ces fêtes. En décrivant une assemblée religieuse ou un rite public, surtout un grand rituel, ne jamais oublier de mentionner les noms des spectateurs, les noms des acteurs et leur qualité. Donner le nom propre sans énoncer la qualité de chacun est insuffisant : lorsque le pape monte en loge et s'adresse à la communauté des fidèles, il ne s'agit pas de Mgr Pacelli parlant aux habitants de Rome. Il faut donc savoir qui agit, en quelle qualité et en quoi consiste la qualité. Tous les rites sont à quelque degré fonctionnels, le sacrifice a une nature et une fonction[1], les choses sociales sont par définition des choses fonctionnelles.

Les difficultés de l'observation consisteront dans le caractère secret et *simultané* des rites : au même moment, dans un grand rituel, quinze, vingt personnes agissent différemment. Pour décrire et transcrire, on s'aidera du dessin, de la photo, du cinéma. Ne pas négliger les préparatifs rituels, qui peuvent être extrêmement longs : les préparatifs du jeu de balle chez les Indiens Cherokee s'étendent sur plusieurs semaines. Enfin, il faut voir tout le détail : l'officiant s'est servi de sa main droite et non de sa main gauche ; pourquoi ? Les assistants se lèvent, s'assoient, retien-

---

22nd Annual Report of the Bureau of American Ethnology (1900), Washington, 1904.

1. Hubert (H.) et Mauss (M.), «Essai sur la nature et la fonction du sacrifice», *L'Année sociologique*, 1897-1898.

nent leur souffle. Tout à une signification, le silence même est un signe. Inutile de faire des distinctions entre rituel populaire et autre, pareilles distinctions apparaîtront d'elles-mêmes.

On observera encore les rites par matériel du culte et par lieu du culte[1]. Noter la préparation de tous les objets religieux, leur fabrication, leur consécration : l'imposition des yeux à une idole dans l'Inde peut entraîner à des sacrifices fabuleux. La muséologie religieuse donne des résultats intéressants. On notera la nature religieuse de la matière première ; l'état d'esprit du fabricant ; on relèvera toutes les sculptures religieuses, toutes les peintures religieuses et plus spécialement les peintures temporaires, qu'on oublie généralement ; les décorations en plumes, les peintures corporelles ; enfin tous les symboles, en classant les objets suivant leur nature et suivant leur fonction. On ne décrira pas un sacrifice sans donner la liste complète du matériel employé. Si le sacrifice est suivi d'un repas, matériel de la cuisine de ces repas. Le *Lévitique* nous donne des modèles de semblables descriptions. Pour chaque chose, noter tous les usages auxquels elle peut servir, avec, si possible, la limitation de ces usages : par exemple la vaisselle des Juifs pendant la Pâque ; vaisselle d'été et vaisselle d'hiver. Noter tous les instruments de consécration, de lustration, d'initiation. Noter tout, y compris les rites funéraires accompagnant la mise à mort des grands ou des petits animaux, le rituel des nœuds qu'on nous ou qu'on dénoue, etc.

La plupart des sociétés ne célèbrent pas indifféremment leurs cultes en un endroit quelconque, mais

---

1. Exemple OWEN (M. A.), *Folklore of the Musquakie Indians of North America and Catalogue of Musquakie Beadwork*, etc., Publications of the Folklore Society, Londres, 1904. FEWKES (W.), *Hopi Katcinas*, 21st Annual Report of the Bureau of American Ethnology (1900-1901), Washington, 1904.

dans les lieux consacrés par le mythe, qui explique pourquoi tel sacrifice est célébré à tel endroit[1]. Les lieux sacrés font partie des objets sacrés, qui sont eux-mêmes des rites permanents. Il faut donc repérer tous les lieux, toutes les pierres levées, tous les bois sacrés, tous les *penetralia* : le magicien n'opérera pas n'importe où. Étudier les lieux permettra de voir qui s'y trouve et ce qui s'y passe. La Mélanésie observe un culte de poissons qui correspondent à des totems funéraires ; il ne s'agit pas de tous les poissons indifféremment, mais de tels poissons qui fréquentent tel quartier de mer[2]. Les rites se répartiront donc suivant les objets et suivant les lieux.

Objets et rites se répartiront encore selon les temps[3]. Notion de la fête, du temps sacré, de la consécration de l'année par un temps sacré — le *ver sacrum* des Romains. Les Romains faisaient la guerre au printemps, les Germains l'entreprenaient après la récolte. La fête est à la fois un temps sacré et un moment d'activité sacrée. Toutes sortes de choses s'accomplissent dans la fête. *Feria* donne deux mots : foire et fête[4]. Emplacement, jour de la foire, etc. L'établissement du calendrier religieux mettra très souvent en lumière tout le système des rythmes de la

---

1. *Cf.* FEWKES (J. W.), *The Tusayan Ritual* : *a Study of the Influence of Environment on Aboriginal Cults*, Ann. Rep. of the Smithsonian Inst, 1895 ; «A Few Summer Ceremonials at the Tusayan Pueblos», *Journal of American Ethnology and Archaeology*, 2, 1892 ; «The sacrifices element in Hopi Worship», *Journal of American Folklore*, 1897 ; «The Winter Solstice Ceremony at Walpi», *The American Anthropologist*, XI, 1898.

2. Bon exemple dans DENNETT (R. R.), *At the Back of the Black Man's Mind*, *op. cit.*

3. HUBERT (H.), *Étude sommaire de la représentation du temps dans la religion et la magie*, Paris, Annuaire de l'École pratique des Hautes Études, s. r., 1905.

4. Sur la foire, art. «Feria» de JULLIAN (C.), dans DAREMBERG et SAGLIO, *Dictionnaire des Antiquités grecques et latines*, Paris, 1877-1906.

vie collective ou de la religion observée ; tel rite s'accomplit tel jour, à telle heure, en tel lieu.

Ceci posé, on distinguera encore avec plus de précision les rites manuels en rites simples et rites complexes ; les rites simples, très nombreux, étant généralement intégrés dans les rites complexes. Les rites simples se divisent aisément en rites simples positifs (exemple l'acte de consécration : imposition des mains, bénédiction, rite du mancipium latin...) et rites négatifs ; un rite positif pouvant d'ailleurs aboutir à une négation : détruire un œuf pour consacrer un serment est un acte négatif, avec le bris de l'œuf, l'âme du serment est partie. De même pour tous les rites avec le sang, la chair, le cheveu.

Des consécrations multipliées, avec destruction d'une partie des objets, cette partie communiquant directement avec les objets et les êtres sacrés de l'au-delà : ainsi se définit le *sacrifice*, qu'on peut encore appeler un système de consécrations[1]. Il ne s'agit pas d'interpréter le sacrifice, de savoir s'il est avant tout une offrande ou une négociation (*do ut des*, la formule est attestée en sanscrit beaucoup plus anciennement qu'en latin) ; en fait je n'ai pas d'autre moyen de communiquer avec Dieu, qui est super-céleste, que de lui envoyer de la fumée, fumée dont il n'a d'ailleurs pas besoin de sentir l'odeur : ce sont les idoles qui reniflent l'odeur du sacrifice, lui la déteste ; ce qui lui importe, c'est la pureté d'Israël. D'où tous les rituels sacrificiels, depuis l'alliance par le sang, le sacrifice d'accord, le sacrifice communiel, le sacrifice expiatoire, etc.

---

1. *Cf.* HUBERT (H.) et MAUSS (M.), « Essai sur la nature et la fonction du sacrifice », *L'Année sociologique*, 1897-1898. PREUSS (K. Th.), *Der Ursprung der Menschenopfer in Mexico*, Globus LXXXVI, 1904, p. 108 et suiv.

Rites oraux

Un autre ensemble de rituels est constitué par les rites oraux. Une grosse erreur est celle qui consiste à appeler prière tous les rites oraux, tous ces ensembles de mots, très souvent rythmés et poétiques, qui accompagnent un rite ou sont un rite par eux-mêmes : le rituel est toujours formulaire. La plus grande formule du bouddhisme, que les Tibétains répètent incessamment et font répéter par leurs moulins à prière, est un rite oral.

Les rites oraux comprennent les instruments de musique, comme les rites manuels comprennent tous les objets du culte, y compris le couteau du sacrifice, ce couteau fût-il en pierre. Le rituel formulaire est toujours doué d'une certaine dose d'efficacité, il n'y a pas de formule qui ne soit à quelque degré théurgique. Distinguer la magie de la religion par son caractère prélogique, comme le voudrait Frazer, est une erreur. La grande doctrine de l'Église, adoptée par les catholiques aussi bien que par les protestants, est que Dieu entend toutes les prières ; il est libre de ne pas les exaucer toutes, il n'est pas libre de ne pas les entendre : entendre n'est pas exaucer. Les puissances du mal elles-mêmes, comme celles du bien, sont relativement libres vis-à-vis du croyant. Le diable lui-même se prie, se contracte, Méphistophélès n'est pas nécessairement lié à Faust.

Les prières[1] se diviseront en simples et complexes. Invention de la prière, révélation, formulation. Très souvent, la langue est archaïque ou secrète, les Australiens eux-mêmes disent « la messe en latin » ; dans les formules Arunta, on trouve des archaïsmes à peu

---

1. Sur la prière, voir MAUSS (M.), *La Prière*, s.l.n.d. SABATIER, art. « Prière » du *Dictionnaire protestant*. MASPERO (G.), *Les Inscriptions des pyramides de Saqqarah*, Paris, 1894. MORET (A.), *Le Rituel du culte divin journalier en Égypte d'après les papyrus de Berlin et les textes du temple de Séti Ier à Abydos*, Paris, 1902.

près deux fois sur trois, et des emprunts à une forme archaïque des langages voisins au moins une fois sur quatre. Il y a une recherche du langage secret ; les langages spéciaux sont une règle, bien plutôt qu'une exception. Le Christ parlait araméen ; à ce moment déjà, l'hébreu n'était plus parlé depuis longtemps, la Bible était traduite en araméen ; mais on lisait la Bible à haute voix en hébreu ; on la chantait pendant qu'on lisait en syriaque dans le Talmud.

Le sanscrit distingue les formules en formules chantées, formules psalmodiées et formules rituelles qui sont les différents ordres donnés lors du sacrifice ; l'observateur emploiera une distinction analogue, sans oublier de commenter chaque prière. Le commentaire peut être plus important que la formule, celle-ci, très brève, pouvant résumer un ensemble énorme : la formule bouddhique *om mane padme om* résume les quatre-vingts livres du bouddhisme tibétain. L'observateur enregistrera les formules sur disques, en accompagnant l'enregistrement d'une étude philologique. Il notera l'usage de chaque formule, usage qui peut évoluer, devenir un usage personnel, un usage solennel. Mentionner les répétitions qui peuvent être indéfinies. N'oublions pas que le rosaire vient du Tibet : les Tibétains vivent dans une espèce de sonorité de formules rituelles.

Très souvent, la formule décrit l'objet que poursuit l'officiant ; l'acte est à la fois consécratoire, invocatoire, exécratoire, conjuratoire. Le but du sacrifice est de renvoyer les choses, et surtout les choses les plus sacrées ; de congédier les dieux, qui, sans le sacrifice, pèseraient indéfiniment sur le sacrifiant ; de détourner les dieux, en faisant ce qu'on doit pour eux. C'est toute la notion de l'*apotro-tropayon* grec, qu'on retrouve en sanscrit : l'homme s'acquitte, il sacrifie pour que le dieu s'en aille. Impossible de manger du blé nouveau tant que les prémices n'ont pas été offertes aux Dieux.

Le son, le souffle, le geste peuvent être une prière,

au même titre que la parole. La mythologie de la voix est importante.

À chaque fois qu'on notera une prière, ne pas oublier de noter le rituel manuel qui l'accompagne et son symbolisme.

On notera encore les rites concernant les noms, noms propres, noms communs, noms secrets; l'obligation de se servir de tel mot; la métaphore, les interdits de linguistique[1].

La plupart des symbolismes sont des écritures : si j'écris un symbole, c'est pour que vous me compreniez, c'est le résultat d'une convention passée entre nous. On étudiera donc l'ensemble des messages transmis par les bâtons de commandement, le symbolisme des couvertures sioux en peaux de bisons, etc.

Rites négatifs[2]

J'en arrive aux tabous dont nous avons déjà parlé. Nous les avons rencontrés dans le calendrier religieux, dans les objets religieux. Nous savons déjà que le caractère négatif de la religion est aussi important que son caractère positif, les deux se complètent. Une religion est faite d'un ensemble d'interdictions. Le premier travail consistera donc à dresser un catalogue de ces interdits, à prendre chaque tabou l'un après l'autre avec tous les commentaires possibles; pourquoi peut-on, ou ne peut-on pas, faire telle chose ?

On notera tous les tabous linguistiques, tous les tabous manuels : un militaire n'a pas le droit de saluer en soulevant son képi.

Pour chaque tabou, on étudiera sa nature; son objet; et plus spécialement sa sanction, qui peut être

---

1. MEILLET (A.), *Quelques hypothèses sur des interdictions de vocabulaire dans les langues indo-européennes*, Chartres, 1906.
2. MARTROU (L.), « Les Eki des Fang », *Anthropos*, 1906, p. 745-761. SEIDEL (H.), « System der Fetischverbote in Togo », *Globus*, LXXIII, n° 21, 1898, p. 340-344 et n° 22, p. 355-359.

infligée par les hommes ou par les dieux ; qui peut même ne pas être physiquement infligée par les dieux. L'individu s'appliquera lui-même la sanction, parfois jusqu'à en mourir ; c'est une forme du martyre. L'homme se croit perdu parce qu'il a violé son tabou, c'est la notion de scrupule, qui joue dans la religion un rôle important, sinon fondamental, comme le voudrait Reinach qui appelait tabous tous les scrupules et définissait ensuite la religion par les scrupules. L'autre notion fondamentale, avec celle des scrupules, est la notion de peur et de respect, en anglais : *awe*. Peur et respect que l'on éprouvera devant certains phénomènes de la nature, devant le roi, devant les dieux. L'homme qui a violé son tabou en éprouve de la honte ; en bantou, le tabou se dit : *hlanipa*, « avoir honte ». Sentiment de scrupule et aussi sentiment de honte, la honte est la sanction du tabou.

On pourra étudier ici toute la notion du pur et de l'impur, du bien et du mal, du sacré et du profane. La poursuite de ces classifications peut donner des résultats bizarres ; Hérodote avait très bien senti cela dans sa description de l'Égypte : certains hommes éprouvent du respect pour telle chose, les autres n'en éprouvent pas — et réciproquement. Il n'y a rien de plus arbitraire, de plus variable ni de plus extraordinaire que les classifications ; il n'y a rien de plus bête dans notre langue que le genre grammatical.

C'est sous la forme d'interdits rituels qu'on traitera les tabous. Les tabous sont avant tout circonstanciels : si un chrétien jeûne pendant le Carême, c'est pour manger gras le jour de Pâques ; faire maigre le vendredi est un rituel positif autant qu'un rituel négatif. Nous nous imaginons toujours les interdits sous la forme stricte du Décalogue : tu ne tueras pas ; tu ne convoiteras pas la femme de ton voisin, ni son âne — nous tenons l'interdit rituel pour rigoureusement catégorique ; il l'est dans un certain nombre de cas, mais le mot « rigoureusement » est presque toujours excessif. Jeûner en Carême, pour ne pas jeûner le reste du temps, il y a un impératif localisé. Seuls, ceux qui cherchent la sainteté totale s'entourent d'une discipline stricte, imitée des moines bouddhiques ; mais les interprétations purement psychologiques de l'ascétisme sont aussi fausses que les seules interprétations sociologiques du même ascétisme.

On distinguera les tabous en simples et complexes, tels les grands complexes de fêtes ou d'initiation, Un jeune Arunta ne voit tous ses tabous levés que vers l'âge de trente ans. On peut encore classer les tabous selon leur objet. Il est nécessaire, pour dresser un catalogue, d'adopter une classification des tabous, de prendre un principe quelconque de classification ; mais ce principe ne doit pas conduire à l'établissement d'une simple liste ; il ne doit pas cacher la nature véritable des tabous.

On n'oubliera pas que les tabous peuvent être non seulement manuels et oraux, mais aussi mentaux : « Tu ne convoiteras pas. »

La notion du péché et de l'expiation est une notion considérable que l'on ne peut que mentionner[1]. Les rituels expiatoires sont fréquents et toujours très importants.

On notera enfin tous les tabous corporels : règles concernant le ronflement, l'éternuement, etc.

Représentations religieuses[2]

On reconnaît une représentation religieuse à ce qu'elle correspond à quelque degré à une attitude, au

---

1. *Cf.* HERTZ (R.), « Le péché et l'expiation dans les sociétés primitives », *Revue de l'histoire des religions*, 1922. STANDING (H. J.) et LULLY (F.), *Les Fady malgaches*, Bulletin trimestriel de l'Académie malgache, 1904, III, 2.

2. Voir notamment :

BASTIAN (A.), *Die Heilige Sage der Polynesier Kosmogonie und* moins à un habitus, de l'individu à un rite positif ou négatif ; généralement aussi, à un mythe.

Rappelons ici que représentations et rites ne doivent pas être étudiés séparément ; l'observateur ne doit jamais, à aucun moment, se cantonner dans l'abstrait ; mais toujours se reporter aux rites. Ainsi, une partie des notions concernant la substance sont en fait des notions concernant la nourriture ; nous avons parlé dans les pages précédentes des rites concernant la nourriture.

Les représentations religieuses correspondent à peu près, chez les sociétés qui relèvent de l'ethnographie, à ce qui est chez nous croyances religieuses, magiques ou populaires ; et aussi à ce que nous appelons idées générales et même sciences. Le prêtre, le magicien sont des experts ; *tohunga* en maori, *kahuna* à Hawaï, désigne le prêtre et aussi l'expert. Chez les Mandingues, nous avons les diseurs de choses sacrées, les

Theogonie, Leipzig, 1881 ; *Zur Mythologie und Psychologie der Nigritier um Guinea...*, Berlin, 1894. BOAS (F.), *Tsimshian Mythology*, 31st An. Rep. of the Bureau of Am. Ethnol., 1909-1910, Washington, 1916. BOGORAS (W.), *Chukchee Mythology*, Jesup North Pacific Exped. Memoirs of the Amer. Museum of Nat. Hist., VIII, I. Leyde, New York, 1910. CUSHING (F. H.), *Outlines of Zuñi Creation Myths*, US Bureau of Ethnology, 1891-1892. DENNETT (R. E.), *At the Back of the Black Man's Mind*, *op. cit.* GRANET (M.), *La Pensée chinoise*, Paris, 1934. HENTZE (C.), *Mythes et symboles lunaires*, Anvers, 1932. KROEBER (A.), *The Arapaho*, IV, « Religion », Bull. of the Amer. Museum of Nat. History, New York, 1907, p. 267-465. KRUIT (A. C.), *Het animisme in den Indischen Archipel*, La Haye, 1906. Tous les ouvrages de LÉVY-BRUHL (L.) et notamment *La Mythologie primitive*, Paris, 1935. Les Memoirs of the American Museum of Nat. History, Anthropology, Jesup North Pacific Expedition, vol. II, 2. BOAS (F.), *The Mythology of the Bella Coola Indians*, vol. III, I. LUMHOLTZ (C.), *The Symbolism of the Huichol Indians*, New York, 1900. MOONEY (J.), *Myths of the Cherokee*, 19th An. Rep. of the Bureau of Am. Ethnol., 1897-1898, Washington, 1902. SOUSTELLE (J.), *La Pensée cosmologique des anciens Mexicains*, Paris, 1940. TYLOR (E. B.), *Primitive Culture*, Londres, 1920 (6e éd.). USENER (H.), *Dreiheit*, Rhein. Mus. N. F., LVIII, Bonn, 1903.

voyeurs de choses secrètes. Ce sont des hommes doués d'une compétence particulière. N'oublions pas que c'est Spinoza qui a vraiment isolé la pensée de l'étendue ; jusqu'à lui, la matière n'a jamais été tenue pour quelque chose de très matériel, l'esprit n'a jamais été considéré comme quelque chose de très immatériel.

Une notion fondamentale domine toutes ces questions si enchevêtrées : c'est la notion de symbole. Si Durkheim a exagéré le rôle de l'emblème dans le totémisme, il n'en a pas moins senti l'importance de cette notion. Les gens se conçoivent symboliquement. On trouverait difficilement, même chez nous, un concept qui ne soit pas à quelque degré un symbole.

Cette étude du symbolisme proprement dit doit porter avant tout sur les symbolismes graphiques, qui serviront de point de départ pour l'enquête. Derrière les symbolismes graphiques, on trouvera tous les symbolismes géométriques ; et derrière les symbolismes géométriques, tous les symbolismes figuratifs, tels que par exemple le langage des fleurs. L'*ars plumaria*, en Amérique du Nord comme en Amérique du Sud, est entièrement symbolique : dans les coiffures sioux, il n'est pas une plume qui n'ait sa signification. Il y a là un monde de notions à la fois homogènes et hétérogènes aux nôtres ; peut-être la distance n'est-elle pas si grande qu'on le croit généralement — songeons à l'importance du symbolisme en linguistique. Les représentations religieuses pénètrent tout : calendrier, connaissance du monde, rapports entre la notion d'espace et la notion de temps... Les connaissances astronomiques sont presque toujours religieuses en même temps qu'astronomiques proprement dites. L'ornementation est normalement chargée d'un sens religieux. Il n'est pas jusqu'à une notion comme celle de l'orientation qui ne soit une notion en partie religieuse : nous nous orientons par rapport à un Nord fixe et par rapport à un Équateur. Toute l'Asie et surtout l'Égypte ont connu le *gnomon*. Les connaissances en astronomie d'un peuple que nous tenons pour primitif, les Tchouktchi, sont très développées : cela tient à ce que les Tchouktchi vivent dans la nuit polaire et peuvent observer les étoiles.

L'étude psychologique de la mystique se fera par la description de cas précis de mysticisme, avec révélations, transes, communications avec l'au-delà. N'oublions pas que les mêmes institutions chamanistiques vont du fond de la Laponie en passant par toute l'Asie du Nord jusqu'en Amérique du Nord[1]. La danse du Bori, étudiée par Tremearne[2], se trouve au Maroc et aussi en Égypte, où elle est encore dansée par des Noirs.

Pour la classification des représentations religieuses, on s'aidera du classement adopté dans *L'Année sociologique* : représentations collectives d'êtres et de phénomènes naturels, représentations d'êtres spirituels, mythes, légendes et contes.

Représentations d'êtres et de phénomènes naturels

Chaque objet, chaque genre d'objets, qui a attiré l'attention des indigènes est généralement très bien représenté. Les informateurs parleront longuement de l'Air, du Feu, de l'Eau. S'il est vrai que les représentations religieuses offrent souvent un caractère personnel, il n'en existe pas moins aussi des notions générales. Les observateurs se sont en général trop attachés à l'étude des seuls rites, en négligeant les représentations auxquelles correspondaient ces rites. La correspondance est difficile à établir, mais elle est essentielle. Dans ses travaux sur la religion védique, Bergaigne[3] divise les divinités en mâles et femelles ;

---

1. Sur le chamanisme, *cf.* NIORADZE (G.), *Der Schamanismus bei den sibirischen Völkern*, Stuttgart, 1925.
2. TREMEARNE (A. J. N.), *The Ban of the Bori*, Londres, 1914.
3. BERGAIGNE (A.), *La Religion védique*, Paris, 1878-1883.

tout tourne autour du mâle et de la femelle, de la vache et du taureau, de l'homme et de la femme, du ciel et de la terre, de la pluie et du soleil; son travail est beaucoup plus convaincant que les essais d'interprétation personnelle de Max Müller.

Notre façon de concevoir la mythologie, telle que l'illustre assez fidèlement *Orphée aux enfers*, n'est qu'une façon possible, elle n'est pas la seule. Il s'agit de savoir comment pensent les indigènes. Powell a bien vu les rapports de la religion avec la technologie chez les Indiens d'Amérique[1].

On s'efforcera donc de ne pas étudier exclusivement les représentations qui forment, par exemple, la liste des catégories dans les classes de philosophie. En plus des questions que nous pouvons nous poser, les indigènes peuvent en concevoir beaucoup d'autres. La liste de nos catégories : espace, temps, nombre…, n'épuisera pas la liste des catégories d'une autre société. La notion de nourriture est une des formes de la notion de substance. Question de l'étendue. Distinction du haut et du bas, du droit et du gauche, de l'inversion, de la symétrie, des sympathies, des correspondances ; tout ce que Lévy-Bruhl appelle la participation. Une bonne liste de présages, telle que la peut fournir le *Grand Albert*, rendra ici de grands services.

La division entre animé et inanimé est fondamentale, elle correspond à la notion d'élément[2]. La notion de *mana* apparaît universelle ; elle est souvent en relation avec la notion de souffle[3] ou avec la notion de voix, de musique[4]. La notion de qualité peut faire

1. POWELL (W.), Préfaces aux vingt premiers volumes du Bureau of American Ethnology. Voir également DARMESTETER (A.), *La Vie des mots étudiés dans leur signification*, Paris, 1887.

2. *Cf.* DIELS (H.), *Elementum*, Leipzig, 1899.

3. PREUSS (K. Th.), *Religion und Mythologie der Uitoto*, Göttingen et Leipzig, 1921 et 1924 (Indiens de Colombie).

4. HEWITT (J. N. B.), «Orenda and a Definition of Religion», *American Anthropologist*, n. s. IV, 1902.

l'objet de multiples recherches : les qualités, par exemple de la pierre, sont transmissibles (faits observés en Polynésie, avec rituel identique dans l'Inde). Quelles sont les qualités d'une amulette (à observer lors de la délivrance de l'amulette) ? Notions de causalité, de finalité.

Enfin, notion d'esprit, notion de l'animisme individuel. Dans un grand nombre de cas, les esprits des morts peuvent tout posséder ; peuvent résider partout : « Il est clair que c'est des morts que viennent les générations et les natures » (Hippocrate). Nous mangeons des choses mortes, grâce auxquelles nous procréons et nous vivons.

Il faudra donc étudier ces notions, innommées pour nous, qui donnent aux sociétés différentes de la nôtre cette teinture « mystique » ou que notre ignorance nomme telle ; mais n'oublions pas que nos propres notions, telle la notion d'attraction, ne sont pas toujours claires pour nous.

On étudiera encore la notion de bénédiction ; la notion de mal ; enfin, la notion de *mana* et la notion de sacré. Rappelons ici la définition de base : tout ce qui est religieux est *mana* ; tout ce qui est *mana* est religieux *et* sacré.

Durkheim a étudié la notion de genre et de qualité[1] ; Lévy-Bruhl, la notion de causalité à partir de l'homme. Il paraît certain que si l'homme n'avait pas cru que sa magie réussirait, il n'aurait pas persévéré dans ses techniques ; l'une des raisons pour lesquelles l'homme eut confiance en lui, c'est qu'il possédait d'autres moyens que ses techniques. Le travail essentiel de l'ethnographe consistera à discerner dans chaque activité la part mutuelle du technique et du religieux ou du magique ; ceci partout, dans chaque

---

1. *Cf.* Durkheim (E.) et Mauss (M.), « De quelques formes primitives de classification… », *L'Année sociologique*, 1901-1902, p. 1-72.

esprit, à chaque moment. Comment les indigènes se représentent-ils le système du monde ; quel est leur *orbis pictus*, voilà la question capitale.

Représentations d'êtres spirituels

À partir de cet ensemble de notions générales, on étudiera ce que l'on appelle la mythologie, c'est-à-dire les êtres individuels. Et tout d'abord, la notion des esprits : esprits des vivants, leurs « âmes ». Dans la religion catholique, chaque individu a encore son saint patron, son ange gardien, son âme ; Dieu le protège, tous les anges le protègent, tous les diables l'assaillent. Nous vivons encore entourés d'esprits, qui, les uns et les autres, sont nos doubles. À Rome, chacun avait son Genius et sa Juno, chacun avait son Lare[1]. Âme double, âme extérieure, génie protecteur, esprit revenant qui est dans le vivant, esprit procréateur de son fils, tout cela est très compliqué.

On abordera cette étude par la représentation de l'âme humaine. La notion d'âme proprement dite est récente : elle est attestée pour la première fois dans le grand marbre grec qu'est la Révélation de Psyché. Par définition, nous croyons l'âme éternelle ; mais éternelle seulement dans le futur. Les sociétés à métempsycose et à réincarnation sont plus logiques. Noter les représentations concernant la germination des hommes, des animaux, des plantes ; comment les esprits se réincarnent, comment ils entourent les morts, comment ils vivent entre eux ; quelles sont leurs relations avec le rêve et le cauchemar ; le sommeil, l'extase. Les âmes multiples ne sont pas forcément contradictoires. Pour les Chinois, les âmes se trouvent à tels endroits, correspondent à telles parties du corps — ce qui permet l'acupuncture. Voyage de l'âme pendant le sommeil. Les garous, les vampires.

---

1. Sur l'âme extérieure, *cf.* HARTLAND (E. S.), *The Legend of Perseus*..., Londres, 1894-1896.

Les différentes parties du corps ont chacune leur âme :
âme de la tête, du cerveau, des yeux ; de la gorge ; du
foie. Les rapports entre la vie et le foie sont à la base
de toute une grande théorie de la divination et de
l'auguration. Question des souffles, des ouvertures du
corps. Âme de la voix, figuration du souffle.

En ce qui concerne les esprits eux-mêmes : quel est le
mythe du pays des morts, ses rapports avec le pays des
vivants. Voyages de l'âme au pays des morts (grands
mythes polynésiens). Voir les études de représentations chamanistiques faites par les Russes en Sibérie.

Âmes des bêtes et particulièrement des abeilles.
Âmes des plantes, âmes des métaux et mariages des
métaux. L'importance de la mythologie des forgerons
et des fondeurs est considérable[1] ; c'est encore le forgeron qui, dans nos campagnes, arrachait jadis les
dents (beaux textes dans *Don Quichotte*).

Rapports des âmes avec les astres.

Voici une série de rapprochements que nous n'avons
pas l'habitude de faire. On notera avec un soin égal
les rapports qui nous sont familiers et qui demeurent
ignorés dans les sociétés observées : esprits qui n'ont
jamais été des hommes ni des dieux ; dieux qui n'ont
jamais été des hommes ni des esprits, tel Kronos.

On étudiera un par un tous les dieux, tous les
esprits : esprits des hommes, des femmes, des bêtes,
des choses. Dieux nationaux et internationaux, tels les
petits esprits des carrefours. Les grands esprits des
temples. Les esprits des eaux, des montagnes. Les
héros. Pour chaque dieu, on étudiera : son rite, sa
classe ; le lieu de son culte ; sa naissance, sa mort, sa
divinisation : car les dieux ont été divinisés, c'est le
sujet du *Rameau d'or* tout entier. Il faudra transcrire
tout cela sous forme d'histoire en reproduisant tout

---

1. *Cf.* GRANET (M.), *Danses et légendes de la Chine ancienne*,
Paris, 1926.

ce qui est l'imagerie divine ; ne pas omettre les couleurs, la couleur est aussi importante que le dessin.

Alors seulement, en possession de tous ces répertoires dressés de toutes les manières possibles, on pourra écrire la mythologie de chaque dieu[1].

Mythes, légendes, contes

Le mythe est une histoire du dieu, est une fable, avec son invention et sa morale. Pour chaque mythe, on notera : qui le dit, pour qui, à quel moment ; les mythes se recoupent et s'opposent selon les points de vue : mon totem est très grand, le vôtre est tout petit. L'observateur devra sentir les différences de points de vue et enregistrer ces différences. Généralement, le dieu est représenté comme un homme ayant toute une histoire, ayant des femmes, ayant des rapports avec les animaux, contractant des alliances, demandant protection : le dieu protège qui l'a protégé (exemple : le totem). Les récits sont très souvent en vers, on les trouvera sous forme de ballades ou d'épopées[2].

Un mythe, *muthos* (= légende), est mythe des dieux, fable des dieux, apologue, moralité. L'ensemble de la littérature religieuse comprend les mythes, les légendes et les contes, que nous avons déjà étudiés à propos de la littérature, mais qu'il faut reprendre ici. La tragédie, à l'origine, est l'ode consacrée au bouc ; l'ensemble de la représentation dramatique correspond au sacrifice du bouc égorgé sur l'autel.

Le *mythe* proprement dit *est une histoire crue, entraînant en principe des rites*. Le mythe fait partie

1. *Cf.* USENER (H.), *Götternamen*, Bonn, 1896.
2. *Cf.* LANDTMANN (G.), *The Folk Tales of the Kiwai Papuan*, Helsingfors, 1917. BOAS (F.), *Tsimshian mythology*…, US Bureau of Am. Ethno., 1909-1910. CUSHING (G. H.), *Outlines of Zuñi Creation Myths*, 13th Annual Report of the Bureau of Ethnology, Smithsonian Institution Washington, 1896. BÜLOW, *Die Geschichte des Stammvaters der Samoaner*, Intern. Arch. f. Ethnographie, 1898.

du système obligatoire des représentations religieuses, on est obligé de croire au mythe. À la différence de la légende (nous parlons improprement de la Légende des saints : s'il s'agit d'un saint, ce n'est pas une légende), le mythe est représenté dans l'éternel : un dieu est né, il a été mis à mort, il est re-né ; tout ceci correspond à une croyance qui est de tous les temps. Le Bouddha est né à une époque précise, mais en étudiant les Livres saints du bouddhisme, on voit qu'il était déjà de toute éternité, il avait été précédé par d'autres bouddhas et le monde attend encore le futur Bouddha dans l'assurance de sa venue. De même pour les avatars de Vishnou, pour les rapports entre Kronos et son fils Jupiter. Le mythe se passe dans l'éternel, ce qui ne veut pas dire que le mythe n'est pas localisé dans le temps et dans l'espace : on sait que Kronos a donné naissance à Jupiter, qu'il était le premier ; mais vis-à-vis des hommes, les dieux sont tous dans l'éternité.

La légende[1], la saga (« ce que l'on raconte »), est moins crue ; exactement, elle *est crue, sans qu'il y ait nécessairement un effet*. Le temps est, si l'on peut dire, plus localisé : on sait la date de la naissance d'un saint. Le mythe, même lorsqu'il raconte des événements précis, se place dans une époque mythique qui est toujours une époque différente de celle des hommes ; tandis que la légende se place toujours dans une époque qui est à quelque degré celle des hommes. Le mythe peut pénétrer la légende, les dieux interviennent à chaque instant dans le *Ramayana* ou dans le *Mahabarata*, dans l'*Iliade* ou dans l'*Énéide*, les rapports qu'ils entretiennent avec les hommes les amènent à prendre

---

1. Hartland (E. S.), *The Legend of Perseus…*, Londres, 1896, 3 vol. Teit (J.), *Traditions of the Thompson River Indians of British Columbia…*, Am. Folklore Society, vol. VI, 1898. Curtin (J.), *Creation Myths of Primitive America in Relation to the Religious History of Mental Development of Mankind*, Londres, 1899.

part à l'action. La légende, elle, ne peut guère pénétrer le mythe. Mais on y croit, c'est historique, personne ne doute, on sait le nom de l'homme qui a accompli telle action, il a un père, une mère, et toute une épopée.

On croit moins à la légende qu'au mythe, on croit encore moins au conte, à la fable, qu'à la légende. En latin, *fabula* désigne nettement une petite chose, le conte est simplement possible. *La fable est l'objet d'une croyance tout à fait mitigée.* C'est du domaine du possible et de l'imagination, personne n'est tenu d'y croire. La fable reste religieuse, mais peu crue. Les épopées d'animaux (par exemple en Afrique) constituent des précédents juridiques : il est bon d'être aussi rusé que le lièvre, aussi robuste que la tortue, etc. Tout ceci s'exprime assez bien par la position qu'occupent dans l'art dramatique les dieux, les héros et les hommes[1].

Une partie de ce que nous savons des religions de l'Antiquité nous est fournie par cette littérature à demi profane. De la littérature proprement religieuse, il reste très peu de chose : les seules prières qui nous sont parvenues sont les prières d'Orphée. Les plus longues prières romaines sont des prières de Carthage, simples incantations.

Ces documents doivent être pris philologiquement. Les grands recueils de légendes, de contes, de mythes, sont parmi les meilleurs documents que nous possédions. Négliger de les recueillir conduit à défigurer la vie d'une religion, d'une société déterminée.

On fera pour chaque héros les mêmes observations que pour chaque dieu. Noter l'existence de cycles : certaines épopées peuvent être très longues. Mais ne pas entreprendre de prime abord une étude des thèmes, c'est-à-dire des éléments des contes. On se

---

1. Voir la préface d'Hubert (H.) à Czarnowski (S.), *Le Culte des héros et ses conditions sociales. Saint Patrick, héros national de l'Irlande*, Paris, 1919.

bornera à dresser un catalogue pur et simple : catalogue par héros (dans *Le Livre de la jungle*, l'Éléphant représente tous les éléphants) ; par localités, par documents historiques : telle famille est née d'un homme de telle nature, d'une femme de telle autre nature : c'est un mythe, un mythe totémique et cela peut être aussi un conte ou une légende. Mais le récit est toujours localisé. On notera toutes les légendes historiques : la Terre pêchée, la ville enfouie, la naissance des dieux dans telle caverne, la naissance des héros et leur ascension au ciel, la descente aux enfers, sous l'eau, la vie avec les ondines…

Ne pas craindre de répéter les thèmes, mais mentionner les répétitions, en les numérotant. Ne jamais chercher la version originale, noter toutes les versions.

On pourra classer autrement : il y a tout l'ensemble des légendes de fondation, l'ensemble des guerres faites par les dieux, par les esprits, par les animaux. Les classifications indiquées ici sont des instruments de travail ; leur seul but est de permettre une collecte aussi complète que possible des documents. Ce n'est pas sur le terrain qu'on entreprendra un travail général d'interprétation des mythes et des contes.

Destiné avant tout à l'amusement et à l'instruction, le conte est plus littéraire que le mythe ou que la légende ; sans doute l'épopée des dieux, et le système des légendes, continuent un élément littéraire ; mais cet élément trouve une place beaucoup plus large dans le conte[1].

Dans un conte, on distinguera : les thèmes (chaque thème) ; la contexture de ces thèmes ; l'emplacement du conte. Prendre garde que ce ne sont pas seulement les thèmes qui voyagent, c'est l'ensemble du conte : il n'y a pas une seule Belle au bois dormant, il y a des

1. Sur la science des contes : HARTLAND (E. S.), *The Science of Fairy Tales…*, Londres, 1891. COSQUIN (E.), *Contes populaires de Lorraine…*, Paris, 1886.

belles qui n'ont jamais été réveillées, des belles qui se
réveillent toutes seules... On s'efforcera, en notant
chaque thème, de garder le sens spécifique des thèmes
et des contextures.

ORGANISATION RELIGIEUSE[1]

Tout groupe de phénomènes sociaux correspond
toujours à une organisation plus ou moins permanente,
les phénomènes religieux correspondent toujours à
« l'Église », à la société religieuse. Il n'y a pas de système cohérent de croyances qui ne soit lié à un système cohérent de gens. Un conte même se récite à la
veillée ou sur la place publique.

Tout phénomène social, par le fait seul qu'il est
phénomène social, offre toujours une teinte morale,
une teinte esthétique, une teinte de croyance.

L'organisation religieuse apparaîtra surtout sur les
terrains de fête et aussi sur le terrain juridique. On
retrouvera ces phénomènes, avec un aspect de plus en
plus laïque, dans les rapports entre sexes et plus encore
dans les rapports entre générations : sauf exception, la
femme est plutôt l'objet que l'agent de la religion.

On étudiera successivement les différentes unités
religieuses : classes d'âge, castes et en particulier les
prêtres ; l'ancien, le chef de clan, le magicien sont toujours plus ou moins prêtres ; enfin la société des
hommes apparaîtra à chaque instant en tant que
corps religieux dans les sociétés qui nous intéressent ;
la coïncidence est fréquente entre le temple et la maison des hommes, exemple les *marae*, ces grandes
enceintes qu'on a détruites en Polynésie et qui ne

---

1. *Cf.* Schurtz (H.), *Altersklassen und Männerbunde*, Berlin,
1902. Crooke (W.), *The Popular Religion and Folklore of Northern India*, Westminster, 1896. Webster (A.), *Primitive Secret
Societies*, New York, 1908. Westermarck (E.), *Survivances païennes
dans la civilisation mahométane*, trad. fr., Paris, 1935 ; *Cérémonies
du mariage au Maroc*, trad. fr., Paris, 1921.

figurent plus que sur les vieilles gravures. On observera les différentes classes de prêtres et leurs rapports entre elles : toute l'Afrique guinéenne connaît les «couvents de prêtresses» ; ces femmes sont en réalité les hiérodules du dieu. Étudier la hiérarchie et la spécialisation des prêtres de l'eau, prêtres du feu. Un prêtre ne peut pas offrir n'importe quel sacrifice, il est normalement un spécialiste, spécialiste de son totem ou de tel sanctuaire. Le rang civil peut coïncider avec le rang religieux, c'est le cas par exemple pour les rois-prêtres[1]. On étudiera les initiations spéciales ; la vie du prêtre, son habitat, ses femmes, ses tabous, ses relations avec les dieux, la façon dont il est possédé, ses visions, ses révélations : il rêve la nuit, il prophétise, il prie. La prière est le signe de la présence du Dieu : «Éternel, ouvre ma bouche et elle chantera tes louanges.» C'est l'Éternel qui ouvre la bouche de son prêtre.

Tout ce qui précède correspond à la structure anatomico-physiologique de la religion. Il faudra encore observer la structure géographique de la morphologie sociale de la religion : les temples sont emplacés en des endroits sacrés, pour des raisons précises. Description du temple ; noter la richesse respective des temples, des dieux sacrés, le nombre de fidèles qui fréquentent chaque sanctuaire. Le respect éprouvé pour un cairn est facile à constater : il est en raison directe des dimensions du cairn. On a vu en Amérique se former et se détruire toute une religion qui était un compromis entre les cultes des Indiens Sioux et le christianisme ; le résultat a donné un chamanisme chrétien qui a duré trente ans, s'étendant du nord au sud des Montagnes rocheuses, très loin

---

1. SELIGMANN (C.), *Egypt and Negro Africa*, Londres, 1934. FRAZER (sir J. G.), *Les Origines magiques de la royauté*, trad. fr., Paris, 1920. BLOCH (M.), *Les Rois thaumaturges*, Strasbourg et Paris, 1924.

vers l'est et le sud-est[1]. Ce n'est qu'à la fin de ces recherches, après une observation aussi méticuleuse que possible du fonctionnement de la religion, que l'on pourra définir au point de vue religieux la société observée. La moralité, la religion d'un pays se déterminent par l'observation du fonctionnement de sa religion et non pas *a priori*, la moralité de la France se détermine par sa statistique morale et non pas inversement. On mesurera l'importance du tabou, du scrupule (nous l'avons déjà fait), des superstitions (nous allons le faire) ; l'importance des initiations ; l'importance de la notion de péché, le nombre des expiations, les guérisons de maladies causées par des fautes religieuses. Les rapports entre la morale et le droit fourniront d'utiles renseignements. La guerre peut être un phénomène entièrement religieux : les usages guerriers de Rome n'étaient pas très éloignés des usages hawaïens. Rapports de la religion avec l'éducation, par exemple dans ces initiations de jeunes Australiens où le patient ne doit pas pleurer, ni rire, ni crier : son silence prouvera qu'il a l'âme chevillée au corps.

Phénomènes religieux « lato sensu »

Ils comprennent principalement la magie et la divination ; et aussi les superstitions populaires.

LA MAGIE[2]

La magie est un ensemble de rites et de croyances, que l'on confond souvent avec la religion ; on confond même la religion avec la magie : c'est le fait de Malinowski, de Frazer. En Mélanésie, en effet, il est assez

---

1. *Cf.* MOONEY (J.), *The Ghost Dance Religion and the Sioux Outbreak of 1890*, US Bureau of Am. Ethnol., 1892-1893.
2. Études générales sur la magie :
HUBERT (H.) et MAUSS (M.), « Esquisse d'une théorie générale

difficile de distinguer religion et magie, le magicien étant généralement aussi le prêtre ou l'homme des hauts grades de la société secrète. La magie est un effort de systématisation, un ensemble de recettes et de secrets, généralement plus individuel que la religion. Sans doute il y a des collèges de magiciens, mais les magiciens n'exercent pas tous ensemble ; ou s'ils exercent ensemble, c'est en tant que prêtres, par exemple pour incanter l'ennemi. La magie est liée à une notion importante, qui est la notion de symétrie et d'orthodoxie : du fait que l'homme a une droite et une gauche, lorsque deux hommes s'affrontent, la droite de l'un correspond nécessairement à la gauche de l'autre. *Ma* magie est une religion pour moi et un maléfice pour vous, *votre* religion est pour moi un

de la magie », *L'Année sociologique*, VII, 1902-1903, p. 108 et suiv. MARETT (R. R.), Article « Magic », in *Hasting's Encyclopoedia of Religions and Ethics*, Édimbourg, 1912. MAUSS (M.), *L'Origine des pouvoirs magiques dans les sociétés australiennes*, Rapport de l'École pratique des Hautes Études, V^e section, Paris, 1904. Réimprimé dans HUBERT (H.) et MAUSS (M.), *Mélanges d'histoire des religions*, Paris, 1929, 2e éd. PREUSS (K. Th.), *Der Ursprung der Religion und der Kunst*, Globus, 1904, LXXXVI, p. 321-327, 355-363, 376-380, 389-393 ; 1905, LXXXVII, p. 333-337, 347-351, 380-384, 394-400, 413-419. RIVERS (W. H. R.), *Medicine, Magic and Religion*, Londres, 1924. VIERKANDT (A.), *Wechselwirkungen beim Ursprung von Zauberbraüchen*, Archiv. f. die Gesamte Psychologie, 1903, II, p. 81-93.

Monographies sur la magie :
CUISINIER (J.), *Danses magiques de Kelantan*, Paris, 1936 (péninsule malaise). DOUTTE (E.), *Magie et religion dans l'Afrique du Nord*, Alger, 1909. EVANS-PRITCHARD (E.), *Witchcraft, Oracles and Magic among the Azande*, Oxford, 1937. FORTUNE (R.), *Sorcerers of Dobu*, Londres, 1932 (Mélanésie). HENRY (V.), *La Magie dans l'Inde antique*, Paris, 1904. MALINOWSKI (B.), *Coral Gardens and their Magic...*, Londres, 1935, 2 vol. (Mélanésie). MOONEY (J.), *Sacred Formulas of the Cherokees*, US Bureau of Ethnology, 1885-1886 (Indiens des plaines). SELER (E.), *Zauberei und Zauberer im alten Mexico*, Berlin, 1899. SKEAT (W. W.), *Malay Magic*, Londres, 1900. *Cf.* aussi le n^o d'octobre 1935 de la revue *Africa*, qui est entièrement consacré à l'étude de la magie dans les sociétés noires.

maléfice et une magie[1]; le cas échéant, je vous accuserai des morts causées chez moi : ce n'est pas moi qui puis les avoir provoquées. De mon point de vue, je suis nécessairement du côté du bien, vous êtes nécessairement du côté du mal. La magie se distingue plus nettement de la religion au point de vue juridique. C'est très net pour tout le Moyen Âge.

La magie est généralement théurgique, elle domine les esprits des vivants et les esprits des morts, hommes et femmes; elle domine aussi très souvent les dieux. Les textes de prières les plus complets qui nous soient parvenus de Grèce et de Rome sont les tablettes de Carthage destinées à faire trébucher les chevaux de course.

La magie est avant tout quelque chose de relativement irrégulier. Elle est constante, traditionnelle, exacte, précise, elle a son personnel, ses traditions : personnel et traditions demeurent néanmoins un peu en marge de la légalité — en marge vis-à-vis de l'autre partie; tandis qu'à la rigueur, je puis être légalement obligé de craindre votre dieu.

La notion de magie coïncide généralement avec la notion de *mana*, mais le magicien se servira rarement de choses sacrées proprement dites; s'il les utilise dans un but magique, c'est un sacrilège (exemple la messe noire).

On étudiera le caractère secret de la tradition magique; les rapports de la magie avec les techniques et les arts, rapports généralement beaucoup plus nets que ceux de la religion avec les techniques, très terre à terre (arts sinistres de la médecine, empoisonnements, etc.).

Il faudra trouver les magiciens, qui sont beaucoup moins nombreux qu'on ne le dit. En dépit des accusations très fréquentes de magie portées contre elles, les

---

1. *Cf.* Huvelin (P.), «Magie et droit individuel», *L'Année sociologique*, X, 1905-1906, p. 1-47.

femmes ont peu de traditions magiques ; c'est à Paris seulement qu'il existe plus de magiciennes que de mages. Obtenir du magicien son formulaire, souvent considérable. Toujours joindre à la description des rites manuels les formules orales qui accompagnent ces rites. Le magicien est impuissant s'il n'a pas une « amorce » : rognure d'ongles, mèche de cheveux... La formule donnera le sens de ce que contient l'amorce ; sans formule, vous vous trouvez réduit à l'idée générale, exacte mais insuffisante, de Frazer, de magie par contact.

On étudiera ces esprits auxiliaires, ces formes excessives de la magie auxquelles correspond le chamanisme ; l'autorité du magicien dans la société des hommes ; les conditions du rituel (rites négatifs et rites positifs, comme dans la religion). Décrire tous les gestes, tous les objets : l'arsenal de Faust est considérable.

On enquêtera ensuite sur tout ce qui concerne la croyance à la magie, ses effets sur l'incanté. N'oublions pas que charme vient de *carmen*, le poème pourvu d'efficacité. Comment chante-t-on, de quels gestes accompagne-t-on la récitation de la formule ?

Éléments de la magie. Les rapports magie-religion varient selon les sociétés. En fin d'enquête, on doit pouvoir doser le caractère magique de la société étudiée comme on peut doser sa religiosité.

LA DIVINATION[1]

La divination est malheureusement très mal étudiée. On la définira un système de représentations

---

1. Voir notamment :

ARNIM (H. F. A. VON), *Plutarch über Dämonen und Mantik*, Amsterdam, 1921. BOUCHÉ-LECLERCQ, *Histoire de la divination dans l'Antiquité*, Paris, 1879-1882. CONTENAU (Dr G.), *La Divination chez les Assyriens et les Babyloniens*, Paris, Payot, 1940. MAUPOIL (B.), *La Géomancie à l'ancienne Côte des Esclaves*, Paris, 1943 concernant l'avenir, déterminé en fonction du présent et du passé. La divination procède à l'aide de sympathies, de correspondance, de forces *sui generis*. Elle voit passé et avenir sur le plan du présent, dans une confusion qui évoque la confusion du rêve. La divination emprunte à la religion et à la magie tous ses principes de raisonnement.

Un système de divination s'étudiera par objets (haruspices, extispices...). L'observateur prendra comme modèles le *De fatum* ou le *De divinatione*, en latin. Il n'omettra surtout pas de mentionner les points qui lui demeurent obscurs. Il notera les principales notions religieuses : notion de cause, notion de personne ; horoscope ; les présages ; mais avant tout, l'ensemble du système divinatoire, selon lequel telle chose est bonne pour tel usage, mauvaise pour tel autre, etc., tout ceci constituant un ensemble de recettes souvent fort systématiques, transmises comme telles. Les systèmes les mieux décrits demeurent les systèmes polynésiens et malais ; ce dernier correspond à une véritable cosmogonie, où des éléments hindous et malayo-polynésiens rejoignent des éléments musulmans[1].

Si les variations entre les croyances en matière de divination sont considérables, l'importance même de ces croyances et leur extension demeurent souvent insoupçonnées ; ainsi, la boussole fait partie de la cosmologie de la tortue. Nous connaissons à peu près la divination par interrogation des entrailles : partie d'un foyer chaldéen, elle s'est répandue à l'ouest jusqu'à l'Atlantique ; à l'est, elle est allée jusqu'au détroit de Timor, qui marque une frontière très nette pour tous les faits de divination.

(1945). Monteil (Ch.), *La Divination chez les Noirs de l'Afrique occidentale française*, Paris, 1932. Skeat (W. W.), *Malay Magic*, Londres, 1903.
    1. Skeat (W.), *op. cit.*

N'oublions pas que le magicien étrusque dessinait le *mandus*, c'est-à-dire un carré qui représentait le monde et dans lequel il situait le consultant. Nous demandons encore « la bonne aventure ».

L'enquêteur étudiera toute la notion des signes et des intersignes, les questions des répartitions cosmologiques, les coïncidences du temps et de l'espace, la répartition des astres, des quartiers lunaires, des espèces animales, de tous les événements imaginables. Il notera tous les scrupules, tous les rites divinatoires où heures, nombres, lunaisons, présages, magie, religion... se mélangent inextricablement. Toute société possède sa cosmologie et son système de classifications qui lui sont propres. Certes, il ne faudrait pas croire que tout tient là-dedans, dans une espèce d'immense calembour construit sur les signes et les intersignes ; mais une classification domine cet ensemble, des correspondances relient entre eux noms, espèces animales et végétales, états, techniques et activités de toutes sortes.

On verra encore les rapports de la divination avec le chamanisme, les rapports du devin avec le chaman ; le devin peut, lui aussi, voyager dans l'au-delà.

On étudiera enfin les devins et les confréries de devins, en recueillant leurs dits, leurs formules, etc.

SUPERSTITIONS POPULAIRES

Autour de la religion *stricto sensu*, autour de ses deux gros satellites, magie et divination, flotte une immense masse informe, une nébuleuse, qui est le système de la religion populaire, des superstitions populaires. Pas plus qu'au mot « survivance », on n'attachera de valeur au mot superstition ; ces croyances populaires ne sont pas nécessairement beaucoup plus anciennes que le reste. Tout réside dans une question de dosage, il n'y a pas de société sans superstitions religieuses, sans traditions populaires. Ce sont des notions très vagues : sur l'excellence de tel aliment pris à telle heure ; sur les formules qui accompagnent un éternuement («Dieu vous bénisse») ou un crachat. À côté de la médecine savante, médecine de l'homme-médecin, la médecine populaire occupe toujours une place respectable. Une masse de choses, informe, rentre ici dans la religion. Les femmes sont généralement à la fois plus superstitieuses et moins magiciennes, moins devineresses, que les hommes. L'observateur notera toutes les croyances concernant une partie de la vie technique, tous ces thèmes de contes où les esprits viennent aider la fileuse, etc., en n'observant plus ici que des divisions extrêmement larges, pour faciliter la lecture.

TABLE

Petite Bibliothèque Payot

Petite Bibliothèque Payot / Voyageurs

Petite Bibliothèque Payot / Échecs

Impression réalisée sur CAMERON par

BUSSIÈRE CAMEDAN IMPRIMERIES

GROUPE CPI

à Saint-Amand-Montrond (Cher)
pour le compte des Éditions Payot & Rivages
en août 2002

N° d'impression : 023593/1.
Dépôt légal : août 2002.
Imprimé en France